Onder de hemel van Cornwall

Liz Fenwick bij Boekerij:

Sterren boven Cornwall
Een affaire in Cornwall
Een vreemdeling in Cornwall
Onder de hemel van Cornwall

www.boekerij.nl

Liz Fenwick

Onder de hemel van Cornwall

Soms vind je een thuis waar je dat het minst verwacht…

ISBN 978-90-225-7439-3
ISBN 978-94-023-0573-9 (e-boek)
NUR 302

Oorspronkelijke titel: *Under a Cornish Sky*
Vertaling: Fanneke Cnossen
Omslagontwerp: Johannes Wiebel | pundesign, München
Omslagbeeld: Shutterstock / Captblack76, Helen Hotson
Zetwerk: Mat-Zet bv, Soest

Voor Andrew

Men gaat niet op en neer springen en 'hoera' roepen zodra men hoort dat men een vermogen heeft gekregen; men begint zich op zijn verantwoordelijkheden te bezinnen en zakelijke besognes te overdenken; op een fundament van duurzame voldoening verrijzen serieuze zorgen, en we beheersen ons en tobben met somber gelaat over ons groot geluk.

JANE EYRE – CHARLOTTE BRONTË

Proloog

Geen erfenis is zo rijk als eerlijkheid

SHAKESPEARE

*D*e ogen kijken naar haar en Demi lacht. Ze draait zich om naar het kind naast haar, met wie ze al de hele week speelt, maar de jongen is er niet. Het meisje dat op hen past is er evenmin, en de andere kinderen zijn ook weg. Ze is alleen met de zonneschijn en de vlinder. Die is zo mooi. Ze loopt er dichter naartoe, hij vliegt weg en blijft op een paarse bloem zitten. Ze kijkt om zich heen en besluit om achter de vlinder aan te gaan. Die vliegt vast dezelfde kant op als de andere. Misschien was de vlinder eigenlijk een elfje of een Cornwallse kabouter. Mama zegt dat kabouters stout zijn, net als Demi als ze haar wortels niet wil opeten.

Heel even blijft de vlinder stilletjes zitten en dan is hij weer weg. Demi probeert hem te vangen, maar dat lukt niet. Zodra ze terug is in het hotel gaat ze een vlinder voor mama tekenen.

De paarse ogen fladderen, en hup, daar gaat hij weer. Het kán niet anders of er zit een elfje op zijn rug. Op en neer gaat hij, hij rust even uit, maar vliegt dan weer verder naar het bos en de grasklokjes. Oma heeft haar alles over de grasklokjes verteld. Ze is vaker in een bos met grasklokjes geweest. Dat is waar de elfjes wonen, en ze mag nooit zonder oma of opa een bos met grasklokjes in gaan, want dan lokken de elfjes haar in de val. Oma heeft haar dat lang geleden verteld, toen ze nog heel klein was. Maar de vlinder met de paarse ogen vliegt het bos

9

in en Demi gaat erachteraan. Ze is nu groot, de elfjes kunnen haar niet vangen, want ze kan hard rennen.

Het pad heeft bochten en kronkels. Demi huppelt en zingt een liedje dat oma haar heeft geleerd. Dat gaat zo: 'Grasklokje, grasklokje, wat ben je mooi. Grasklokje, grasklokje, vertel me eens zonneklaar. Grasklokje, wie gaat er van me houden? Wat is nou echt waar?' Ze blijft staan en luistert. Zullen de grasklokjes het haar vertellen? Mama houdt van haar, oma houdt van haar, opa houdt van haar en Charlie houdt van haar. Ze heeft de grasklokjes niet nodig om te horen wat echt waar is.

Het zonlicht valt tussen de bomen door en kleurt de grond blauw en paars. Demi haalt een kleurpotlood uit haar zak en doet alsof ze de bomen en bloemen tekent. De zon staat hoog aan de hemel, haar maag knort en haar hoofd doet pijn. Ze draait rondjes en valt op de grond. De vlinder vliegt weg en dan is ze alleen.

Ze is in het elfenbos, dat weet ze zeker. Ze kan hun magie voelen.

Een vlinder vliegt voor haar langs, een seconde lang snijdt hij het zonlicht in tweeën. Demi huivert als een briesje de klokjes in beweging brengt. Zouden ze klingelen? Wat had oma ook alweer gezegd? Als je de grasklokjes hoort klingelen, gaat er iets dood. Mama zei tegen haar dat ze zulke oude fabeltjes niet meer mocht vertellen, dat ze ermee moest ophouden. Demi legt haar handen op haar oren, maar ze kan het klingelen toch nog horen. Ze staat op. De wind gaat harder waaien en ze rilt. Ze moet hier weg. Er knapt een twijgje en Demi kijkt om zich heen. Ze ziet niets dan bloemen en bomen. Ze zet het op een lopen en struikelt. Ze valt op de grond met haar handen naar voren. Pijn. Bloed. Tranen. Ze staat weer op. Ze moet doorrennen maar krijgt geen adem meer. 'Mama!' roept ze. Haar stem wordt meegenomen door de wind. Mama hoort haar niet roepen.

Een schaduw verduistert het pad en de angst grijpt haar bij de keel. Dat is vast de Kowres, de enge reuzin die haar volgens oma zal opeten als ze de tuin uit gaat. Oma heeft haar er een laten zien, die was in steen veranderd op de akker, vlak bij waar oma is opgegroeid.

Haar knieën, handen en hoofd doen pijn, maar ze moet aan de Kowres zien te ontsnappen. Die gaat haar opeten. Oma zegt dat Kowres dol zijn op ongehoorzame kindertjes!

De stenen Kowres doemt voor haar op. Ze rent ernaartoe, weg van de reuzin achter haar. Ze probeert zich te verstoppen, maar de reuzin krijgt haar te pakken. De Kowres heeft haar gevangen! Ze ruikt gember. Gaat de Kowres haar nu opeten? Doordat ze het grasklokje hoorde klingelen?

LENTE

Een zoon kan berusten in de dood van zijn vader,
maar het verlies van zijn erfenis kan hem tot wanhoop drijven.

NICCOLÒ MACHIAVELLI

1

De geur van kamperfoelie zweefde door het open raam naar binnen en de namiddagzon viel op de kluwen lakens. Victoria glimlachte. Ze rook nog steeds Adams aftershave. Ze trok het dekbed recht en schudde de kussens op. Allemaal goed en wel om op een luie middag seks te hebben met haar toyboy, maar het zou beslist onplezierig zijn als Charles binnen zou wandelen en haar daarop zou betrappen, en een paar minuten geleden had ze zijn auto de oprijlaan op horen rijden.

Ze haalde het groene zijden hemdjurkje van het hangertje en trok het over haar hoofd, genietend van het gevoel van de over haar tepels glijdende stof. Ze huiverde. Wat was het toch jammer dat ze naar dat feestje moesten. Charles had best nog wat langer in Londen mogen blijven, dan had ze niet alleen de middag, maar ook nog de hele avond van Adam kunnen genieten. Ze was tevreden over zijn vorderingen. Onroerend goed, oude huizen en seks... een en al zevende hemel.

Victoria woelde met haar vingers door haar haar. Een paar jaar geleden was het grijs geworden, maar niet in zo'n oude tint grijs: het glansde als gepolijst staal en het was mooi vol gebleven. Ze deed haar oorbellen in en pakte haar parelketting. Die had ze van Charles gekregen, voor haar vijftigste verjaardag. Ze had ze natuurlijk zelf uitgekozen, de kleur paste precies bij haar teint. Parels gaven je gezicht zo'n prachtige gloed. Ze raakte haar hals aan. Als je bedacht hoe vaak ze in de zon had gezeten, gelegen en gewerkt, was haar huid door de jaren heen mooi gebleven. Daar hoefde geen plastisch chirurg aan te pas te komen.

Ze rechtte haar rug terwijl ze het slotje van het parelsnoer probeerde vast te maken, maar op puur gevoel lukte dat niet. 'Waar heb ik mijn bril gelaten?' zei ze hardop terwijl ze haar slaapkamer rondkeek.

'Op je hoofd.' Charlie stond in de deuropening. Hij droeg een donker pak dat zijn buikje niet kon verdoezelen, ondanks de uitgekiende snit.

'Dank je. Vanwaar dat pak?'

'Zaken.' Hij veranderde van houding.

'Je bent toch niet weer pensioen-af, hè?' Het zou schitterend nieuws zijn als dat wel zo was.

'Nee.' Hij liep naar haar toe en pakte de parels uit haar handen. Ze liet hem begaan terwijl hij het snoer om haar hals legde. Hij had moeite met het slotje, en de lucht om haar heen rook naar zijn aftershave; ze wenste dat hij er niet zo kwistig mee was omgesprongen. Haar neus was na veertig jaar veel te gevoelig geworden voor dat luchtje. Toen het parelsnoer ten slotte veilig en wel vastzat, liet hij zijn handen op haar schouders rusten en wreef er liefkozend over. Victoria probeerde van dat gevoel te genieten, maar dat lukte niet, en toen hij haar hals kuste, zag ze in de spiegel de ergernis op haar gezicht. Ze trok het in de plooi toen Charles haar met zijn blauwe ogen aankeek.

'Je bent nog even mooi als altijd, Tori.'

'Dank je.' Ze draaide zich in zijn armen om en deed zijn das goed. Hij was een brave ziel, dat moest ze niet vergeten.

'Waar was dat feestje van de familie Smith ook alweer voor?' vroeg Charles.

'Een verlovingsfeest voor hun dochter.' Ze slikte. Dat was iets wat zíj nooit zouden kunnen vieren.

'Ah, ja.' Hij wendde zich van haar af.

'Ik haat het als je zo klinkt.' Victoria knarsetandde. Zelfs het uitzicht vanuit het raam op de tuin kon de leegte in haar niet vullen.

'Wat bedoel je?' Hij schudde zijn hoofd, zuchtte en zei: 'Ik moet iets met je bespreken. Het is belangrijk.'

Ze draaide zich met een ruk om. 'Je weet precies wat ik bedoel.' O, wat had ze toch een afkeer van hem. Het verdriet dat in zijn stem had doorgeklonken, ergerde haar en nu leek hij wel een verongelijkte pup. Zo hoorde een man van tweeënzestig er absoluut niet uit te zien.

'Tori, ik moet echt iets met je bespreken.'

Ze keek naar hem op en haar oog viel op de wekker op haar nachtkastje. 'Kan het een beetje snel? We hadden er al moeten zijn. Houd je dit pak aan?'

'Nee, het kan niet een beetje snel.' Hij keek langs zijn pantalon omlaag. 'Moet ik me omkleden?'

Victoria zuchtte. 'Nee. We gaan.' Ze liep de slaapkamer uit en bleef boven aan de trap even staan. Van daaruit had ze een overzicht over het hele trappenhuis, tot aan de hal beneden. Dit had ze allemaal aan Charles te danken. Zonder zijn geld had ze het huis van haar familie, Boscawen, nooit kunnen terugkopen. Achter zich hoorde ze zijn zware voetstappen. Ze draaide zich om, glimlachte en stak een hand naar hem uit. Op de dag af was het eenenveertig jaar geleden dat ze op de avond van hun verlovingsfeest samen deze trap af waren gelopen. Victoria huiverde, dacht terug aan de hoopvolle gezichten die destijds beneden op hen stonden te wachten. Slechts één gezicht had niet geglimlacht.

'Tori, waar zit je met je gedachten?' Charles kneep even in haar hand.

'Sorry, zei je iets?'

'Ja, en het was heel belangrijk. Je gaat me toch niet vertellen dat je er geen woord van hebt gehoord, hè?' Hij fronste zijn wenkbrauwen en zijn onderkin verdubbelde zich.

'Sorry, ik moest alleen terugdenken aan ons verlovingsfeest.' Dat bracht een glimlach op zijn gezicht.

'Veertig heerlijke jaren samen.' Hij kuste haar. 'Dank je wel, lieveling.'

'Graag gedaan,' loog ze en ze pakte de sleutels van zijn auto. Als ze nu niet vertrokken, zouden ze echt veel te laat komen, vooral als ze de pech hadden dat ze achter een tractor vast kwamen te zitten.

Demi wilde haar moeder niet teleurstellen. Ze was dit aan haar nagedachtenis verplicht. Morwenna was zo trots geweest, op haar en op wat ze allemaal bij Bottel & Lampard had gedaan. Uitgerekend vandaag had Demi haar moeder zo hard nodig, om haar te laten zien dat ze in zichzelf moest geloven. Haar moeder was zo plotseling gestorven. Hoe kon haar gezonde en knappe moeder nou zomaar doodgaan? Demi slikte de golf van verdriet die omhoog dreigde te komen weg en schudde de gedachte van zich af. Dit was niet het goede moment om daarbij stil te staan. Nu moest ze positief denken. Ze zóú deze baan krijgen. Ze had er hard voor gewerkt en verdiende hem, en natuurlijk wilde ze hem ook dolgraag.

Ze trok haar rok recht en sloeg haar enkels over elkaar. In haar hoofd hoorde ze de stem van haar moeder, die haar eraan herinnerde dat ze rechtop moest zitten met haar schouders naar achteren in plaats van met kromme schouders, in een poging te verdoezelen wat haar moeder 'haar schatten' had genoemd. Demi had er zo'n hekel aan. Niet alleen omdat ze er de oorzaak van waren dat ze voortdurend door de jongens op school werd gepest, maar ook omdat ze er daardoor nooit elegant uit zou kunnen zien. Ze trokken te veel de aandacht.

Josh, die tegenover haar zat, zag er ontspannen uit. In tegenstelling tot haar zat hij niet in de waterige gloed van het zonlicht dat zijn best deed zich een weg te banen door het vieze raam. Ze fronste haar wenkbrauwen. De architect die dit gebouw had ontworpen had alleen oog gehad voor de buitenkant en er niet aan gedacht dat het gebouw ook schoongemaakt moest worden en frisse lucht nodig had.

Hij was vast net zo'n kerel als Josh geweest. Demi had een jaar met hem stage gelopen en al die tijd had ze voortdurend zijn ontwerpen moeten aanpassen. Hij had haar hulp gevraagd en zij had hem die gegeven, hoewel ze zich afvroeg waarom ze dat had gedaan, want aan het eind van het jaar zou slechts een van hen in dienst worden genomen. Josh was een en al lijnen en schone schijn, had geen oog voor praktische zaken. En dat was precies de reden waarom zíj deze baan hoorde te krijgen, omdat zij naar beide keek en haar ontwerpen dus op elk niveau functioneel waren. Daar hield ze nou juist zo van.

Hij keek steeds naar haar en wendde zijn blik dan weer af. Wat had hij uitgespookt toen zij die paar weken na haar moeders dood met verlof was geweest? Ze hoopte dat hij er een puinhoop van had gemaakt, want deze baan zou voor haar een cruciaal, dringend probleem oplossen. Geld. Hoewel ze tijdens haar stage wel iets had verdiend, had ze het meeste als kostgeld aan haar moeder gegeven en voor de begrafeniskosten had ze haar moeders bankrekening moeten plunderen. Morwenna's levensverzekering zou uiteindelijk alles wel dekken, maar die had nog niet uitgekeerd. Demi haalde diep adem. Het was nog steeds niet helemaal tot haar doorgedrongen dat haar moeder er niet meer was. En eigenlijk wilde ze dat ook niet, maar er was geen ontkomen aan. Nu zat er niets anders op dan een fulltime, goed betaalde baan aan te nemen, iets anders kon ze zich niet veroorloven. Zonder haar vriend Matt zou ze niet eens een dak boven haar hoofd hebben gehad. Demi beet op haar lip. Denken aan hoe grimmig de zaken ervoor stonden hielp niet echt om rustig te worden voor het komende gesprek.

Een zweetdruppel rolde langs haar nek omlaag en ze zag dat Josh hem met zijn blik volgde tot hij onder de kraag van haar blouse glipte. Het was te warm voor het jasje dat ze aanhad, maar als ze dat uitdeed, zou niemand zijn blik van haar decolleté kunnen afhouden, ook al was haar blouse nog zo ingetogen. Ze zouden niet tegen haar, maar tegen haar borsten praten. Mannen hadden het maar gemakkelijk. Het ergste wat zij konden doen was een verkeerde stropdas dragen, en Josh' stropdas was een dijk van een miskleun. Daaraan zag je zo dat hij geen smaak had. Ze zouden de baan toch zeker niet aan iemand geven die een enorme, roze gespikkelde stropdas droeg bij een groen gestreept overhemd en een pak in Schotse ruit? Er deugde helemaal niks van.

Haar kleren waren een beetje oud, maar straalden een bescheiden elegantie uit, nou ja, voor zover ze daar met haar welvingen bij in de buurt kon komen, dacht ze schamper. Als zij het voor het zeggen had, zou ze de kandidaat kiezen die op een hoger niveau presteerde en die kleding droeg waaruit gevoel voor kleur, model en snit sprak.

Buiten klonk gerommel van onweer en de zon verdween precies op het moment dat de deur van de afdeling Personeelszaken openzwaaide. Onwillekeurig ervoer ze dat als een onheilspellend begin. Haar tegenstander glimlachte maar vermeed haar blik.

'Demi en Josh, kom verder.' Demi stond op en in gedachten deed ze alsof ze langer was dan haar een meter tweeënvijftig. Hoe eerder dit gesprek voorbij was en ze de baan had, hoe beter.

'Ga zitten.' De vrouw liep naar haar bureau en Demi ging een eind uit de buurt van het raam zitten. Ze hoefde niet nog meer weg te smelten.

'Allereerst wil ik jullie hartelijk bedanken. Jullie hebben tijdens je stage bij Bottel & Lampard fantastisch werk verricht.' Ze glimlachte hun beurtelings toe. Demi legde haar handen plat op haar rok. Dit ging niet goed. Josh had helemaal geen fantastisch werk verricht; het kon er misschien mee door, maar alleen omdat zij hem had geholpen.

'Ik voelde me vereerd om deel te mogen uitmaken van het team,' zei Josh, en Demi schold hem inwendig uit voor slijmbal. Hij had de hele tijd niets anders gedaan dan klagen en proberen haar het bed in te lullen. Hij was een klootzak, maar ook geslepen. Dat moest ze hem nageven, meer echter niet.

'Zoals jullie weten, kunnen we momenteel maar een van jullie beiden aannemen en het was een razend moeilijke beslissing.' De vrouw trok haar mond in een glimlach, maar haar ogen zeiden iets anders. Demi wist wat ze ging zeggen, door de manier waarop haar blik op Demi's linkerhand viel. Ze had laten vallen dat het behoorlijk serieus werd met Matt, en dat was ook zo, maar ze was nog niet van plan om aan een gezin te beginnen.

'Dus hebben we het aan het hele team voorgelegd en iedereen was het erover eens dat Josh de baan moest krijgen vanwege de door hem gemaakte schitterende badkamerontwerpen.'

'Maar...' begon Demi, maar Josh stond al op.

'Wauw, bedankt, zeg.' Hij schoof tussen Demi en het bureau in zodat zij uit het zicht raakte.

Demi stond op en ging naast hem staan, probeerde zich langs hem te dringen. Die ontwerpen waren van haar geweest, niet van hem. Dat moest ze rechtzetten. Hij eiste haar werk op alsof het van hem was. Ze kon het niet over haar kant laten gaan dat hij haar werk inpikte. 'Dat ontwerp...' Ze liep naar de zijkant van het bureau.

'Ah, Demi, jij hebt het ook uitstekend gedaan, maar ik ben bang dat we maar één vacature hebben en Josh past daar in alle opzichten bij. Natuurlijk mag je op de oude voet bij ons doorgaan, dat zouden we alleen maar toejuichen.' Opnieuw trok de vrouw haar mondhoeken omhoog, maar daar bleef het bij. 'En als je besluit elders je geluk te beproeven, zal ik je een lovende aanbevelingsbrief meegeven.'

Een van de partners van de firma kwam binnen. 'Gefeliciteerd, Josh. Schitterend gedaan.' Hij wendde zich tot Demi. 'Zo jammer dat we je moeten laten gaan.' Hij draaide zich om alsof ze nu wel kon vertrekken. Toen besefte ze het. *Josh past er in alle opzichten bij.* Hoe vaak was Demi niet gevraagd om na het werk mee te gaan naar de pub? Ze had steeds nee gezegd, omdat ze liever naar huis, naar Matt was gegaan. Maar Josh was wel altijd meegegaan. Ze kenden hem, dachten dat althans, en zij was een eersteklas idioot die het spelletje niet had meegespeeld.

Demi stond als aan de grond genageld. Josh schudde de directeur de hand en vermeed het Demi aan te kijken. Een dief, dat was hij, maar wat kon ze eraan doen? Als ze protesteerde, zou ze een slechte verliezer lijken, maar een verliezer bleef ze evengoed...

Er knalde een champagnefles open en de andere partners kwamen tevoorschijn. Niemand wilde haar recht in de ogen kijken.

'Dank u.' Ze zou dit zo elegant mogelijk oplossen. Dat zou haar moeder gewild hebben, dat Demi elegant en groothartig zou zijn. Ze glipte de deur uit terwijl de anderen aan de champagne gingen.

Buiten het kantoor van personeelszaken bleef ze staan en leunde tegen de muur. De baan die zij verdiende had ze zich door iemand anders laten afpakken. Ze was woedend, zowel op zichzelf als op Josh. Dit was geen generale repetitie voor het schooltoneelstuk. Dit was het leven. Dit was overleven. Moest ze weer naar binnen gaan en het Josh voor de voeten gooien dat hij de boel belazerd had? Nee. Daar was het nu te laat voor. Als ze het meteen had gedaan, was het misschien gelukt, dan waren de druiven misschien niet zo zuur geweest. Ze kon het maar beter laten gaan. Dat was gemakkelijker.

De receptioniste liep door de gang. 'Demi, ik vind het zo naar voor je dat die baan aan je neus voorbijgegaan is.'

Demi zette grote ogen op. Iedereen, niet alleen de partners, wist het al. Zelfs als ze was teruggegaan om hun de waarheid te vertellen, zouden ze niet van gedachten zijn veranderd. Dan zouden ze een stelletje dwazen lijken, en dat wilde niemand, zijzelf ook niet.

Zij was niet goed genoeg voor de baan, maar blijkbaar was iemand die andermans werk als het zijne opeiste dat wel. Ze liep met gebogen hoofd naar haar bureau en haalde er haar paraplu en laptop uit. Ze vertrok hier met lege handen en op de een of andere manier vond ze dat het haar eigen schuld was. Haar moeder zou zo teleurgesteld zijn geweest. Misschien was het maar goed dat ze dit niet meer hoefde mee te maken. Nee, dat was helemaal niet goed. Demi beet op haar lip en vluchtte weg voordat anderen medelijden met haar kregen.

In de mensenmassa op het metrostation van Westminster worstelde Demi met haar paraplu, maar ze kreeg hem niet open. Na nog een paar pogingen gooide ze hem in de vuilnisbak en liep de regen in. Ze had geen fluit aan de paraplu. Net nu ze dat kloteding nodig had, deed-ie het niet. De regen geselde haar van alle kanten, alsof hij haar op haar kop gaf omdat ze zo stom was geweest. Hij striemde tegen haar gezicht en haar kleren raakten doorweekt. Tegen de tijd dat ze halverwege de brug was, sopte ze in haar schoenen.

Ze maakte zich los van de stroom mensen die de brug overstak en leunde tegen de muur. Ze moest nadenken, een plan maken. De regendruppels roffelden op het rivieroppervlak, en na zich even verzet te hebben gingen ze vreedzaam op in het water om te doen wat rivieren nu eenmaal doen: stromen. Zíj was niet voor zichzelf opgekomen, had over zich heen laten lopen en toegelaten dat die sukkel de eer van haar werk had opgestreken. Nu had hij een baan en in het beste geval zouden ze haar voor nog een stageperiode aannemen. Toen zij haar moeder aan het begraven was, had die rotzak gedaan of haar werk het zijne was. En wat had ze gezegd? Wat had ze eraan gedaan? Niets. Ze had het niet eens gewaagd tegen te sputteren, en vervolgens was ze onzichtbaar geworden.

Ze draaide zich van de rivier af en voegde zich bij de andere forenzen. Het zou een natte wandeling worden naar het huis van haar vriendje, maar daar stond in elk geval een glas wijn te wachten.

'Kop op, meissie, zo erg kan het toch niet zijn,' zei de krantenverkoper op de hoek toen hij haar een krant aanreikte. Ze hield hem boven haar hoofd en glimlachte naar hem. Hij had gelijk. Zo erg was het ook weer niet. Ze had Matt nog.

Onder het lopen dacht ze aan dingen waar ze zich op kon verheugen, zoals officieel gaan samenwonen met Matt. Sinds ze de huur van haar moeders flat had opgezegd, woonde ze onofficieel bij hem in. Ze slikte; ze wilde niet aan haar moeder denken, niet nu. In plaats daarvan wilde ze eraan denken hoe opgetogen Matt zou zijn als ze ja tegen hem zou zeggen, en hoe graag ze de flat opnieuw wilde inrichten. Die was nu een beetje somber en grijs, ook al waren de muren in een speciale lavendeltint geschilderd, maar in de op het noorden gerichte flat leek die eerder grijs. Er stonden grote, zwartleren meubels in, allemaal ter meerdere eer en glorie van die enorme klotetelevisie. Demi had het altijd een raadsel gevonden dat een man die zo veel zorg besteedde aan zijn uiterlijk en kleding, zo weinig moeite deed om zijn flat een persoonlijke touch te geven.

Ze glimlachte; dat zou nu allemaal veranderen. Met een lik verf

– en helaas had ze daar nu tijd voor – en een paar nieuwe spulletjes kon ze de flat gezelliger maken en hun meer het gevoel geven dat hij 'van hen' was. Matt zou de veranderingen waarschijnlijk niet eens opmerken. Hij zou simpelweg die filmstergrijns van hem tevoorschijn toveren en zij zou wegsmelten.

Ze moest terugdenken aan die vrouw van Personeelszaken, die een blik wierp op haar linkerhand, en ze vroeg zich af waarom ze had laten vallen dat het serieus was tussen Matt en haar. Het was natuurlijk waar, en Matt wilde zich zeker binden, maar dat betekende niet dat ze van plan was meteen te gaan trouwen en kinderen te produceren. Ze vond haar carrière belangrijk, ze was tenslotte pas vijfentwintig.

Doorweekt en snakkend naar een glas wijn en een knuffel bleef ze voor zijn flat staan. Er brandde licht, wat ongebruikelijk was, maar misschien was Matt vandaag eerder thuis. Waarschijnlijk had hij een verrassingsfeestje gepland. God, had ze echt gedacht dat ze de baan zou krijgen? Wat was ze toch een idioot.

Nou ja, ze zouden erom lachen dat ze zo'n sukkel was geweest. De laatste tijd had ze veel te weinig gelachen, logisch natuurlijk. Toen ze op de begrafenis van haar moeder haar vriendinnen zag, wist ze weer hoe erg ze hen allemaal miste, evenals de pret die ze altijd samen hadden. Matt mocht hen niet, wat ze niet erg vond – nou ja, min of meer wel – maar ze moest vaker de deur uit. Ze hield van hem, maar hij kon haar ook compleet ondersneeuwen. Toen ze voor de deur stond, fronste ze haar wenkbrauwen toen ze de muziek hoorde waar ze twee avonden geleden naar hadden geluisterd. Ze aarzelde. Ze waren die avond dronken geworden en ze wilde niet meer denken aan wat ze toen had gedaan...

Ze draaide de sleutel in het slot om en het lawaai sloeg haar tegemoet – mannen en hun speeltjes of, in dit geval, *surround sound*. Ze zette haar tas neer, hoopte dat haar computer het droog had gehouden, en liep op haar tenen de woonkamer in. Er hing helemaal niets aan de muren, alleen het grote tv-scherm, pal in het midden. Ze sloot haar ogen, stelde zich voor dat er een paar ingelijste foto's hingen of een schilderij. Die zouden de kamer de persoonlijke touch geven die hij verdiende. Als haar moeders levensverzekering over de brug kwam, kon ze hem misschien verrassen met dat schilderij dat ze hadden gezien. Een mooie manier om hem te bedanken voor alle steun. Hij had haar zo geholpen toen haar wereld instortte.

Uit de speakers klonk gekreun. Ze slaakte een zucht en deed haar ogen open. Matt zat weer porno te kijken. Wat had ze daar toch een hekel aan. Op haar had het precies het tegenovergestelde effect van wat hij wilde. Als zij ernaar keek, had ze totaal geen zin meer in seks. Hoewel de moed haar in de schoenen zonk, ging ze toch achter hem staan en legde haar handen op zijn schouders. Maar net toen ze zich bukte om een kus op zijn hoofd te planten, verstarde ze. Daar, op het vijftig inch grote scherm, zag ze haar eigen naakte lichaam.

'Demi, je bent er al.' Hij pakte haar hand beet en trok haar naar zich toe.

Ze stribbelde tegen, rilde toen haar gekreun tegen de lege muren weerkaatste. Wat had hij gedaan?

'Laat me los!'

Hij liet haar los, stond op en blokkeerde haar gezichtsveld. Ze bekeek nauwlettend zijn knappe gezicht. De glimlach waarvoor ze altijd wegsmolt leek nu geforceerd.

'Hé... wat moet dat voorstellen?'

'Dat zijn wij, Demi. Het is zo sexy.'

Demi deed haar ogen dicht. Ze had het gevoel dat ze ging flauwvallen. Ze greep de rug van de bank vast om te blijven staan, wilde iets zeggen, maar kon geen woord uitbrengen. Hoe kón hij? Toen hij het haar had gevraagd had ze nee gezegd. 'Hoe...?'

'Mijn nieuwe telefoon.'

Ze schudde haar hoofd. 'Hoe kón je?' Hij had het toch gedaan, ook al had ze geweigerd, gezegd dat ze alleen het idee al walgelijk vond. Konden haar gevoelens hem dan niets schelen?

'Doe niet zo preuts. Het is geweldig... Ik word er bloedgeil van.'

Ze schudde woedend haar hoofd. 'Nee!' Ze greep naar haar buik, rende naar de badkamer en gaf over.

'Demi, doe niet zo raar! Het is schitterend. Je hebt er een hekel aan als ik naar andere vrouwen kijk, dus kijk ik nu alleen naar jou.' Zijn stem klonk vreemd door de deur.

Ze gaf geen antwoord, waste haar gezicht, nog steeds trillend op haar benen. Hij had het gevraagd. Zij had nee gezegd. En hij had het toch gedaan. Hij was blij, opgewonden. Zij walgde ervan, voelde zich gebruikt.

'Demi, kom op nou. Het is gewoon voor de lol.'

Het koude water verkoelde haar brandende huid. Ze keek in de spiegel en een paar grote, verdrietige ogen keken naar haar terug. Wat moest ze nu doen? Hoe kon ze bij iemand blijven die ze niet kon vertrouwen? Hij had gezegd dat hij het jammer vond, maar dat hij hen niet zou filmen. Dat ze niet bang hoefde te zijn, en dat was ze ook niet geweest.

Ze deed de deur open, drong zich langs hem heen en zette de televisie uit. Ze keek de kamer rond en zag wat voor zielloze plek het eigenlijk was. Ze draaide zich naar Matt toe. Hij droeg een kakibroek en een designeroverhemd, en glimlachte, ondanks wat hij had gedaan. Hij had geen benul, had nergens spijt van. Ze kon maar één ding doen: wegwezen. Ze raapte haar tas en haar schoenen op.

'Demi, wacht!'

Ze keek hem aan. 'Je snapt het gewoon niet.'

'Nee, jíj snapt het niet.' Hij glimlachte niet langer. 'Word eens een keer volwassen. Ik word er geil van... bloedgeil.'

'Ik heb nee gezegd, Matt.' Ze trok haar schoenen aan en haar tenen krulden van de nattigheid.

'Dat meende je niet echt.'

'Dat meende ik wel. Echt.'

Hij greep haar pols beet.

'Nee!' Ze wrong zich los en vertrok. Achter zich hoorde ze hem roepen terwijl ze door de straat wegvluchtte, zich afvragend wat ze nu moest doen. Om de hoek, halverwege zijn huis en het metrostation, dook ze een koffietentje in. Met een kop sterke espresso kon ze beter nadenken. Vergeten waren de knuffel die ze had verwacht en het glas wijn waarmee ze haar zorgen kon verdrinken. Wat moest ze doen? Ze pakte haar telefoon en belde Sophie.

'Hi, ik ben op vakantie. Ik kom op de eenendertigste bruin en ontspannen terug. Als het dringend is, laat dan een bericht achter of stuur een mail.'

'Hoi, Sophie. Ik stuur je wel een e-mail, maar er is zeker niet iemand die een sleutel van je huis heeft zodat ik een paar dagen in jouw stulpje kan instorten?'

Tegen de tijd dat ze al haar vriendinnen was afgegaan en twee koppen koffie ophad, ging het tentje dicht. Nu stond ze op straat terwijl de man de deur achter haar afsloot. Ze wilde alleen maar naar huis... maar ze had geen huis. En door de telefoontjes die ze net had gepleegd was ze er wel achter dat je niet vlak voor een lang vrij weekend in een crisis moest belanden. Sophie was weg, Maia stond op het punt te bevallen en verder leek niemand thuis te zijn. Demi liep nogmaals haar telefoonnummers door. Waar kon ze naartoe? Was haar moeder er nog maar. Ze drong de tranen terug die zich begonnen te mengen met de druppels van de nog altijd stromende regen.

Ze was al voorbij de G gescrold maar ging er weer naar terug. Haar grootvader. Ze drukte op de beltoets en wachtte. Ze had hem twee weken geleden voor het laatst gezien, toen ze hem naar Paddington had gebracht om hem op de trein terug naar Cornwall te zetten. Haar hart brak nog steeds als ze eraan dacht hoe hij bij het vertrek in haar hand had geknepen. Dat gebaar was haar bijgebleven, zo door verdriet overmand als ze was geweest. Hij had zijn vrouw al verloren en nu ook nog zijn enig kind. Zo hoorde het niet te gaan in het leven.

'Hallo?'

'Dag opa, met mij, Demi.'

'Demi, lieverd van me. Wat fijn om iets van je te horen.'

Nu barstten de tranen in alle hevigheid los en ze kon ze niet meer tegenhouden.

Met de hand op de deurkruk van de woonkamer stond Victoria te wachten tot Charles bij haar was.

'Ik denk niet dat ik die borrel met je ga drinken. Ik wil iets checken op de computer,' zei hij en hij liep naar zijn werkkamer.

'Mij best.' Ze draaide zich niet om om hem na te kijken, maar luisterde naar zijn zware tred op de stenen vloer. Haar schouders ontspanden zich toen ze de woonkamer binnenging. Charles was de hele avond al prikkelbaar geweest, hij had maar lopen mopperen dat ze iets moesten bespreken maar dat de autorit daar te kort voor was. En nu, nu ze eindelijk tijd hadden, was hij hem gesmeerd naar zijn computer, dus zo dringend of belangrijk was het kennelijk ook weer niet.

Victoria zuchtte opgelucht toen ze haar schoenen uitdeed en zichzelf een whisky inschonk. Nu kon ze tenminste in alle rust de kranten van vandaag doornemen. Misschien moest ze meer belangstelling tonen voor zijn doen en laten, maar het simpele feit dat hij niet om haar heen hing en zich niet bemoeide met de restauratie van de tuin was een opluchting. Ze was wanhopig geweest toen hij een paar jaar geleden het grootste deel van zijn bedrijfsactiva had verkocht. Hij had geen hobby's of interesses. Het was de zaak of zij, en zij had geen behoefte aan nog meer aandacht van hem dan ze al kreeg. Zoals het oude spreekwoord ging: getrouwd in voor- en tegenspoed, niet om met hem te lunchen.

Ze deed de openslaande deuren open zodat de koele avondbries de bedompte lucht kon verdrijven. Vanavond had Deborah Smiths tuin er prachtig uitgezien. Victoria was er jaloers op, maar nu zij Boscawen weer in bezit had, zou ook die tuin weer schitterend worden. Het landgoed was nog bijna helemaal intact, alleen het Weduwehuis hoorde er niet meer bij. Victoria fronste haar wenkbrauwen. Ze was dol op dat huis. Helaas zou Boscawen nooit meer zo worden als het in de tijd van haar overgrootmoeder of zelfs van haar grootmoeder was geweest. Ze zouden nooit al het land kunnen terugkopen, maar ze hadden in elk geval het bos, de boomgaarden en alle tuinen nog. Ze wist zeker dat Charles de akkers voor haar zou kopen als de boer daar vanaf wilde, maar tot nu toe was dat niet het geval geweest. Ze zou niet zo teleurgesteld moeten zijn. Het huis en de belangrijkste tuin waren tenminste weer in handen van één persoon, die van haar. Nou ja, in die van Charles en haar, maar dat was hetzelfde. Hij had zodra ze getrouwd waren tegen haar gezegd dat alles wat van hem was ook van haar was.

Ze liep het terras op en snoof de muskusachtige zoete geur op van de roos New Dawn, die bij het raam in bloei begon te komen. Hoewel haar overgrootmoeder er niet voor gekozen zou hebben, had ze er goed aan gedaan hem daar te planten. Ze was blij dat ze naar haar jonge tuinman Sam had geluisterd. De Australiër leek gevoel te hebben voor tuinieren, waarmee hij zijn gebrek aan ervaring goedmaakte. Hij werkte nu sinds twee jaar voor haar en ze hadden al heel wat aanvaringen gehad, maar hij was absoluut een aanwinst. En een lust voor het oog.

Ze liet de roos los, nam een slokje whisky en speelde met de tintelende vloeistof op haar tong voordat ze hem doorslikte. Vanaf dag één had ze geprobeerd om Sam te verleiden, maar tot nu toe had hij geen sjoege gegeven. Ze was er niet aan gewend door mannen afgewezen te worden. Sterker nog, voor zover ze wist was dat haar bij slechts één andere man overkomen. Ze liep naar de rand van het terras.

De zomer was in aantocht. Het was eind mei en de donderdag voor een lang vrij weekend. De wegen zouden vollopen met vakantiegangers en ze was blij dat ze daar geen last van zou hebben. Ook al was het er nog zo mooi, de rivier de Helford was te ver weg van de doorgaande wegen om de grote aantallen toeristen aan te trekken die de rest van Cornwall te verduren kreeg. Daar was ze uit de grond van haar hart dankbaar voor. De Helford was tijdloos en ze vond het er heerlijk. Hij zat in haar bloed en in haar ziel. Ze haalde diep adem en ademde langzaam weer uit. Het had even geduurd, maar nu kon ze verder.

Het was ver na tienen. Ze kneep haar ogen halfdicht en zag in de avondschemering de tuin uit haar jeugd weer voor zich. De structuur was nog hetzelfde, maar daar bleef het bij. Sommige delen waren ver-

wilderd, andere lagen braak, alleen het skelet van een ooit schitterende tuin was er nog. Ze schudde haar hoofd. Het was doodzonde. Al
dat werk uit het verleden dat verloren was gegaan door dwaasheid,
onnozelheid en vulgariteit.

Sam en zij waren begonnen om de boel in orde te maken en de glo-
rieuze tuin uit haar jeugd weer tot leven te brengen. In zijn hoogtijdagen was de hele streek er jaloers op geweest. Haar overgrootmoeder, Edith, had exotische planten van over de hele wereld verzameld,
en door haar goede zorgen hadden die hier op Boscawen welig ge-
tierd. Enkele van die planten hadden het overleefd, maar vele waren
zo wild geworden dat ze hun schoonheid hadden verloren, en andere
waren helemaal verdwenen.

Jarenlang had Victoria lijdzaam aan de zijlijn moeten toezien hoe
de tuin verder in verval raakte. Het enige wat ze wilde hebben kon ze
niet krijgen, tot twee jaar geleden, toen de eigenaar in geldproblemen
kwam en Charles een bod kon doen.

Nu was haar droom binnen handbereik, als Charles tenminste de
geldkraan wat verder open wilde draaien. Met alleen Sam en zo nu en
dan een paar tijdelijke krachten zou het jaren duren voordat ze haar
plannen had uitgevoerd. Dat ging haar niet snel genoeg. Charles had
geen idee wat ervoor nodig was. Sterker nog, ze kreeg niet de indruk
dat hij naar haar luisterde. Ze lachte meesmuilend. Nou ja, zij luisterde ook niet naar hem.

Ze keerde zich om naar het huis. Daar hadden ze enorm veel werk
aan gehad en het had veel geld gekost, maar met de hulp van een klein
legertje werklui en bouwvakkers had ze de aangerichte schade weten
te herstellen. Dat was vooral schilderen en behangen geweest, maar ze
had er natuurlijk niets aan kunnen veranderen dat bijna dertig jaar
geleden de inboedel al was verkocht. Victoria zou haar schoonzus
nooit vergeven wat ze had gedaan. Perry, haar broer, lag nog geen dag
onder de groene zoden of ze had het huis al met inboedel en al te
koop gezet.

Helaas kon Victoria toen niet ingrijpen, doordat Charles vlak daarvoor al hun geld in een nieuw avontuur geïnvesteerd had. Machteloos had ze toegekeken hoe het erfgoed van de Tregans afbrokkelde. Victoria had jarenlang veilingen afgestruind om iets van haar erfenis terug te halen, maar dat was slechts een fractie geweest. Ze wist niet waarom ze zich er zo druk over maakte. Sentiment, vermoedde ze, want er was niemand aan wie ze haar erfgoed kon doorgeven. Ze was de laatste Tregan van Boscawen. Haar broer was zonder nageslacht gestorven en zij was onvruchtbaar. Ze had gefaald.

Victoria liep naar binnen. Het was maar het beste om het verleden te laten rusten. Ze kon er toch niets aan veranderen. Maar ze kon wel de tuin in al zijn pracht en praal herstellen en iets waardevols nalaten als de laatste Tregan van Boscawen was vertrokken.

2

*D*oor de intercom blèrde een stem. Demi stond naar de mensen te kijken die voor het weekend vroeg naar huis gingen, met een verstild glimlachje op hun gezicht terwijl ze om de plassen heen liepen waar de regen door het dak lekte. Natuurlijk regende het – het was bijna bankholiday. Haar moeder en zij waren van plan geweest om die zaterdag het landgoed Polesden Lacey te bezoeken terwijl Matt naar zijn ouders ging. Demi slikte. Geen goed idee om te denken aan wat er nu niet doorging. Ze moest denken aan wat wel doorging. Ze stond op het punt op de trein naar Cornwall te stappen om bij haar opa te gaan logeren. Daar kon ze een paar dagen nadenken en nieuwe plannen maken. De slaaptrein was de enige trein die op dit uur ging en daarmee was haar acute probleem van waar ze de nacht moest doorbrengen opgelost.

De conducteur blies op zijn fluitje en Demi stapte in met haar schoudertas. Dat was alles wat ze had. De rest van haar wereldse goederen was of opgeslagen of stond bij Matt, en daar zou ze nooit meer een voet binnen zetten.

Ze staarde uit het raam terwijl de trein het station uit reed. Het voelde allemaal zo verkeerd. Buiten zag ze gebouwen waar ze achter de ramen een glimp opving van het leven van andere mensen, ingelijst als was het een televisiescherm. Het zag er allemaal zo normaal uit, en haar leven was allesbehalve dat. God, wat miste ze haar moeder.

Ze leunde met haar hoofd tegen het glas, trok haar jas strak om zich heen en deed haar ogen dicht. Ze was op weg naar Cornwall. Ze had kippenvel over haar hele lijf en dat kwam niet alleen doordat ze het koud had en zo moe was. Vandaag was een van de zwartste dagen uit haar leven geweest. Alleen die ene dag een paar weken geleden was nog erger geweest, toen haar moeder zomaar, zonder waarschuwing of afscheid te nemen, was gestorven. Morwenna was meer geweest dan een moeder; ze was haar beste vriendin geweest. De tranen sprongen haar in de ogen. Het gat dat haar moeder in haar leven had achtergelaten was groot genoeg om haar met huid en haar te verzwelgen. Als zij er nog was geweest, zou Demi nu niet midden in de nacht in deze trein zitten.

De rijdende trein wiegde haar heen en weer. Lag het echt helemaal aan Matt dat ze in deze situatie verzeild was geraakt, of was het haar eigen schuld? Hij had wel vaker aangegeven wat hij graag wilde en zij had altijd nee gezegd, maar was ze wel duidelijk genoeg geweest? Had hij eigenlijk wel naar haar geluisterd? Zij had hem zo vaak zijn zin gegeven als het ging om de dingen die hij wilde, zoals haar vriendinnen niet meer zien. En toen, twee avonden geleden, had ze ingestemd met het soort seks dat hij wilde, terwijl ze daar eigenlijk geen zin in had. Maar de champagne had haar in een roes gebracht en ze was bang dat hij haar zou afwijzen als ze nee zei, dat hij niet meer van haar zou houden. Nu ze eraan terugdacht, werd ze weer misselijk. Was ze gewoon volgzaam en onnozel? Haar moeder zou zeggen dat ze timide was. En wat moest ze in godsnaam aan haar grootvader vertellen? De waarheid was gewoon te smerig voor woorden.

De roep van de zeemeeuwen drong door de vroegeochtendmist heen. Mensen verdwenen van het perron en het duurde niet lang of ze was alleen. Haar kleren waren niet dik genoeg om de ochtendkilte tegen te houden. Rillend tuurde ze in de verte, maar ze zag enkel een lege parkeerplaats. Ze moest zien dat ze ergens de weg kon vragen. Ze kon zich totaal niet herinneren dat ze hier ooit was geweest, wat vreemd was als je bedacht dat haar moeder hier was opgegroeid. Haar grootouders waren altijd naar Londen toe gekomen, zij ging nooit naar hen toe. Haar moeder was de laatste tijd wel vaak bij haar grootvader geweest. Ze had gezegd dat hij sukkelde met zijn gezondheid, maar niet iets om ongerust over te zijn. En nog geen twee weken geleden was haar grootvader bij haar geweest. Hij was een enorme steun geweest en zij had in puin gelegen. Het was haar eerste begrafenis ooit. Acht jaar geleden was ze niet bij de begrafenis van haar grootmoeder geweest. Haar moeder had erop gestaan dat Demi in Londen bleef omdat ze midden in haar examentijd zat.

Ze keek om zich heen. Hij had gezegd dat het vanaf het station maar vijf minuten lopen was. Een bord dat de weg wees naar het Maritiem Museum was haar enige aanwijzing, dus liep ze die kant op. De vorige avond had haar grootvader verbaasd maar blij gereageerd toen ze vroeg of ze bij hem terechtkon. Ze wist zeker dat hij had gedacht dat ze vanwege haar moeder in huilen was uitgebarsten, en dat was natuurlijk ook zo, maar het was lang niet het enige – het kwam ook door haar baan en Matt en de eenzaamheid. Ze stopte een haarlok achter haar oor. Het was al moeilijk genoeg iets te zien zonder dat die voor haar ogen hing.

Een auto toeterde. Demi liep midden op de weg. Ze maakte een verontschuldigend gebaar en stoof de stoep op. Ze rook de zee, maar zag er nog steeds niet veel van. Misschien was er ergens iets open waar ze om hulp kon vragen? Voor hetzelfde geld liep ze nu straal de verkeerde kant uit. Ze zuchtte. Zo leek het steeds te gaan in haar leven. Natuurlijk had ze het zelf zover laten komen, dat wist ze best. Maar nu moest ze voor zichzelf opkomen. Ze kon niet meer op haar moeder leunen.

Ze liep pardoes tegen iemand op, die zei: 'Hé, kijk uit waar je loopt.'

'Sorry, hoor.' Demi hervond haar evenwicht. 'Ik ben verdwaald. Kunt u me vertellen waar Marlborough Street is?'

'De volgende links en de tweede rechts, dan ben je er.'

'Dank u wel, en nogmaals sorry.' De man liep weg en Demi foeterde zichzelf uit. Ze moest ophouden zich te verliezen in haar gedachten en zich richten op het hier en nu. Matt was over en uit. Ze moest eerst het huis van haar grootvader vinden. Ze gaapte. In de trein had ze niet best geslapen. Bij elke hoest of snurk van haar buren was ze uit haar lichte slaap wakker geworden. Ze verlangde naar een bad en een kop hete thee.

Een huivering van herkenning trok over Demi's huid toen ze bij Marlborough Street aankwam. Het voelde vertrouwd aan. Ze ging de hoek om en sloeg haar armen om zichzelf heen. De straat was verlaten en toch had ze het gevoel dat ze in de gaten werd gehouden. Ze wierp een steelse blik op de huizen, zag nergens gordijnen bewegen maar kon toch het gevoel niet van zich afschudden. Ze stelde zich verschrikkelijk aan. Het kwam natuurlijk doordat ze volkomen uitgeput was en nog steeds rondliep in het mantelpakje van de dag ervoor, dat eruitzag alsof ze erin had geslapen en nog erger. Zo zag het pad van de schaamte naar nieuwe dieptepunten eruit. Ze kon maar beter op zoek gaan naar het huis van haar grootvader, voordat iemand in de gaten kreeg hoe ze eraan toe was.

Nummer 52 was nog maar twee huizen bij haar vandaan. Zo te zien was de blauwe deur pas geleden geschilderd. Ze keek op haar horloge. Het was kwart over acht, maar Demi aarzelde voordat ze aanbelde. Haar grootvader had gezegd dat hij wakker zou zijn als ze er was, maar de optrekkende mist gaf haar het gevoel dat het nog heel vroeg was. Ze hoorde iemand luidruchtig hoesten. Dat moest haar grootvader zijn. Vorig jaar was hij op aandringen van haar moeder gestopt met roken, zo wist ze, maar die droge hoest had hij nog steeds. Het was Demi een raadsel hoe Morwenna had kunnen denken dat die na vijfenzestig jaar roken nog over zou gaan. Haar moeder was soms een beetje wereldvreemd geweest: aan de ene kant had ze fel gevochten voor wat zij vond dat goed was, terwijl ze aan de andere kant bijna in sprookjes geloofde. Ze had zich zo uitgesloofd voor de daklozen. Demi had altijd gedacht dat toen haar vader doodging haar moeder haar passie had begraven in haar werk en, nou ja, in haar liefde voor Demi. Toen de sluizen weer dreigden open te gaan, dwong ze zichzelf aan iets anders te denken. Maar haar gedachten werkten niet erg mee.

Die zeiden dat zij nu dakloos was en dat ze alleen maar wilde dat haar moeder nu voor haar in de bres zou springen. Niet door voor haar te vechten, maar door haar vast te houden, haar aan te moedigen.

Ze belde aan en wachtte. Het geluid van haar grootvaders wandelstok op de vloer klonk luider naarmate hij dichter bij de deur kwam. Ze staarde naar de palmboom in de voortuin van de buren; die was bijna mediterraan. Waarom waren ze hier in de vakanties nooit geweest? Angst kroop over haar huid, maar dat sloeg nergens op…

Haar grootvader deed met een stralende glimlach open. 'Demelza.' Hij bekeek haar van top tot teen, nam haar verfomfaaide verschijning in zich op maar zei geen woord. Ja, ze moest snel iets bedenken, want ze had niet eens een extra stel kleren.

'Hoi,' zei ze. Hij stak zijn armen uit en omhelsde haar. Ze maakte zich los en keek naar hem op. In de korte tijd sinds ze hem voor het laatst had gezien, was hij ouder geworden. 'Wat fijn dat ik zo vlug bij u terechtkon.'

'Jij bent hier altijd welkom, dat is nooit anders geweest.' Hij keek nog steeds naar haar alsof hij verwachtte dat er iets zou gebeuren. Ze fronste haar wenkbrauwen toen ze door de smalle gang, die in gebroken wit was geschilderd, langs de trap door de keuken liepen. 'Ik heb nog niet ontbeten, want ik dacht dat je na de reis wel honger zou hebben, dus nu kunnen we samen ontbijten.' Hij glimlachte.

Ze gaf hem nog een knuffel. 'Lijkt me heerlijk.'

'Mooi zo. Ik heb een pot thee gezet. Die staat buiten op de tuintafel. Ga daar maar zitten, dan kom ik zo bij je.' Hij leunde zwaar op zijn stok. Ze zag het looprek in de hoek. Had hij dat pas? In Londen had hij alleen een wandelstok gebruikt.

'Weet u zeker dat ik niet kan helpen?' Demi keek de keuken rond. Te zien aan de multiplex werkbladen en het oude fornuis was die sinds de jaren zeventig niet gerenoveerd. Maar de muren waren zonnig geel geschilderd, waar je vrolijk van werd. Langs een van de muren stond, een beetje onhandig vanwege de kleine ruimte, een dressoir met daarin blauw-wit servies. Dat kwam vast uit een boerderij en had op de een of andere manier zijn weg gevonden naar dit kleine, halfvrijstaande huis.

'Je ziet eruit alsof je geen oog dicht hebt gedaan. Ga nu maar en doe wat je vader zegt.'

Ze fronste haar voorhoofd bij het woord 'vader'. 'Dank u wel.' Ze glipte door de dubbele deur de frisse tuin in. Terwijl ze over het kippenvel op haar armen wreef, keek ze om zich heen. Dit alles kwam haar merkwaardig bekend voor, maar dat kwam zeker doordat ze voor haar studie talloze kleine tuinen had gezien. Of misschien doordat haar moeder het zo levendig had beschreven na haar geregelde bezoekjes van de laatste tijd. Helaas was Demi nooit met haar meegegaan. Ze werd te veel in beslag genomen door Matt. Ze kromp ineen bij de gedachte. Vanwege hem had ze haar vriendinnen aan de kant gezet en was ze waardevolle tijd met haar moeder misgelopen. En wat had ze ervoor teruggekregen? Een geschaad vertrouwen en vernedering.

Toen ze de banden op de kiezels hoorde knerpen, rolde Victoria zich om en keek op het nachtkastje. Het was pas zes uur, de vogels zongen hun lied en toch ging Charles al de deur uit. Vreemd. Hij was geen vroege vogel en ze had hem pas om een uur of half drie naar zijn kamer horen gaan.

Ze rekte zich uit, glipte uit bed en liep naar het raam, waar ze over de tuin uitkeek. Alles was in een dichte mist gewikkeld, ook het oude eikenbos. Gapend pakte ze haar kamerjas en sloeg die om haar schouders, hoewel ze niet wist waarom ze de moeite nam. Ze was alleen en als ze wilde kon ze naakt door het huis dwalen. Ze bukte zich om een nieuwe blauwe plek op haar been te inspecteren. Die kreeg ze tegenwoordig te pas en te onpas. Het was vast gebeurd toen ze met Adam was, of had ze haar been in de tuin gestoten? Toen ze aan de tuin dacht, probeerde ze zich te herinneren of Sam vandaag terugkwam of morgen. Hij was er een beetje vaag over geweest. Of ze had niet goed geluisterd. Het was verre van ideaal dat hij vrij nam in de lente, wanneer de tuin op z'n bewerkelijkst was, maar wat kon ze ervan zeggen? Hij was zijn gewicht in goud waard, ook al was hij een eigenwijze vent.

Ze liep naar de keuken, zette water op en vond een cryptisch briefje van Charles.

Moet een juridisch akkefietje uitzoeken dus ben naar Londen.
Bel je later.

Ongetwijfeld was dat voor een van de vele liefdadigheidsinstellingen waar hij niet alleen zijn geld maar ook zijn tijd aan besteedde. Ze had geen moeite met de tijd, maar het geld zat haar wel dwars, vooral omdat hij als het om de tuin ging de hand behoorlijk op de knip hield. Met de helft van wat hij in de liefdadigheid stopte kon ze wel tien kerels als Sam inhuren, en dan zou de tuin binnen tien jaar voor elkaar zijn.

Ze nam haar thee mee terug naar de slaapkamer, waar ze een spijkerbroek en een oude sweater aanschoot. Het zou duidelijk een schitterende dag worden, maar de ochtend was nog fris. Ze begon haar werk liever in de moestuin dan in huis. En de schoonmaakster zou later toch komen. In het voorbijgaan deed ze Charles' slaapkamer dicht, zich nog altijd afvragend waarom hij zo vroeg weg moest. Wat was er in Londen zo dringend dat hij voor dag en dauw was vertrokken?

Ze zette haar mok op het aanrecht en liep afwezig naar buiten, waar ze wat onkruid uit het spinaziebed trok. Als ontbijt zou ze een omelet met spinazie, wilde knoflook en kaas maken. Ze liep de schuur in, pakte een paar tuinhandschoenen en ging op weg naar het bos om knoflook te plukken.

Onder de bomen was het een stuk kouder. De eucalyptusbomen die haar overgrootmoeder Edith had geplant markeerden de grens van het officiële landgoed. Daarna namen de eiken het over, terwijl ze verder het pad volgde door het bos dat Boscawen van de rivier scheidde. De grond was vochtig en de lucht was zowel zoet als prikkelend toen ze de laatbloeiende grasklokjes met de knoflook in het oog kreeg. Victoria bleef niet staan om de knoflook te plukken maar liep verder, meegevoerd door herinneringen. In hun jeugd waren deze bossen zo vertrouwd geweest voor Perry en haar. Zij was de elfenko-ningin geweest en hij de elfenprins, ondergeschikt aan haar, zoals het hoorde. Zij was een jaar ouder dan hij, maar natuurlijk wel een meis-je, en dat werd haar elke keer weer, en zeker door haar broer of haar vader, onder de neus gewreven. Haar plaats in de wereld was bepaald, en dat was niet een plek waar zij het voor het zeggen had. Behalve als ze in het bos was. En in haar jonge jaren was zij langer en sterker ge-weest dan Perry, die aan astma leed.

Hier wervelden de herinneringen om haar heen alsof de bomen ze in hun takken gevangenhielden. Maar het was er doodstil, alsof de mist alles in slaap had gewiegd. Hier lag zo veel geschiedenis en was zo veel verloren gegaan... Ze stak een hand uit en streek over de bast van een eik. Wat zouden de bomen haar nu vertellen? Ze legde haar oor tegen de stam en luisterde. De bossen zouden niet meer tegen haar praten. Ze hadden haar niet vergeven, net zomin als zij zichzelf had vergeven. Ze liep verder en kwam bij de oude stenen kade. Ooit was dit het klop-pend hart van het landgoed geweest. In die tijd ging goederenvervoer over water veel sneller en de Helford was een belangrijke handelsrivier geweest, met Gweek als het middelpunt van de vele mijnen in de buurt, met inbegrip van die van de Tregans. Alles was nu op de een of andere manier verdwenen. Ze draaide zich naar de rivier toe.

Die lag er stil bij en lage wolken klampten zich aan het oppervlak vast. Een vis verbrak het droombeeld en Victoria keek toe terwijl de rimpels zich over het water verspreidden. Het was jaren geleden dat ze 's ochtends in de Helford had gezwommen, maar vandaag riep het wa-ter haar. Eerst schopte ze haar schoenen uit en toen trok ze haar trui, spijkerbroek en ondergoed uit. Ze hing ze over de verroeste ijzeren res-ten van het oude botenhuis. Die hadden ooit gediend ter ondersteu-ning van een bouwwerk uit de tijd dat haar overgrootmoeder met haar vondsten terugkwam uit het Verre Oosten, Australië en Afrika.

Terwijl ze naakt op de kade stond, met haar tenen om de granieten stenen gekruld, schatte Victoria of het water diep genoeg was en dook er toen in. Elke zenuw in haar lichaam trok zich protesterend samen toen het ijskoude water haar omsloot. Ze brak door het oppervlak heen, hapte naar adem, maar het duurde een paar seconden voordat haar lichaam zich ontspande om voldoende lucht in haar longen toe te laten. In die paar ogenblikken onder water begreep ze hoe het moest zijn als je verdronk. Ze zag boven zich het licht maar kon er niet bij.

Klappertandend begon ze in een rustige schoolslag naar het midden te zwemmen. Alles leek verstild, op haar bewegingen na, die het gladde oppervlak van het water doorkliefden. Ze draaide zich op haar rug, keek naar de vlak boven haar hangende mist die de oevers aan weerskanten uitwiste. Ze waren weg en de wereld was verdwenen; alleen Victoria en de rivier waren er nog. Met een luie rugslag zwom ze in cirkels rond terwijl ze keek naar een enkele lichtstraal die de mist doorboorde en het stof in de lucht ving.

Ze draaide zich weer om en doorsneed met krachtige slagen het oppervlak, terwijl ze zich voorstelde hoe het leven er onder water uitzag, verschrikt, terwijl zij erboven zwom. Haar huid stond strak van de kou en tintelde overal. Ze moest Adam vandaag zien. Als ze met hem naar bed ging had ze het gevoel dat ze leefde. In zijn armen – of in de armen van elke man, behalve Charles – kon ze vergeten wat ze had verzuimd te doen, en zich op het hier en nu richten, op de aardse overvloed van de wellust. John Donnes gedicht 'The Bait' vlocht zich door haar gedachten.

Come live with me, and be my love
And we will some new pleasures prove
Of golden sands, and crystal brooks,
With silken lines, and silver hooks.

There will the river whispering run

Wat waren de woorden ook alweer? Haar armen sneden door het water en er gleed iets langs haar dij toen haar een volgende regel te binnen schoot.

Will amorously to thee swim,

In haar hoofd hoorde ze nog steeds zijn stem die het gedicht citeerde. De fluistering van zijn ademhaling druppelde langs haar hals en nog verder. Waardoor kwam die herinnering nu in haar op? Kwam het door de liefkozing van het water langs haar lichaam? De gewichtloosheid?

For thee, thou need'st no such deceit,
For thou thyself art thine own bait:
That fish, that is not catch'd thereby,
Alas, is wiser far than I.

Ze schudde haar hoofd, zette de herinneringen opzij en draaide om. Ze was verder gezwommen dan ze van plan was geweest, verdwaald als ze was in het verleden, en nu zag ze geen van beide oevers. Haar oriëntatiepunten van de kade aan de ene kant en het botenhuis aan de andere waren weg. De paniek sloeg toe. Ze begon te watertrappelen, probeerde te bepalen waar ze was, maar niets kwam haar bekend voor. Zou ze nu eindigen als zo'n waternimf waar haar grootmoeder haar vroeger over had verteld? Of zou ze aan de verkeerde kant van de rivier terechtkomen zonder een enkel kledingstuk om aan te trekken? Ze lachte en terwijl ze keek hoe de zon doorbrak, begon ze in een trage crawl naar links te zwemmen. Ze vroeg zich af wie haar zou redden als ze toevallig op de zuidelijke oever zou belanden. Hoe zou ze hem terugbetalen?

Verschillende scenario's speelden zich voor haar geestesoog af voordat de stevige stenen kade voor haar opdoemde. Ze glimlachte meesmuilend; vandaag was er geen plaats voor uitspattingen op de rivieroever. Ze droogde zich stevig af met haar t-shirt en trok haar kleren weer aan. Ze moest een ontbijt klaarmaken en hongerde naar nog veel meer dan alleen ontbijt. Wat was het jammer dat Adam hier nu niet was.

Ze bleef even staan, staarde over de rivier en keek toe hoe de mist optrok naarmate de zon de lucht verder opwarmde. Het zou een prachtige dag worden. Ze draaide zich om en liep het bos in. Daar draalde de mist nog wat en ze herinnerde zich dat ze vroeger dacht dat de bomen eruitzagen als levende wezens die zomaar naar voren konden stappen en haar konden vangen. Haar gedachten vlogen terug naar de vele kinderspelletjes die zij en Perry vroeger speelden. Het leek wel alsof ze alle dagen dat ze geen school hadden in deze bossen doorbrachten, weer of geen weer. Victoria bukte zich om een grasklokje te plukken, genietend van de geur en de lichtgevende kleur, die haar aan een ander gedicht deden denken.

A fine and subtle spirit dwells
In every little flower,

Het was er een uit haar jeugd, van Anne Brontë, dat haar overgrootmoeder had opgezegd na hun wandelingen door het bos. Victoria kon zich niet alles meer herinneren, alleen bepaalde stukken. Ze draaide met het steeltje in haar hand en citeerde:

O, that lone flower recalled to me
My happy childhood's hours
When bluebells seemed like fairy gifts
A prize among the flowers

Ze ademde de geur in. Die liet zich nergens door vangen, was even ongrijpbaar als de elfen.

I had not then mid heartless crowds
To spend a thankless life

Een ondankbaar leven. Hoe waar kwamen die woorden op haar over. Ooit had hij haar grasklokjes gegeven, als teken van zijn eeuwigdurende liefde, niet wetend dat de elfen die zouden wegkapen. Victoria snoof de geur op. Geef het tovervolkje maar de schuld, of de wereld. De ware liefde was verloren gegaan en dat gold tot nu toe ook voor het bos. Zij was altijd degene geweest die het oude bosgebied had verdedigd tegen krachten van buitenaf, en nu deed ze het weer. Ze was elf noch prinses, maar zij zou ervoor zorgen dat dit voor de toekomst behouden bleef. Haar erfgoed zou standhouden.

Perry had er ook van gehouden, maar stom genoeg was hij uit liefde getrouwd en niet uit plichtsbesef. Haar vader was het jaar ervoor overleden en kon Perry dus niet meer tot rede brengen. God wist wat ze niet allemaal had geprobeerd, maar hij liet zich niet vermurwen. Daar was ze natuurlijk wel aan gewend. Haar vader had ook niet naar haar geluisterd. Hij had niet ingezien hoe onrechtvaardig het was om Boscawen aan Perry na te laten, puur en alleen omdat hij een man was. Haar vaders redenering had nergens toe geleid en uiteindelijk had Victoria gelijk gekregen. Ze had een goede partij getrouwd en als zij degene was geweest die het huis had geërfd, was alles prima in orde gekomen. Dan had Boscawen niet zo te lijden gehad van vreemden. Ze schopte een steen van het pad en keek toe hoe die tussen de varens verdween. De geur van de knoflook was sterker dan die van de grasklokjes, en ze plukte er wat van voor haar omelet. Haar maag knorde verwachtingsvol.

De nieuwe veranda dook op in de opklarende lucht en Victoria haalde diep adem. Nu was ze thuis en had ze een kans om in elk geval iets goed te maken. Andere dingen waren niet meer te repareren. Toen ze de geometrisch aangelegde tuinen naderde, bukte ze zich en snoof de geur op van de kamperfoelie tegen de oude muur. Die hele geschiedenis lag nu achter haar en ze moest naar de toekomst kijken, naar de toekomst van Boscawen.

3

*E*r stonden twee lege borden op tafel, naast een pot verse thee. Demi voelde zich eindelijk weer mens en haar grootvader zag er ook beter uit.

'Nou, vertel eens wat er is gebeurd.' Hij keek over de rand van zijn leesbril. 'Niet dat ik niet heel blij ben om je te zien.'

Ze draaide haar mok in haar handen rond. 'Ik ben zo'n sukkel.'

Hij fronste zijn voorhoofd. 'Dat betwijfel ik. Sterker nog, ik zou zeggen dat je een heel slimme meid bent.'

Ze schonk hem een half glimlachje. Toen ze klein was had haar opa haar tijdens zijn maandelijkse bezoekjes in Londen urenlang geholpen met wiskunde, ook al was het zijn vak niet. De onderwijzer in hem wilde gewoon van geen mislukking weten. Hij had een manier gevonden om haar erbij te helpen en uiteindelijk had ze wiskunde onder de knie gekregen en werd het haar beste vak, samen met kunst.

'Bedankt, maar ik heb het in zo veel opzichten verkeerd gedaan. In de eerste plaats omdat ik veel te goed van vertrouwen ben geweest en in de tweede plaats omdat ik gewoon een stomkop ben.'

Hij schudde zijn hoofd, stak een verweerde hand uit en raakte die van haar even aan.

Ze slikte. 'Kortom, opa, ik heb geen cent te makken en ik heb ook geen huis meer.'

Hij trok een wenkbrauw op. 'Dat is wel heel kort door de bocht, en nu ben ik nog niet veel wijzer.'

'Nu mam er niet meer is, ben ik mijn huis ook kwijt. En hoewel mam een levensverzekering had, laat dat geld nog even op zich wachten.' Demi schudde haar hoofd. 'Ik ben de baan misgelopen waar ik na mijn stage op had gevlast, want...' Ze wreef over haar slapen. 'Nou ja, eerlijk gezegd heb ik die baan niet gekregen omdat ik over me heen heb laten lopen door iemand die zich mijn werk heeft toegeëigend.'

'Ik begrijp het. En hoe zit het met je vriendje? Op de begrafenis leek hij heel behulpzaam.' Hij perste zijn lippen op elkaar en ze zag zijn afkeurende blik.

Demi knikte. 'Hij...' Ze wachtte even en keek naar het vlies dat op haar thee dreef. 'Hij bleek... toch niet zo veelbelovend te zijn.' Ze werd misselijk toen ze hem voor zich zag, zoals hij op de leren bank naar Demi zat te kijken, die van alles en nog wat deed en totaal niet in de gaten had dat ze werd gefilmd. Ze ademde uit. Ze wilde in het bijzijn van haar grootvader niet in tranen uitbarsten.

'Gaat het wel, popje van me?'

Demi lachte droogjes en vond dat het met haar eigenlijk nog wel meeviel als je bedacht wat voor dwaas ze was geweest. 'Ja hoor.' Ze woelde met haar vingers door haar haar.

'Je moet lief zijn voor jezelf. Je hebt een hoop doorgemaakt.'

Ze reikte naar zijn hand. In de paar weken sinds ze hem voor het laatst had gezien was hij zo'n stuk ouder geworden. 'U anders ook.'

Hij knikte. 'Deze dingen eisen hun tol, dochter van me.'

Ze verstrakte en keek hem nauwlettend aan. Had ze hem soms verkeerd verstaan? Ze keek naar de bloeiende blauweregen boven hen en dacht van wel. 'Ik ben nog steeds zo boos. Is dat normaal?'

'Ja, verdriet komt in vele gedaanten,' zei hij terwijl hij haar mok weer volschonk met thee. 'Je moet alle fases doorlopen, daar is niets aan te doen.'

Demi deed er heel veel melk bij maar de kleur van de thee veranderde amper. 'Ik wou dat het wegging.'

'Je moet niet willen dat je leven weggaat. Geef jezelf de tijd.' Hij legde een hand onder haar kin. 'Zoals ik al zei, wees lief voor jezelf.'

Ze zuchtte. Dat was zo moeilijk nu ze zo stom was geweest. Maar het was wel het meest logische wat ze nu kon doen. 'Ik zal het proberen.'

'Goed zo. En als je het niet voor jezelf kunt opbrengen, doe het dan voor mij.' Haar hart brak bijna bij zijn scheve glimlachje.

Victoria waste de koekenpan af. Wat was er in godsnaam aan de hand dat Charles zo plotseling naar Londen moest? Niet dat het haar ook maar iets kon schelen, natuurlijk niet, maar ze was nieuwsgierig. Ze trok haar rubberhandschoenen uit, nam een slok van haar koffie en zag dat ze verse bloemen op de keukentafel moest zetten, en waarschijnlijk ook in de rest van het huis. Gladys, haar grootmoeder, had in een dagboek minutieus bijgehouden welke bloemen ze moest kiezen, en wanneer en waar ze in huis het beste tot hun recht kwamen. Helaas was dat verloren gegaan en Victoria kon alleen nog afgaan op haar geheugen. Toen Edith en Gladys samen in het Weduwehuis woonden, hadden ze voortdurend over planten en bloemen gekibbeld. Gladys plukte ze altijd terwijl Edith er steeds weer tegen inbracht dat ze in de tuin thuishoorden en niet in huis. Victoria glimlachte. Edith kwam uit Londen en was als bruidje van krap achttien jaar naar Boscawen gekomen, en ze had Victoria zo vaak verteld over de eerste glimp die ze van het huis had opgevangen toen ze van haar huwelijksreis in Parijs terugkeerde. Het huis was grandioos, maar de tuin... Nou ja, voor zover je van een tuin kon spreken, die bestond toen enkel uit grasvelden en boomgaarden. De creatie van de tuin was haar bijdrage aan het huis geweest. Gladys, haar schoondochter, kwam daarentegen uit een oude familie uit Cornwall. Ze was dol op de tuin maar kon nooit begrijpen waarom Edith de hele wereld afstruinde om aan planten te komen. Gladys vond de bestaande begroeiing meer dan goed genoeg en had het niet zo op import uit vreemde landen. Goddank had Edith lang genoeg geleefd om te zorgen dat haar schoondochter de tuin die zij tot leven had gewekt niet kon vernielen.

Net toen Victoria naar de bloemenkamer wilde lopen, hoorde ze de vaste telefoon overgaan. Adam kon het niet zijn. Die belde haar altijd op haar mobieltje. Ze overwoog om niet op te nemen en het antwoordapparaat zijn werk te laten doen, maar uiteindelijk kreeg haar nieuwsgierigheid de overhand.

'Hallo, Tori.'

Verdomme, waarom moest ze ook zo nodig alles weten. 'Audrey.'

'Zo blij dat ik je te pakken heb. Je hebt me niet teruggebeld.'

Nee, dat had ze niet, en als ze niet zo nieuwsgierig was geweest, was dat zo gebleven. 'Sorry.'

'Maakt niet uit. Ik spreek je nu.'

Victoria pakte haar koffie en ging zitten. Ze wist dat ze niet zomaar van dit telefoontje af was.

'Zo, Tori, hoe gaat het met je?'

Victoria sloeg haar ogen ten hemel. Ze had er een bloedhekel aan als Audrey haar Tori noemde. Het was al erg genoeg als Charles het deed. Maar bij Audrey suggereerde het een intimiteit die Victoria bij haar niet voelde, ook al hadden ze nog zo lang bij elkaar op school gezeten. 'Prima. En met jou?'

'Best, hoor. Ik heb al eeuwen je raad nodig.'

Victoria perste haar lippen tot een rechte streep. Dit werd nog erger dan ze had gedacht. 'Wat kan ik voor je doen?'

'Ik wist gewoon dat jij de juiste persoon was bij wie ik dit kon aankaarten.'

'Dat zal best, je hebt zo je best gedaan om me te pakken te krijgen, maar waar gaat het dan over?' Ze fronste haar wenkbrauwen. Haar koffie werd koud. Als dit gesprek zich net zo zou voortslepen als vroeger, zou ze minstens nog een kop nodig hebben. Victoria keek op haar horloge en wenste dat Audrey eindelijk eens zei wat ze op haar hart had. Ze keek door de deur naar buiten, waar de bijen zich te goed deden aan de bloemen van de tomatenplant. De moestuin begon al vrucht te dragen. Charles had er een zwembad willen aanleggen maar daar had Victoria een stokje voor gestoken, ook al zwom ze nog zo graag. Het zou haar alleen maar herinneren aan wat ze had moeten opgeven.

'Tori, hoorde je wel wat ik zei?'

'Nee, sorry. Wat zei je?' Zwemmen. Ze had in de rivier leren zwemmen en daarna had ze er op school in uitgeblonken.

'Onze huwelijksjubileumreis naar Rome.'

Victoria fronste haar wenkbrauwen. 'Goeie god, waarom vraag je míj dat? Ik ben geen reisbureau.'

'Het maakt niet uit hoe we daar komen, maar jij bent er vaak geweest. We zijn binnenkort veertig jaar getrouwd en ik wil er iets bijzonders van maken.'

Victoria zuchtte. 'Ik ben in geen jaren in Rome geweest.'

'Het is de eeuwige stad, die verandert niet, zeggen ze.'

'Alles verandert.' Victoria haalde diep adem. Als dit gesprek nog langer ging duren, zou ze ontploffen. 'Audrey, laat Hal beslissen. En zoals je al zei, is hij er eerder geweest en wil er met jou naartoe. Daar heb ik niets aan toe te voegen.'

'Dat heb je wel. Je bent daar in 1995 een poos geweest. Maandenlang, leek het wel.'

'Ik heb er een cursus gedaan en dat is bijna twintig jaar geleden.'

'Maar je weet er toch nog wel iets van? Je was er zo enthousiast over. Je gaat me toch niet vertellen dat je vergeetachtig wordt?'

Victoria snoof.

'Sorry als ik je van streek heb gemaakt, Tori, dat was niet mijn bedoeling. Maar we komen allemaal op een leeftijd waarop de dingen niet meer zo lekker gaan als vroeger.'

'Dat geldt misschien voor jou.'

'Ik weet dat je in topconditie bent, maar zeg nou zelf, zelfs jij hebt een leesbril nodig.'

Dat kon ze niet ontkennen. Ze overwoog een oogoperatie om af te zijn van die bril die altijd op haar voorhoofd stond. 'Wat wil je nou eigenlijk zeggen?'

'Laat maar zitten.'

'Moet je horen, de tuinman is er. Ik moet gaan.' Victoria legde de telefoon neer voordat Audrey nog kon door rebbelen. Die vrouw kletste de oren van je hoofd zonder ook maar iets zinnigs uit te brengen.

Ze pakte de telefoon weer op en belde Adam. 'Hallo spetter van me.'

'Victoria. Ik moest net aan je denken.'

'Schitterend.'

'Niet op die manier.'

Ze fronste haar wenkbrauwen. 'Waarom in godsnaam niet?'

'Omdat ik net hoorde dat Nansennen misschien te koop wordt gezet en je me moet vertellen wat je er allemaal van weet.'

'Nou, voor deze keer is het je vergeven. Nansennen is een schitterend landgoed. Ik herinner me nog een nieuwjaarsfeestje van tijden geleden. Wat wil je weten?' Ze was toen achttien geweest en verliefd. Het was een magische avond geweest, en niet in de laatste plaats door het met ijs bedekte landschap. Natuurlijk was het een minpuntje dat er geen centrale verwarming was. Het was zo koud dat ze onder haar strapless japon een lange onderbroek had gedragen. En hij had er goddelijk uitgezien in zijn smokingjasje. Dat had hij over haar schouders gedrapeerd toen ze het terras op waren geglipt om in het maanlicht een wens te doen voor het komende nieuwe jaar. Op de een of andere manier had hij ervoor gezorgd dat de kriebelwol sexy aanvoelde, maar al die hoop en dromen... die waren samen met de vorst verdwenen. Ze huiverde.

'Nou, het wordt misschien te koop aangeboden.'

'Vanwege financiële problemen of is het gewoon te groot voor ze geworden?' Het onderhoud van deze huizen kostte kapitalen.

'Dat weet ik nog niet.'

'Dus je wilt dat ik hier en daar wat ga rondvragen?'

'Zoiets ja.'

Ze glimlachte.

'O, en wat je verder nog aan informatie kunt verschaffen.'

49

'Wat krijg ik ervoor terug?' Ze streek met haar vinger langs de rand van haar koffiekop.

'Dat merk je nog wel, heb geduld.'

'Pestkop.' Ze lachte en keek nu al uit naar die avond.

Demi liep door Church Street en bekeek de etalages. Ze zou eerst naar Marks & Spencer gaan, voor de meest essentiële dingen. Ze kon niet geloven dat ze geld van haar grootvader had moeten lenen om kleren te kopen, maar veel keus had ze niet, anders zou ze nog meer rood staan en het was nu al zo erg. Over een paar dagen zou haar laatste salaris van Bottel & Lampard op haar rekening worden gestort en dan kon ze hem terugbetalen. Ze liep langs een kringloopwinkel, draaide weer om en ging naar binnen. Met de vijftig pond van haar grootvader zou ze niet ver komen met wat ze allemaal nodig had, van ondergoed tot schoenen aan toe. Gelukkig was ze zo klein dat ze soms, voor haar voeten bijvoorbeeld, op de kinderafdeling terechtkon, wat weer een beetje geld scheelde.

Ze zocht in de rekken naar iets geschikts, maar was niet erg optimistisch. Het mooie spul leek enkel te zijn gemaakt voor lange vrouwen met een platte boezem.

'Kan ik je helpen?' Een meisje met een neuspiercing kwam naar Demi toe. Ze leek slechts een paar jaar jonger dan zij, maar zo relaxed als wat, met haar tie-dyetop en gescheurde spijkerbroek.

'Jullie hebben zeker niets in mijn maat, hè?'

Het meisje nam haar van top tot teen op. 'Nou, zou zomaar kunnen van wel. Vanochtend is er het een en ander binnengekomen waar misschien iets bij zit. De kleuren staan je vast ook goed.'

Demi glimlachte. Misschien lachte het geluk haar eindelijk eens toe. Nou, hoop deed leven.

'Kijk.' De vriendelijke vrijwilligster gaf Demi een armvol kleren. 'De paskamer is daar. Geef maar een gil als je hulp nodig hebt of mijn mening wilt, maar ik denk dat de paars met blauwe top goed bij je teint past.'

'Dank je wel.' Demi legde de spullen op een stoel en vroeg zich af wat ze als eerste zou aantrekken. Ze trok haar kleren uit, op haar onderbroek en bh na, en vermeed het om in de spiegel te kijken. Op de breedbeeldtelevisie van Matt had ze meer van zichzelf gezien dan haar lief was. Ze deed haar ogen dicht, probeerde de beelden van zich af te zetten terwijl ze lukraak iets pakte. Het was een prachtige wikkeljurk in lichtgroene tinten, precies het model dat goed bij haar figuur paste. Ze trok hem aan. De zoom moest weliswaar vastgezet worden, maar hij stond prachtig. Jammer genoeg hing er geen prijskaartje aan. Ze fronste haar wenkbrauwen en hoopte maar dat hij niet te duur was. Ze moest wat geld overhouden voor M&S.

Tot haar grote verbazing paste alles.

'Hoe gaat het daar?'

Demi trok net haar mantelpakje weer aan. 'Fantastisch. Alles past, zelfs de spijkerbroek, en dat is echt een wonder. Dat overkomt me bijna nooit.' Maar evengoed gaf ze twee sweaters terug.

'Super. Meestal heb ik er wel een goede kijk op.' Ze stak de truien in de lucht. 'Wat mankeert hieraan? De kleuren staan je perfect, net als de v-hals.'

'De mouwen zitten een beetje strak.' Demi keek met gefronste wenkbrauwen naar de stapel op de toonbank en wierp toen een blik op het schoenenrek. Tussen de kinderschoenen stond een paar sneakers dat haar zo te zien wel paste.

'Is er iets?'

Demi keek op. 'Nee, bedankt.' Het kon altijd erger, zo veel wist ze wel.

'Pas die schoenen nou maar en op het volgende rek staat een paar ballerina's. Intussen pak ik dit voor je in.'

'Wacht daar maar even mee. Ik weet niet of ik het allemaal kan betalen.'

De vrouw keek haar aan, nam haar verfomfaaide kleren in zich op. 'Pak die schoenen en betaal me wat je kunt missen, of dat nou een vijfje is of meer.'

Demi's mond viel open. Ze zag er zeker nog erger uit dan ze dacht. 'Weet je het zeker?'

'Ja, er hangt geen prijskaartje aan deze spullen, ze zijn weggegeven om andere mensen te helpen. Jij hebt nu hulp nodig, dat zie ik zo. Dat heeft met karma te maken. Als je kunt, geef je het karma door. Nou, passen die schoenen je?'

Demi knikte.

'Bofkont. Ik zit altijd aan die verdomde maat 41 vast, en daar zit nooit iets fatsoenlijks tussen.'

Demi maakte haar tas open en haalde er de tien briefjes van vijf uit. Ze pakte er twee vanaf.

'Betaal me nou maar vijf. Zo te zien gaat het niet geweldig met je.'

Demi schudde haar hoofd. Was die vrouw soms helderziend?

'Dat ben ik inderdaad, min of meer, maar aan niemand vertellen, hoor.'

Demi zette grote ogen op. Had ze het soms hardop gezegd?

'Ik heet Peta Rowse. En jij?'

'Demi Williams.'

Peta fronste haar voorhoofd maar glimlachte toen. 'Welkom in Falmouth. Ben je soms familie van de familie Williams van Penrose Road? God, in de zesde klas was ik stapelgek op eentje.'

Demi glimlachte. 'Dat weet ik niet. Ik logeer bij mijn grootvader.'

'Toch niet de oude meneer Williams, de leraar Engels, hè?'

'Ja.' Demi keek haar met grote ogen aan.

'Hem ken ik wel. Verdomd geniaal was hij, die ouwe. Bij hem was het bikkelen.'

Demi fronste haar wenkbrauwen. Haar grootvader was al jaren met pensioen. Hij had Peta toch zeker nooit in de klas gehad?

'Onze eigen leraar kreeg kanker en hij viel voor hem in, heeft ons op de een of andere manier door het eindexamen geloodst.' Ze leunde op de toonbank en keek door het raam naar buiten, waar het op straat steeds drukker werd.

'En wat doe je nu?' Demi keek Peta aandachtig aan, met haar dreadlocks en onopgesmukte gezicht.

'Afgezien van mijn vrijwilligerswerk hier? Ik werk drie avonden in een pub en ben bijna klaar met mijn opleiding als modeontwerpster.'

'Dus daarom ben je zo goed in kleuren en maten.'

'Niet echt, dat heeft meer te maken met dat gevoelsding van me.'

Demi keek nadenkend. 'Oké. Je zult het zelf wel weten.'

'Inderdaad.'

Demi glimlachte. 'Bedankt voor al je hulp.'

'Geen probleem. De dingen gaan echt veranderen, hoor.' Ze keek Demi indringend aan. 'Sterker nog, ze gaan sneller veranderen dan je denkt. Als je maar kalm blijft.'

'Oké.' Demi liep de winkel uit terwijl haar hoofd tolde. Peta mocht dan gek zijn, maar ze had haar heel erg geholpen. Nu had ze genoeg geld over om een fatsoenlijke bh te kopen. Nou ja, eerder iets wat in de buurt kwam van een zwaar versterkte beugel.

Victoria bladerde door de zadencatalogus. Ze vond maar niet wat ze zocht, want naar de planten die zij wilde was blijkbaar niet veel vraag meer. Ze moest Charles' verdomde computer lenen en op internet zoeken. Ze ging met haar vingers langs Ediths plantenlijst. Ze was zo blij dat ze die nog had. Toen Edith was gestorven en er successierechten betaald moesten worden, hadden ze het Weduwehuis moeten verkopen, en toen Gladys naar het poorthuis verhuisde, waren die lijsten in een uithoek op de zolder van Boscawen weggestopt. De arme vrouw had niet geklaagd, althans niet tegen Victoria's vader. Ze was daar gelukkig geweest, waar ze naar het komen en gaan van haar familie kon kijken.

Goddank had geen van de tussentijdse eigenaars van Boscawen veel aandacht geschonken aan de zolder. Tegenwoordig hielden mensen er steeds minder vaak papieren documenten op na, maar het verleden werd nog op vergeelde paperassen bewaard. Victoria schreef al haar aantekeningen op en vertikte het om meer met haar telefoon of computer te doen dan nodig was. Charles regelde al hun financiën online. Hij hamerde er steeds maar op dat zij het ook moest leren, maar ze zag het nut er niet van in. Ze betaalde haar rekeningen nog steeds het liefst per cheque. Daar ging het toch om bij privébankieren? Ze bladerde door de fruitboomcatalogus die op tafel lag. In de herfst moest er een begin worden gemaakt met de nieuwe aanplant in de boomgaarden. Enkele bomen waren blijven staan, maar twee appelboomgaarden waren gerooid. Ze bedacht dat er niets mistroostigers bestond dan het vernietigen van vruchtdragende bomen.

Edith had Victoria uitputtend verteld over haar reizen. Liefde, plicht en een gedeelde passie hadden Edith en Arthur Tregan naar het Verre Oosten gevoerd, op hun zoektocht naar nieuwe planten voor hun tuin. Victoria slaakte een zucht. Dat was pas een productief huwelijk geweest. Voordat ze op reis gingen naar China, India en Australië had Edith vier kinderen ter wereld gebracht: drie jongens en een meisje. Ze had haar plicht dubbel en dwars vervuld. Victoria fronste haar wenkbrauwen. Hoe kon het nou dat Ediths bloed door haar aderen stroomde en ze onvruchtbaar was? Zelfs Victoria's moeder had twee kinderen gekregen en talloze miskramen gehad. Victoria had nog niet eens een miskraam gehad. Het was alsof er kortsluiting in haar bedrading zat. Maar ook dat was onderzocht tijdens al die vernederende pogingen op de weg naar de heilige graal van een kind en erfgenaam.

Victoria pakte haar handschoenen en liep naar de deur. Ze ging onkruid wieden in het bed bij de zuidwestelijke muur. Daar stak de agapanthus zijn spitse kopjes op waarin de strak opgerolde bloemknoppen verpakt zaten. Nu al beloofde het een goed jaar te worden. Misschien moest ze ermee naar de Constantine Flower Show. Tenslotte was ze nu al twee jaar op Boscawen terug, het werd tijd om weer deel uit te gaan maken van de gemeenschap.

Toen ze de achterdeur uit liep, ging de vaste telefoon opnieuw. Victoria aarzelde. Stel dat het Audrey weer was? Ze had er totaal geen zin in om nog een tijd met haar aan de telefoon te hangen. Ze liet hem op het antwoordapparaat overschakelen. Ze stond op de drempel te kijken naar het onkruid in het courgettebed toen het apparaat aansloeg. Ze hoorde Charles' stem mompelen dat hij 's nachts in Londen zou blijven om met Sebastian te dineren en dat hij hoopte dat dat oké was. Het was meer dan oké. Ze haalde haar mobieltje uit haar zak en stuurde Adam een sms'je. Dan hadden ze de hele nacht samen. Ze glimlachte.

4

*D*emi zat in een cafeetje van haar thee te genieten en maakte gebruik van de gratis wifi. Als eerste feliciteerde ze Maia met de geboorte van haar dochter. De foto's op Facebook zagen er schattig uit, voor zover pasgeboren baby's er schattig uit konden zien. Nee, het allermooiste was het geluk dat van Maia's gezicht en van dat van haar man afstraalde. Het idéé dat Demi had gedacht dat ook bij Matt te zullen vinden. Er was vast niemand op de wereld met minder mensenkennis dan zij. Terwijl ze haar best deed niet aan Matt te denken, scrolde ze door de statusupdates, in het voorbijgaan hier en daar wat 'vind ik leuks' aanklikkend, maar ze verstarde toen ze een bericht van Matt tegenkwam. Het was een foto van haar van vorige week. Ze glimlachte en hief proostend een glas. Hoe kon hij in hemelsnaam nog steeds foto's van haar posten? Ze wilde dat hij hem van die pagina weghaalde, maar hij had haar niet getagd, dus ze kon er weinig aan doen. En als ze hem zou ontvrienden, wist ze niet meer wat hij deed. Ze liet haar hoofd in haar handen vallen.

Hoog tijd voor positieve actie, dus stuurde ze vervolgmailtjes naar de verzekeringsmaatschappij en de advocaat die haar moeders nalatenschap afhandelde. Van een nalatenschap was echter nauwelijks sprake en terwijl ze haar typefouten corrigeerde, wist ze dat ze op een bepaald moment nog een keer met Matt zou moeten afspreken. Haar spullen, met inbegrip van haar desktop, stonden nog in de logeerkamer van zijn flat. Ook al had ze er totaal geen zin in, ze zou iets moeten regelen om ze op te halen. Ze wilde niets liever dan opnieuw beginnen, het verleden volkomen loslaten, maar alleen al de computer was een enorme investering geweest. En de paar sieraden van haar moeder lagen er ook. Ze zou contact moeten opnemen met Matt als ze haar moeders spullen, haar desktop en haar portfolio wilde terugkrijgen, anders had ze niets.

Ze klikte op de knop om een nieuwe mail aan te maken. Ze moest er twee versturen. Een was een slijmerig bericht aan Bottel & Lampard om hen te bedanken voor de prachtkans die ze haar hadden geboden, en om te proberen de deur op een kier te houden. Niet dat ze daarop zat te wachten. Wat ze echt wilde was haar ontwerpen naar hen opsturen om te bewijzen dat het werk dat Josh zich had toegeëigend, feitelijk van haar was. Niet dat ze er iets mee opschoot, maar misschien ging ze zich er beter door voelen. Niets van wat ze sinds de dood van haar moeder had gedaan was goed uitgepakt. Morwenna had nog geen rust. Ze zuchtte. Doe iets positiefs. Schrijf die brief aan Bottel & Lampard.

Geachte mevrouw Jones,

Vanwege een ongelukkige omstandigheid en het feit dat ik zo oerstom was om een klootzak te vertrouwen met een verknipt idee over wat sexy en goed was, heb ik dringend de baan nodig die u me niet hebt aangeboden, maar die u in plaats daarvan aan een diefachtige schoft hebt gegeven.

Demi leunde naar achteren en nipte van haar thee. God, wat zou het lekker zijn om zo'n onomwonden mailtje te sturen. Haar moeder had haar altijd op het hart gedrukt nooit te liegen en altijd de waarheid te vertellen. Nou, en dit was nog niet alles. Demi had haar eigen rol gespeeld in haar ondergang.

Ik was te verblind door zijn knappe uiterlijk en geld om te zien wat een zak hij was. Ik had op mijn moeders instinct moeten ver-

trouwen en niet op dat van mij. Ik had vanaf het begin moeten
weten dat hij een gluiperd was. Maar op papier, en ook qua uiter-
lijk, zag hij er goed uit. Hij had een geweldige baan en was slim. Je
had niet gauw door dat hij voor geen meter deugde.
Dus toen zij overleed, dacht hij dat mijn 'frigide neigingen', zoals
hij ze noemde, wel wat zouden ontdooien. Ha! Ik had gezegd dat
ik geen triootjes wilde, of meer. Ik vond het al moeilijk genoeg
naakt voor hem te gaan staan, laat staan dat iemand anders mijn
lijf zou zien. En nu heeft hij ons ook nog gefilmd – nou ja, vooral
mij eigenlijk – terwijl we seks met elkaar hadden. En het was niet
een beetje seks. Ik had toegegeven omdat hij me voortdurend on-
der druk zette en...

Met elk woord dat ze typte voelde Demi haar stressniveau stijgen. Ze
zag wat voor idioot ze was geweest. Hoe vaak was haar niet verteld om
'nooit iets te doen waar je je niet goed bij voelt'? Nou, met Matt had
ze dat wel heel snel aan de wilgen gehangen. Hij was niet tevreden met
normale seks, wilde alles doen wat hij in zijn pornofilmpjes zag. Hij
had haar gezegd dat ze gek was dat ze zich voor haar lichaam schaam-
de. Sterker nog, nu ze erover nadacht besefte ze dat hij haar alleen
maar als een seksspeeltje had behandeld, eigenlijk al vanaf het begin.
Geen wonder dat ze er niets aan had gevonden.
    Ze wiste alles wat ze had geschreven, op het bedankje na.

Ik wil u graag bedanken voor de mooie kans om met zo'n getalen-
teerd team als dat van Bottel & Lampard te mogen werken.
Mocht u in de nabije toekomst nog een architect nodig hebben,
dan houd ik me van harte aanbevolen.

Met vriendelijke groet,

Demi Williams

Ze vond de eerste versie veel beter, maar ze hoefde zich het gezicht van de vrouw maar voor te stellen als ze die zou lezen. Het duiveltje in haar verkneukelde zich bij dat idee, maar de verstandige Demi nam het over en verstuurde de aangepaste mail, terwijl ze nadacht over wat ze tegen Matt zou zeggen. Ze kon niet zomaar naar Londen terugracen om haar spullen weg te halen, daar moest ze het juiste moment voor uitkiezen. En ze was hier nog maar net.

En natuurlijk was er nóg een kleinigheidje – nou ja, een probleem. Na haar winkelsessie en haar kop thee had ze nog vier pond vijftig over. Daarmee kwam ze bepaald niet ver, dus ging ze morgen op zoek naar een baan. 's Zomers was hier vast meer dan genoeg werk, en dan kon ze tegelijk haar leven op orde brengen en wachten tot haar moeders levensverzekering werd uitbetaald. Toen ze op Instagram keek om te zien wat haar vriendinnen aan het doen waren, besefte ze dat dit de enige manier was waarmee ze een inkijkje in hun leven kon krijgen. Haar leven had enkel om Matt gedraaid. Misten haar vriendinnen haar eigenlijk wel? Op de begrafenis hadden ze gezegd van wel.

Ze haalde diep adem en begon aan een e-mail aan Matt.

Matt,

Ik zal het niet hebben over hoe erg ik me verraden voel. Ik weet zeker dat je je er wel iets bij kunt voorstellen. Ik wil nu alleen graag mijn spullen komen ophalen. Ik neem aan dat je die zo gauw mogelijk uit je flat weg wilt hebben, maar ik logeer momenteel bij mijn opa in Cornwall.

Demi wachtte even en rilde toen ze zich Matt voor de geest haalde die naar die walgelijke beelden van hen beiden op het scherm zat te kijken.

Ik wil je echt nooit meer zien. Je bent een verachtelijke loser. Hoe heb je ons kunnen filmen terwijl ik dat absoluut niet wilde?

Ze stopte en wiste de laatste alinea. Dat schoot totaal niet op.

Dus ik zou het fijn vinden als mijn spullen nog even bij je kunnen blijven staan terwijl ik iets regel om ze op te halen.

Demi

Ze woelde met haar hand door haar haar en vroeg zich af of Sophie ze misschien kon ophalen wanneer ze uit Griekenland terug was. Ze verstuurde de e-mail en controleerde nogmaals haar inbox. Niets, behalve een afwezigheidsbericht van Matt. Ze haalde diep adem, verzamelde haar tassen, glimlachte naar de vrouw achter de toonbank en ging op weg naar het huis van haar grootvader.

Victoria wreef over haar onderrug en stond op uit haar geknielde houding. Ze zag nog net dat Sam zijn shirt uittrok. Ze slikte. Hij was oogverblindend. Door zijn werk in de tuin en zijn liefde voor zeilen bleef hij in topconditie, en het glinsterende zonlicht op zijn rug accentueerde zijn spieren nog eens in al hun glanzende volmaaktheid. Ze moest echt een manier zien te vinden om hem te verleiden. Ze kon niet hebben dat er zo'n specimen van de menselijke soort in haar tuin rondliep waarvan ze niet had geproefd. Maar het was bijna zes uur en Adam kon er elk moment zijn, dus zou ze tot een andere dag moeten wachten om haar plannen om Sam Stuart in haar bed te krijgen handen en voeten te geven.

Ze liep naar hem toe. Hij was aan het werk in wat ooit een van de vele rozenbedden was geweest, iets waar hij extra kien op was. Het ging er bij hem simpelweg niet in dat je in Cornwall in oude rozenbedden geen rozen kon kweken. Hij had maar doorgezanikt over mycorrhizaschimmels en massa's compost. Van haar mocht hij van zijn fouten leren, maar alleen omdat daar al eerder een rozenbed was geweest. Ze had echter de grens getrokken toen hij erop stond om rozenstruiken zonder kluit te kopen. Als zijzelf de roos niet kende, dan wilde ze hem eerst met eigen ogen zien bloeien en ruiken. Ze nam geen genoegen met plaatjes en beschrijvingen. Die konden liegen. Vorig jaar hadden zwarte vlek en groene vlieg alles wat ze hadden geplant verwoest, op een paar uitzonderingen na. Maar Sam hield hardnekkig vol. Hij was in elk geval vasthoudend – maar hij was nog zo veel meer dan dat.

In de afgelopen twintig jaar was het rozenbed leeg geweest en zo nu en dan had de plaatselijke boer in dit deel van de tuin zijn schapen laten grazen. Ze schudde haar hoofd, denkend aan de schitterende planten uit haar jeugd, waar niets meer van over was. Tuinieren was aan de mensen die het landgoed na Perry's dood hadden gekocht niet besteed geweest, zij hadden enkel interesse gehad voor het huis en de bijbehorende kade. Alleen het gazon en de border vlak naast Boscawen werden onderhouden en tegen de tijd dat het huis te koop werd aangeboden, was veel van het land eromheen al verkocht. Nu was het landgoed weer compleet, op twee boerderijen en het Weduwehuis na, maar ze vermoedde dat zij niet meer zou meemaken dat die te koop gezet zouden worden. Ze moest het er gewoon mee doen en nu was het echte werk begonnen.

'Sam.'

Hij hield op met zijn werk en richtte zich op, torende boven haar uit. Ze hield ervan als een man maakte dat ze zich kleiner voelde. Dat was bij Charles zeker niet het geval. Hij was een meter tweeënzeventig, slechts twee centimeter langer dan zij. Sam moest daarentegen wel een vijfentachtig zijn. 'Mevrouw Lake.'

Ze fronste haar voorhoofd. Hoe vaak ze het hem ook had gevraagd, hij vertikte het om haar bij haar voornaam te noemen. Mevrouw Lake deed haar denken aan haar schoonmoeder, en dat was geen prettige gedachte. Ze hoopte dat de vrouw lag weg te rotten en voer was voor het gras op haar graf. 'Ik strooi er mest over, dan zouden we dinsdag de eerste rozenstruiken moeten kunnen planten.'

'Geweldig.' Haar blik dwaalde naar zijn platte buik. Ze moest ervoor zorgen dat Adam wat meer trainde om zijn wasbord strakker te krijgen. Haar vingers stuiptrekten even. 'Hoe was het in Londen?'

'Fantastisch. Fijn om mijn vriend te zien en Londen is altijd goed voor dikke pret.'

'Klopt.' Victoria keek aandachtig naar zijn gezicht. In de jukbeenderen en volle mond zag ze dat hij van goede komaf was. 'Trouwens, waarom heb je die nieuwerwetse appelbomen in de catalogus aangekruist?'

'Diversiteit.' Hij schoof zijn handen in zijn zakken.

'Diversiteit? Wat krijgen we nou, zijn we een soort bedrijf of zo?' Ze trok haar mond in een laatdunkende glimlach.

'Nee, maar we hebben al een aantal oudere variëteiten die het hebben overleefd. Er is variatie nodig zodat ze niet allemaal tegelijk vrucht dragen. En voor de insecten is het ook beter.'

'Ik wil dat de tuin weer wordt zoals die was.' Ze sloeg haar armen over elkaar.

'Dat is allemaal goed en wel, maar vroeger at zowat het hele dorp van de tuin en werd al het voedsel gebruikt. Bent u soms van plan om het fruit te verkopen of er cider van te maken?'

Victoria perste haar lippen tot een rechte streep. Hij had een punt. Niet dat ze dat zou toegeven, maar ze zou erover nadenken. 'Prima, daar hebben we het later nog over, voordat we gaan bestellen. Ik moet met Charles bespreken of er geld voor is.' Ze zweeg en staarde hem aan. 'Je hebt het er toch niet met hem over gehad, wel?'

'Nee.' Hij stak een met aarde besmeurde hand op om zijn ogen af te schermen. 'De tuin is uw domein, zegt hij.'

'Zo is het. En de rekeningen zijn zijn domein.' Victoria zuchtte. 'Laat ook maar.'

'Mevrouw Lake?'

'Ja.'

'Een poosje geleden heb ik gekeken of er genoeg vlieren in bloei stonden om er vlierbloesemchampagne van te maken.' Hij trok zijn mond in een schaapachtige grijns. Victoria glimlachte toen hij over vlierbloesemchampagne begon. Perry en zij hadden die elke zomer gemaakt, en het was de laatste tijd zo warm geweest dat de vlierbomen nu al in bloei stonden.

'Ik heb gezien dat een paar bomen de muur van de moestuin dreigen te overwoekeren. Als er niets aan gedaan wordt, zullen ze het pad blokkeren, dus ik dacht erover om ze terug te snoeien in plaats van het nieuwe bed in de verzonken tuin uit te graven, als u dat goed vindt.'

'Loop even met me mee,' zei ze. Hij zette de schep neer, pakte zijn handschoenen en liep achter haar aan. Nu ze aan Perry en Boscawen moest denken, wiegde ze niet langer met haar heupen, wat ze normaal gesproken extra zou doen als er een knappe vent achter haar liep. 'Sam, ik weet dat we een beetje hebben gepraat over de geschiedenis van Boscawen, maar misschien nog niet genoeg.' Ze waren nu aan de oostkant van het huis en het was duidelijk dat hij gelijk had. Als er niet oordeelkundig gesnoeid zou worden, zou de vlierboom het overnemen. 'Maar Boscawen betekent "het huis naast de vlierboom" en die bewuste boom staat daar.'

Hij fronste zijn voorhoofd. 'Vlierbomen leven niet zo lang en dit huis is toch uit de zestiende eeuw?'

'Dat is zo, dit is ook niet het oorspronkelijke exemplaar, maar er heeft altijd een vlierbes naast het huis gestaan.'

'Dat kan wel kloppen, want ze horen hier van oorsprong thuis en groeien gemakkelijk.'

Victoria draaide zich naar hem toe. Wat was dat toch met jonge mensen, dat ze altijd dachten alles te weten? 'Dit is Cornwall, Sam, en hier respecteren we het land en zijn legenden.'

Hij hield zijn hoofd schuin en ze zag de lach die in zijn blauwe ogen op de loer lag. Hij mocht haar best uitlachen, maar ze meende het bloedserieus. 'Je snijdt niet in een vlierboom zonder zijn toestemming te vragen.'

'Wat?' Zijn blik sprak boekdelen. Hij dacht dat ze gek was geworden.

'Je moet over de boom strijken en zeggen: "Vlierboom, vlierboom, mag ik uw takken snoeien?"'

'Als u erop staat.' Hij haalde zijn schouders op. Misschien was ze inderdaad gestoord, maar dit was duidelijk iets waar ze niet van af te brengen was.

'Ja.' Ze liep over het pad naar de bewuste boom, streek over zijn takken en draaide zich weer naar hem toe. 'Het is belangrijker dan je ooit zult beseffen.' Haar hand verstijfde toen ze een snee zag. 'Je bent al begonnen!' Ze keerde zich met een ruk om.

'Niet echt.' Sam wendde zich van haar af. Hij wees naar de zijkant van het pad. Victoria zag dat er een tak was afgebroken en dat Sam hem er vervolgens netjes af had gesneden. Ongetwijfeld wilde hij de boom beschermen tegen nog meer verwondingen. Ze sloot haar ogen en bad dat het nog niet te laat was.

5

*D*e zon brandde op haar rug terwijl ze zich door de straten een weg zocht naar het huis van haar grootvader. De hemel was azuurblauw en de tuinen langs de kant van de weg stonden vol rozen die hun mooiste tijd nog voor de boeg hadden. Het zag er prachtig uit en de roep van de meeuwen in de verte was een lust voor het oor. Bij elke hoek die ze omsloeg keek ze uit over de haven en ze vroeg zich nogmaals af waarom ze hier nooit eerder was geweest, waarom haar grootouders altijd naar Londen waren gekomen. Ze zou het haar opa vragen zodra ze het huis kon terugvinden. Hoe kon ze in zo'n dorp zo verdwaald raken? In Londen of Bristol snapte ze dat wel, maar niet in Falmouth.

Op een kruispunt bleef ze staan. Ze had geen idee waar ze was. Niets kwam haar bekend voor. Aangezien alles naar de haven omlaag liep, kon ze misschien het beste maar daarnaartoe gaan en van daaruit opnieuw beginnen. De plastic tassen die ze droeg sneden in haar zweterige handen. De weg die ze had genomen liep dood en ze wilde net weer door de straat teruglopen toen ze een steegje in het oog kreeg. Ze keek om zich heen en besloot daarin te gaan.

Door de hoek van de zon was het in diepe schaduwen gehuld en zodra ze in de steeg was, kreeg ze het koud, kouder dan normaal. Tweehonderd meter voor zich uit zag ze de zon schijnen, maar ze bleef als aan de grond genageld staan. *Angst. Paniek.* Ze rende naar het zonlicht toe en liep bijna een vrouw met een kinderwagen omver. 'Neem me niet kwalijk.'

'Geeft niet, hoor.' De vrouw keek of het kind in orde was.

'Ik ben verdwaald.'

'Aan mij heb je niks. Ik logeer in dat hotel daar.' De vrouw wees naar een vermoeid ogend gebouw. In zijn hoogtijdagen had het er vast chic uitgezien, maar nu was het een en al vergane glorie. Demi rilde en zag voor haar geestesoog een tafel vol cakejes.

'Gaat het wel met je?' De vrouw legde een hand op Demi's pols en Demi deinsde terug. De vrouw keek naar de baby. 'Wij zijn prima in orde, maar volgens mij ben jij je kapot geschrokken!'

'Ja, dank u wel, en nogmaals sorry.' Demi wierp nog een laatste blik op het gebouw voordat ze de heuvel af stormde. Ze stopte niet totdat ze Peta van de kringloopwinkel herkende.

'Hallo daar,' zei Peta glimlachend. 'Waarom zo'n haast?'

'Ik ben verdwaald, ben ik bang.' Demi schudde haar hoofd. 'Ik ben zo'n zielig geval.'

'Ja, maar ik kan je helpen. Beschouw me maar als je beschermengel.' Ze stak een hand uit naar een van Demi's tassen. 'Oké, dus hij woont in Marlborough Street, hè?'

Demi knikte.

'Als je de weg weet, ben je er zo.' Ze nam Demi via een klein steegje mee naar een deftige straat met hoge herenhuizen, daarna nog een straatje door en toen wist Demi weer waar ze was.

'Dank je wel. Ik had vast nu nog door het dorp gezworven.'

'Ja, vast.'

'Peta.' Demi zweeg even, maar bedacht toen dat ze het toch beter kon vragen. 'Een stukje terug staat een oud hotel. Weet jij daar iets van?'

'Wat deed je dáár nou? Dat is compleet uit de richting.' Ze keek haar met toegeknepen ogen aan en Demi voelde zich niet erg op haar gemak, vroeg zich af of de angst die ze daar had gevoeld nog te zien was. 'Hmm. Dat hotel zit al jaren in het slop.' Ze schoof haar grote zonnebril op haar voorhoofd. 'Smaken veranderen en mensen willen niet steeds hetzelfde. Als ze tegenwoordig op zoek zijn naar luxe, gaan ze naar van die boetiekhotels zoals in St Mawes.'

'Bedankt.'

'Graag gedaan.' Peta gaf haar de tas met kleren. 'Zorg maar goed voor jezelf. Koop een plattegrond en doe je grootvader de groeten van me.' Toen wachtte ze even en zei: 'Ik geef je mijn telefoonnummer, voor het geval dat.'

'Dank je wel.' Demi zette het nummer in haar telefoon. 'Ik ben niet van plan weer te verdwalen.'

'Dat is niemand.' Peta glimlachte en zwaaide toen ze de heuvel af liep.

Het lichtje van het antwoordapparaat knipperde toen Victoria de keuken in liep. Was het Charles' bericht van daarstraks of had er nog iemand gebeld? Ze drukte op de playknop.

Hoi Tori. Nog een keer met mij. Je bent zeker nog in de tuin. Overdrijf het niet. We hebben morgenavond dat feestje en dan moeten we weer uren staan. Hoe dan ook. Bel je alleen om te zeggen dat ik van je hou. Ik ben hier klaar en ga morgenochtend vroeg op weg om de verkeersdrukte te ontlopen. Ik doe Seb de groeten van je.

Hij deed Seb de groeten van haar.

Ze deed haar ogen dicht. *Kom met me samenleven en wees mijn lief.* Victoria rechtte haar schouders, zette de stem uit haar hoofd... Ze was de liefdadigheidsborrel in Truro vergeten. O, nou ja, dan zou ze weer eens fatsoenlijke muziek horen. Voor de receptie hadden ze een goed kwartet ingehuurd. Ze deed de radio aan en de tonen van Mozart vulden de keuken terwijl ze de gin uit de vriezer haalde en royaal inschonk. Ze voegde er een schijf citroen en een scheut tonic aan toe. Nog een ijsklontje en klaar was Kees. Ze nam er een slokje van, perfect, zo wist ze, en ging toen naar boven om te douchen. Het was een fijne dag geweest in de tuin, ondanks het incident bij de vlierboom. Ze wist dat ze veel te bijgelovig was, maar als je in een huis als Boscawen opgroeide, kreeg je dat mee. Een nacht met Adam zou de wereld weer in evenwicht brengen.

Ze zette haar drankje naast de wastafel en draaide de kranen van de inloopdouche open. Toen ze het huis hadden gekocht, had Charles erop gestaan dat in elk geval de badkamers meteen in orde gemaakt moesten worden. Hij had gelijk gehad. Door ze aan de moderne eisen aan te passen had het huis een upgrade gekregen zonder dat het geweld werd aangedaan. Maar toen de keuken aan de beurt was, had ze de hakken in het zand gezet. Hij had alles strak en modern willen hebben, maar zij wilde per se dat uitgerekend dat gedeelte van het huis trouw bleef aan het verleden. Eigenlijk gold dat voor alle werkruimten in huis.

Ze gooide haar kleren in de wasmand en ging bij het raam staan om over de tuin uit te kijken. Sam was nog altijd in het bloembed onkruid aan het wieden. Als het op de tuin aankwam, hield hij even hardnekkig vol als zij. Hij had er gewoon de juiste instelling voor. Behalve dan dat hij te veel nieuwigheden wilde toepassen.

Hij draaide zich om en keek naar het huis. Victoria bleef naakt voor het raam staan in de hoop dat hij omhoog zou kijken. Dankzij al dat tuinieren was ze nog altijd schitterend in vorm, en ondanks het feit dat ze twee maanden geleden haar zestigste verjaardag had gevierd, zag ze er beter uit dan de meeste vrouwen van veertig. Ze stak haar arm op om naar hem te zwaaien, genoot ervan om haar borst te voelen zoals die zich verhief en straktrok, maar hij had zich alweer omgedraaid.

Ze ging onder de douche staan en liet het water het vuil van de dag en de spierpijn weg ranselen. Terwijl ze haar haar waste, dacht ze verlangend aan Adam en toen ze haar ogen opendeed zag ze dat hij op het punt stond naast haar te komen staan. Algauw struikelden ze de douche uit, ze schopten de wasmand omver en misten haar gin op een haar na. Tegen de tijd dat ze in de slaapkamer waren, was de vloer bezaaid met spullen die op de grond waren gevallen.

'Verdomme!' Hij hinkte, maar viel boven op haar op het bed.

'Wat is er?'

'Ik schopte net tegen een telefoon... maar je moet me niet afleiden.'
Ze rolde over hem heen en ging schrijlings op hem zitten. 'Je niet afleiden? O, Adam, dat was ik nou juist van plan.'

'Hallo schatje. Je bent langer weggebleven dan ik had verwacht.' Hij keek haar indringend aan. 'En je ziet er uitgeput uit. Thee?'
'Heerlijk. Graag.'
'Zo te zien heb je in de zon gelopen.'
Demi keek naar haar borst omlaag, de huid in de v-hals van haar blouse was duidelijk roze gekleurd. Ze had niets van haar moeders teint. Morwenna had op haar ouders geleken, lang en donker, terwijl Demi klein en blond was. Ze veronderstelde dat ze op haar vader leek, maar daar wilde haar moeder nooit iets over zeggen. Sterker nog, ze wilde helemaal nooit over haar vader praten. Toen ze een jaar of zestien was, had Demi het maar opgegeven naar hem te vragen. Misschien, dacht ze, wilde haar opa er wel iets over kwijt.

Ze zette haar tassen in haar slaapkamer en keek verlangend naar het bad toen ze langs de badkamer kwam. Als ze thee had gedronken, zou ze zichzelf in de week leggen, daar was ze hard aan toe. Ze was moe op plekken waarvan ze niet eens wist dat ze die had.

'Daar ben je, liefje. Ik heb cake voor ons gebakken. Knap je van op.'
In de warme zon was de blauweregen tot volle bloei gekomen en ze werd omringd door de zoete geur ervan. 'Dank u wel.' Demi liet zich in de tuinstoel zakken en bedacht dat zij voor hem zou moeten zorgen, niet andersom. Het was nu nog duidelijker dat hij mank liep en bij elke stap kromp hij ineen van de pijn.

'Hoe ging het?' vroeg haar grootvader terwijl hij ging zitten.
'Nou, ik kwam een oud-leerling van u tegen, ene Peta Rowse. Ze doet u de groeten.'
Haar grootvader fronste zijn wenkbrauwen, maar toen trok er een glimlach over zijn gezicht. 'Ah, zij was een van de eindexamenleerlingen die ik een jaar lang heb begeleid. Een en al piercings, als ik me goed herinner.'

'Ja, dat is ze.'

'Slimme leerling, al was ze wat vrijmoedig.' Hij zweeg even en keek naar de verste hoek van de tuin. 'En als ik het wel heb, had ze ook een soort paranormale gave.' Hij verschoof in de stoel en wreef over zijn heup.

'Ja. Ze is vrijwilligster in de kringloopwinkel en heeft me geweldig geholpen. Ik stond met een helemaal nieuwe, nou ja, oude garderobe weer buiten.'

'Fantastisch.' Hij nam een slokje thee. 'Je moet je stoel een beetje verschuiven, je zit nog steeds in de zon. Je moet voorzichtig zijn met die lichte huid van je.'

Demi deed wat haar was gezegd. 'Opa, was mijn vader blond?'

Hij keek op van het stuk cake dat hij in zijn mond wilde stoppen. 'Weet je dat dan niet?'

'Mam wilde niet over hem praten.'

Hij legde zijn vork neer. 'Nou, dat verbaast me niks.'

'Hoezo?'

Hij nam weer een slokje thee. 'Heeft ze je dan helemaal niets verteld?'

'Ze zei dat hij dood was.'

Hij trok zijn borstelige wenkbrauwen op. 'Nou, dat is hij niet.'

'Hè?' Demi zette haar mok neer. Dit was iets waar ze nooit aan had getwijfeld. Waarom zou haar moeder tegen haar liegen? Zij, die eerlijkheid zo hoog in het vaandel had staan.

'Ze mag je dat dan verteld hebben, maar ik heb hem twee weken geleden nog gezien.'

Demi's hand trilde toen ze nog wat thee in de mok van haar grootvader schonk. Haar vader was niet dood. Hij leefde nog.

'Herinner je je dan helemaal niets meer van hem?' Hij keek haar aandachtig aan.

Demi kneep haar ogen tot spleetjes toen de zon meer in de richting van haar opa schoof. 'Kende ik hem dan?'

'Ja, maar misschien wist je niet dat hij je vader was.'

'Dat klinkt wel heel vreemd.'

Haar grootvader stond op en legde zijn handen op zijn onderrug. 'Het wás ook vreemd, en het was zeker niet wat we voor ons enige kind wilden.' Hij draaide zich om en keek haar aan. 'Wenna was altijd eigenzinnig en vastbesloten om haar leven volgens haar eigen regels te leiden.'

Demi lachte inwendig. Wat hadden haar moeder en zij gelachen om haar regels. Het waren goede regels en enkel bedoeld voor Demi's veiligheid, en ze hadden gewerkt. De paar keer dat ze haar eigen weg was gegaan, had ze wel gemerkt dat dat niet veilig was, dus nu hield Demi zich maar wat graag aan die regels.

'Je grootmoeder en ik waren niet erg ingenomen toen we ontdekten wie haar vriend was, maar ze was vijfendertig. Je kunt er niet zo veel van zeggen... Of liever gezegd, je kunt er heel wat van zeggen, maar dat komt allemaal niet aan.' Hij zuchtte. 'Wenna had een relatie met een getrouwde man.'

De telefoon ging en hij keek haar teder aan. 'Die moet ik opnemen. Ik verwacht een telefoontje van de huisarts.'

Demi fronste haar voorhoofd. Waarom zat hij op nieuws van de huisarts te wachten en waarom had haar moeder niet verteld dat haar vader nog leefde? Ze wreef over haar slapen. Ze kon maar één conclusie bedenken. Haar vader wilde waarschijnlijk niets met haar te maken hebben en haar moeder had haar beschermd tegen dat verdriet. Ze deed haar ogen dicht.

6

*T*oen haar grootvader weer de tuin in kwam, zag hij er bleker en jaren ouder uit dan voordat hij wegging om de telefoon aan te nemen. Hij ging zitten, Demi stak over de tafel een hand naar hem uit en zette alle brandende vragen opzij. 'Opa? Wat is er aan de hand?'

'Het was te verwachten.'

'Wat?'

'Mijn heupoperatie is uitgesteld.'

Ze sprong op en liet zich voor hem op haar knieën vallen. 'Nee, die hebt u nodig.'

Hij legde een hand op haar schouder. 'Ik ben oud. Ik word vijfentachtig. Sommige dingen zijn onvermijdelijk en uitstel van een operatie hoort daar kennelijk bij.' Hij hoestte. 'Natuurlijk heeft het niet geholpen dat ik het de eerste keer was vergeten.'

'Hè?'

'Ja, verdrietig maar waar. Er zijn dagen dat ik er met mijn hoofd niet bij ben. Andere dagen gaat het prima.'

'Nee toch.'

'O, nou ja, er valt niets aan te doen en het heeft geen zin erover te tobben.'

Ze dacht aan haar moeder. Daarom was ze natuurlijk zo vaak naar hem toe gegaan.

'Geef je opa maar een knuffel.'

Ze omhelsde hem stevig, liet hem los en keek hem aan. 'En nu?'

'Opnieuw op de wachtlijst. Ik heb niet de hoogste prioriteit.'

'Maar dat is niet eerlijk.' Hij had duidelijk een nieuwe heup nodig.

'Misschien niet, maar zo is het nu eenmaal.'

Ze sloeg haar armen weer om hem heen.

'Nou, honnepon, we moeten wat gaan koken, anders eten we van-avond bonen met droog brood.'

Demi glimlachte. 'Wat moet ik doen?'

'Jij schilt de aardappels en ik zet de kip in de oven.' Hij stond op, maar hield haar hand nog vast. 'Ik ben blij dat je er bent.'

'Ik ben ook blij dat ik er ben.' Ze fronste haar wenkbrauwen. Hij was vast heel eenzaam.

'Eerst eten, daarna gaan we praten.'

Ze wist uit jarenlange ervaring dat er niet gepraat zou worden voordat hij had gedaan wat hij in zijn hoofd had gezet, dus schilde ze de aardappels zo geestdriftig dat ze bijna haar nagels meenam. Intussen kruidde haar grootvader de kip en zette hem in de oven. Zij was langer bezig dan hij en hij begon zwijgend de groenten klaar te maken. Haar schouderspieren stonden strak van de spanning. Haar vader lééfde nog.

Nadat ze de pan aardappels op het fornuis had gezet, ging ze op zoek naar haar grootvader. Die zat in de woonkamer op de bank met een fotoalbum op schoot. Ze deed de plafondlamp aan. De zon was naar het westen geschoven waardoor het schemerig was in de kamer, en het donkere behang maakte het er niet beter op. Maar een lik witte verf op de muren zou genoeg zijn om de boel op te fleuren, en voor die donkere fluwelen kussens kon ook wel iets moderners in de plaats komen.

Hij klopte op de plek naast hem en ze plofte er neer. Haar mond was droog en slikken hielp niet.

'Je moeder wist niet dat we dit hadden.' Hij ademde langzaam uit. 'Je oma, gezegend als ze is, had het gevoel dat je het op een dag zou moeten of willen weten.' Hij schudde zijn hoofd. 'Ze was het niet eens met je moeder en na je laatste bezoek...' Hij kuchte. 'Nou, daarna bezochten we je altijd in Londen en op Wenna's voorwaarden.'

Demi klemde haar tanden op elkaar. 'Ik begrijp het niet.'

'Ik weet niet zeker of ík het wel begrijp.' Hij haalde zijn schouders op en keerde terug naar de eerste bladzijde van het album. Daarop zat een foto van een pasgeboren Demi, mollig, met een rood smoeltje en een dikke bos zwart haar. Hij sloeg de bladzijde om en daar moest ze één jaar zijn geweest, ze droeg een doopjurk en haar haar was al een stuk lichter. Haar moeder hield haar vast en er stonden een paar mensen om haar heen. Demi herkende alleen haar moeder en haar grootouders. De andere mensen waren vreemden voor haar.

'Wie staan er op die foto?'

'Je vader en je peetouders.'

Ze keek opnieuw aandachtig naar de gezichten. Toen verstarde ze. Hoe had ze dat de eerste keer dat ze de foto zag kunnen missen? Daar stond haar vader. En ze leek zo op hem. Hij lette alleen maar op haar en was zo te zien heel gelukkig. Ze wees hem op de foto aan en haar grootvader knikte.

'Dus u kende hem?' Afgezien van het feit dat zijn gezicht heel erg op het hare leek, was er iets mee wat Demi niet kon thuisbrengen.

'Zover zou ik niet willen gaan. Ik heb hem een paar keer ontmoet. Soms mocht je van Wenna bij ons logeren en dan haalde hij je hier op.'

Ze probeerde iets op te maken uit de gezichtsuitdrukking van haar opa. 'Waarom zijn ze niet getrouwd?'

Hij leunde naar achteren. 'Je oma wist meer van hun relatie dan ik.' Hij stak een hand uit en raakte even de foto van haar oma op het zijtafeltje aan.

'Waarom is hij niet bij zijn vrouw weggegaan, als hij van mam en mij hield?'

'Oma dacht dat dat was omdat hij katholiek was.'

'Dat verklaart waarom ze niet zijn getrouwd.'

'Wenna was…' – hij wachtte even – 'heel onafhankelijk. Ze moest haar eigen weg zien te vinden. Dat moeten we allemaal.' Hij glimlachte. 'Kinderen moeten hun eigen weg volgen. Ze moeten van hun fouten leren, ook al zie jij die al van verre aankomen.' Hij schudde zijn hoofd. 'Ik zat in het onderwijs, dus dat wist ik maar al te goed – maar het is moeilijk om het bij je eigen kind te moeten aanzien.'

Ze leunde dichter naar haar grootvader toe en sloeg de volgende bladzijde voor hem om. Daar moest ze een jaar of drie zijn geweest en ze zat op het strand voor een zandkasteel, dat ze duidelijk niet zelf had gebouwd. Op de andere foto op de bladzijde zag ze dat haar vader haar aan de hand mee de zee in nam. En daar was ze dan, lachend in haar vaders armen; ze droegen allebei een hoedje en hadden een roze neus. Hij leek zo op haar. Of liever gezegd, zij leek zo op hem. Ze streek met een vinger langs zijn gezicht op de foto. De volgende bladzijde was vol foto's die ze eerder had gezien. Haar vader was opvallend afwezig.

'Wat is er tussen mama en mijn vader gebeurd?'

Hij zuchtte. 'Ze hebben nog heel lang een relatie gehad.'

'Wat is er dan gebeurd?'

'Dat weet ik niet precies.' Hij poetste zijn bril met zijn zakdoek. 'Oma wist er meer van.'

'Ik begrijp het niet.'

'Ik ook niet, geloof ik. Ik weet wel dat er een einde aan kwam toen jij...' Hij zweeg even en tuurde uit het raam. 'Toen je zes was, denk ik.' Hij keek haar aan. 'In de periode dat je een blindedarmontsteking kreeg.'

Daar wist ze alles van, want haar moeder had haar daarover verteld, maar ze kon zich er niets van herinneren. 'Dat had er toch zeker niets mee te maken?'

'Sorry, liefje, het is nogal een janboel in mijn hoofd. Hoewel ik nog wel weet dat je in het ziekenhuis lag en heel erg ziek was. We waren je bijna kwijt.'

De kookwekker in de keuken ging af en ze had wel kunnen gillen van frustratie. Haar grootvader schoof het album op haar schoot en hobbelde naar de keuken. Langzaam sloeg ze de bladzijden om, terwijl haar verleden op een heel andere manier aan haar voorbijtrok. Ze herinnerde zich niets van die allereerste foto's. Maar, dacht ze toen ze op een bladzijde was aanbeland waar ze vijf moest zijn geweest, ze kon zich haar vader dan wel niet herinneren, maar toch zeker wel de vakanties op het strand? Ze deed haar ogen dicht en zocht in haar herinneringen en terugkerende dromen, maar daar trof ze geen blonde mannen en ook geen strandvakanties aan. Hoe kon ze daar nou niets meer van weten terwijl het bewijs voor haar neus lag?

Ze bladerde nog verder en haar geheugen liet haar in de steek. Het was alsof ze was gehypnotiseerd om haar vroege jeugd te vergeten, want ze kon zich wel dingen van haar leven in Londen herinneren, uitstapjes naar de dierentuin en musea, hoewel ze daar nooit foto's van had gezien. Het was dat ze deze foto's nu voor zich zag, anders had ze nooit geloofd dat ze ooit in Cornwall had gelogeerd.

Ze keek wat langer naar een foto waarop ze een vlecht in haar haar had en een mooie jurk aan. Haar vader hield haar hand vast en ze stonden beiden te lachen. Uit haar lichaamstaal sprak duidelijk dat ze hem goed kende en zich bij hem op haar gemak voelde. Hoe had ze hem genoemd? Wist ze dat hij haar vader was? Zo ja, hoe had ze dat dan kunnen vergeten? Ze keek naar de datum onder aan de bladzijde: april 1995. Ze was daar zes, bijna zeven. Dat zou ze zich toch moeten herinneren? Maar dat dat was niet zo.

De rest van het fotoalbum bestond uit nog meer foto's van haar en haar moeder, maar geen van haar vader en ook niet van Cornwall. Ze sloeg het album dicht en liep naar de keuken. Haar grootvader moest toch in elk geval op een paar vragen het antwoord weten.

Hij leunde tegen het aanrecht terwijl hij de aardappels stampte. Dat had ze in geen jaren meer gegeten. Ze keek omlaag naar haar middel, waar ze wél trots op was. Ze vermoedde dat één keertje aardappelpuree niet veel kwaad kon.

'Ga maar vast tafeldekken. Ik ben hier zo mee klaar.' Hij grimaste en reikte naar zijn looprek.

'Laat mij dat maar doen. U moet gaan zitten.'

'Je was altijd al zo bazig, Wenna.' Hij schuifelde door de kamer om de tafel te dekken en Demi staarde naar hem, zich afvragend of hij in de gaten had dat hij haar Wenna had genoemd. Ze dacht terug aan de dagen rondom de begrafenis. Toen was het haar niet opgevallen dat hij zo'n vergissing had gemaakt, maar dat was ook niet verwonderlijk. Ze wisten zich allebei geen raad van verdriet.

Enkele ogenblikken later zaten ze aan tafel. Ze glimlachte om het blije gezicht van haar grootvader.

'Zo fijn dat je hier weer bent.'

'Dank u wel.' Maar dat het fijn was kon zij niet zeggen. Het was raar. Ze was hier geweest, maar herinnerde zich er niets meer van. Ze wist niet hoe dat kwam, maar het had vast iets met haar vader te maken.

Ogen. Reuzin, de Kowres. Ze huiverde toen beelden van haar oude, steeds terugkerende nachtmerrie door haar hoofd flitsten.

'Waar is mijn vader nu? U zei dat u hem twee weken geleden nog hebt gezien.' Waarom had hij haar al die jaren niet opgezocht? Want op de foto's was wel duidelijk dat hij van haar hield.

Van onder zijn borstelige wenkbrauwen keek hij haar behoedzaam aan.

En plotseling wist ze het. Haar maag draaide zich om. Het was twee weken geleden dat ze haar moeder hadden begraven.

'Hij was op de begrafenis.' Hij leunde over de tafel en raakte haar hand aan. 'Ik vind het heel erg. Ik had er iets over moeten zeggen.' Hij schudde zijn hoofd. 'Ik wist gewoon niet hoe en ik vroeg me nader- hand af of je hem had herkend, maar nu weet ik dat dat niet zo was.'

Ze glimlachte geforceerd. 'Geeft niet, hoor. Het zegt me wel iets, maar ik weet niet precies wat.'

'Wenna, ik heb gehoord dat hij nu eigenaar is van een groot huis aan de Helford-rivier.'

Ze fronste haar voorhoofd toen hij haar weer Wenna noemde. 'Hoe heet hij?' Haar vader was vlak in de buurt. Zou ze het wagen hem op te zoeken? Haar maag draaide zich om bij de gedachte alleen al.

'Charles Lake.'

7

*V*ictoria werd wakker van een rinkelend geluid. Ze rolde zich om, maar het hield niet op. Het was de telefoon. Wie belde haar verdomme midden in de nacht? Ze ging rechtop zitten. Er was iets mis. Dat kon niet anders. Zelfs de vogels waren nog niet op. Ze glipte het bed uit en liep naar de telefoon aan de andere kant. Adam was nog diep in slaap.

'Hallo.'

'Spreek ik met Victoria Lake?'

'Ja, en u bent?'

'Politie. Brigadier Simon Glass. Wilt u alstublieft opendoen?'

Victoria's maag kromp ineen. Als de politie voor de deur stond, en dan ook nog op zo'n godvergeten uur, beloofde dat niet veel goeds, helemaal niet. 'Ik kom eraan.' Ze pakte haar kamerjas, knoopte de ceintuur vast en haastte zich naar beneden.

Maanlicht scheen door de ramen aan weerskanten van de deur op de leistenen vloer. Ze draaide de grote sleutel om, schoof de beide grendels weg en trok de deur open. Ze zag de twee politiemannen in uniform meteen. Hier was iets verschrikkelijk mis.

'Mevrouw Victoria Lake? Ik ben brigadier Glass en dit is agent Billings.'

'Ja, kom binnen.' Ze bracht hen naar de woonkamer en deed onderweg de lichten aan. Ze keek op haar horloge. Het was half vier, het dodenuur. Het tijdstip waarop Londense dieven in auto's en huizen inbraken. Ze huiverde. 'Gaat u alstublieft zitten.' Ze zonk neer in haar favoriete oorfauteuil en sloeg haar enkels over elkaar, zich ervan bewust dat ze onder haar kamerjas helemaal niets aanhad. Haar moeder zou trots zijn geweest op haar houding. Het was een van de dingen waar in de laatste fase van haar opvoeding erg op gehamerd was, terwijl Victoria alleen maar aan de universiteit biologie wilde studeren. Ze kon haar vader nog horen zeggen dat een universitaire opleiding verspild was aan vrouwen. Je had geen diploma nodig om kinderen op te voeden.

'Wat kan ik voor u doen, brigadier Glass?'

'Het spijt me meer dan wat ook u te moeten meedelen dat uw echtgenoot, Charles Lake, dood is.'

De lucht werd uit Victoria's longen geperst. Ze wist natuurlijk dat het zoiets moest zijn, anders was de politie hier nu niet.

'Hoe is het gebeurd?' vroeg ze met vaste stem.

'Een ongeluk op de M5.'

'Maar hij zou morgen pas thuiskomen.'

'Dat kan wel zijn, maar ik ben bang dat hij is omgekomen bij een kettingbotsing op de M5 tussen Bridgwater en Taunton.'

Ze sloot haar ogen. Charles was er niet meer. Haar borst verkrampte.

'Victoria, waarom zijn alle lichten aan?' Adam liep naakt de woonkamer binnen. 'Als je niet kunt slapen, weet ik daar wel wat op.'

Ze ging staan. 'Adam, dit zijn brigadier Glass en agent Billings.' Victoria zag hoe de agent Adams kwaliteiten in zich opnam. Dat was allemaal dan ook niet niks.

'Ik ga even wat aantrekken.' Hij glimlachte en bedekte zich met zijn handen.

'Lijkt me een goed plan.'

De agent trok een wenkbrauw op toen Adam wegkuierde en keek beurtelings naar Victoria en Adams vertrekkende achterwerk.

'En Adam is...?' vroeg de brigadier.

Ze zag zo dat hij het maar niks vond dat Adam zesentwintig was en zij zestig. 'Mijn lover.' Victoria schonk zichzelf een cognac in en sloeg die in één keer achterover. Terwijl de vloeistof in haar ingewanden brandde, kon ze Charles horen zeggen dat het doodzonde was van een uitstekende cognac. Ze schonk zich er nog een in.

'We willen graag dat u later vandaag naar Taunton komt om uw man te identificeren. Hij is naar Musgrove Park Hospital gebracht.' De brigadier hield zijn stem zorgvuldig neutraal.

Ze knikte, draaide zich niet om, maar hield het geslepen kristallen glas in het kommetje van haar beide handen vast, drukte elke keer dat Charles voor haar geestesoog verscheen de randen in haar vingers. 'Ja.'

'Misschien kan uw, eh, *Adam*,' de brigadier legde extra nadruk op de naam, 'met u meegaan zodat u niet hoeft te rijden, voor het geval u van streek raakt door wat u daar te zien krijgt.'

'Dank u wel, brigadier Glass.'

'Mocht u nog vragen hebben: hier is mijn kaartje.' Glass ging naast Victoria staan en stak het haar toe.

Victoria nam het kaartje aan.

'Dan gaan we maar weer.'

'Waren er meer slachtoffers?' Victoria draaide zich om. 'Heeft hij het ongeluk veroorzaakt?'

'Er is nog iemand dodelijk verongelukt en de oorzaak wordt nog onderzocht. Binnenkort wordt er een gerechtelijk onderzoek ingesteld.'

'Dank u.'

Victoria hoorde hem in de gang met Adam praten. Het enige waar ze nu aan kon denken was dat ze hoopte dat Charles het ongeluk niet had veroorzaakt. Hij zou het zichzelf nooit hebben kunnen vergeven als hij iemand anders de dood in had gejaagd. Hij was een goed mens en gek genoeg zou ze hem gaan missen. Gedurende de nacht was de wind opgestoken en ze luisterde naar de protesterende bladeren. Haar adem stokte. De vlierboom had opnieuw iemand van Boscawen weggenomen.

Victoria kon haar mobieltje niet vinden en wilde net met de vaste lijn bellen toen die telefoon overging. Ze fronste haar wenkbrauwen. Het was half acht in de ochtend. Ze kon er niet nog meer slecht nieuws bij hebben.

'Hallo.' Victoria keek door de keukendeur naar buiten. Sam liep naar een van de schuren. Binnenkort was het betaaldag. Werd dat geld betaald van de gezamenlijke rekening of van die van Charles? Ze veronderstelde dat zijn rekening nu geblokkeerd was.

'Tori. Met Seb. Is Charles bij je? Hij zou me bellen als hij in Cornwall was aangekomen.'

'O god, Sebastian, waarom is hij verdomme niet in Londen gebleven?' Victoria leunde tegen de tafel.

'Ik weet dat je dol bent op je afspraakjes, maar hoe kun je een man tegenhouden als hij naar huis wil?'

'Verdomme, Sebastian, daar gaat het niet om.' Victoria haalde diep adem. 'Mijn god, je weet het nog niet.' Sebastian was Charles' beste vriend.

'Wat weet ik niet? Ik weet alleen dat Charles op het laatste moment, vlak voordat hij een vergadering in ging, onze afspraak heeft afgezegd en zei dat hij naar Cornwall terugging.'

Ze deed haar ogen dicht. Waarschijnlijk was het maar het beste dat hij het van haar hoorde en niet van iemand anders, maar hoe moest ze het brengen? Er was geen goede manier. 'Hij is dood, Seb.' Victoria schudde haar hoofd toen ze hoorde dat zijn adem stokte. 'Er was een kettingbotsing op de M5 en hij heeft het niet overleefd.'

'Godallemachtig. Dat hij in vrede moge rusten.'

'Ja.' Victoria zuchtte. Wat moest ze zeggen? De situatie zou er toch niet beter op worden. 'Sebastian...'

'Hij was de beste van ons tweeën. Ik kan niet geloven dat hij er niet meer is.'

'Nee.' En zo was het ook. Het voelde onwerkelijk, zelfs surrealistisch.

'Hoe gaat het met jou?'

'Daar vraag je me wat. Ik weet het niet.' Ze haalde diep adem. 'Ik bel je later vandaag, nadat ik naar Taunton ben geweest om hem officieel te identificeren. Er moet zo veel gebeuren.' Ze keek naar de lijst in haar andere hand. Ze moest haar mobieltje vinden. Daar stonden al haar telefoonnummers in.

'Dat moet je niet alleen doen, Tori. Ik kom in Taunton wel naar je toe.'

'Ik kan het best alleen af.'

'Wees niet zo koppig. Je hebt hulp nodig. Ik zeg al mijn afspraken af en zie je daar, hoe laat?'

Victoria slaakte een zucht. Hier was geen kruid tegen gewassen. 'Zullen we om een uur of vier afspreken? Dan hebben we allebei nog tijd om van tevoren het een en ander te regelen.'

'Ik neem de trein, zodat ik je met jouw auto naar Boscawen kan terugrijden. Haal me van het station, ik sms je wel hoe laat ik aankom.'

'Oké.' Victoria moest dat verdomde mobieltje zien terug te vinden.

'Bel iemand. Je moet daar niet in je eentje zitten.'

Victoria keek naar de plek waar Sam aan het werk was geweest. Hij was er niet meer. Adam lag boven als een roos te slapen. 'Doe ik. Ik zie je straks.'

Ze belde haar mobiele telefoon en luisterde of ze hem hoorde overgaan. Op de benedenverdieping was hij niet. Ze hing op en liep naar boven. Wat zij nodig had was een douche en een helder hoofd. De douche was geen probleem, maar een helder hoofd was een ander verhaal. Nadat de politie was vertrokken, was ze weer in bed gekropen, maar ze had niet kunnen slapen. Er tolden zo veel gedachten door haar hoofd. Verdriet en opgetogenheid streden om voorrang. Ze bleef op de overloop staan en keek naar de hal omlaag. Eindelijk was dit alles van haar en hoefde ze het met niemand meer te delen. Waarom had ze er dan geen beter gevoel over?

Victoria maakte de ceintuur van de blauwe zijden jurk vast. Haar schoenen en handtas stonden op het voetenbankje naast het bed.

Ze bekeek zichzelf in de spiegel en pakte twee zakdoekjes uit de la. Ze had geen idee hoe ze zou reageren. Hoe hoorde je je in zo'n situatie te gedragen? Ook al was je op sociaal vlak nog zo goed opgevoed, niets kon je erop voorbereiden dat je in een mortuarium het lichaam van je man moest identificeren.

Haar gezicht was heel bleek. Een beetje lippenstift zou misschien helpen. Haar parels lagen op de toilettafel. Nee, die kon ze vandaag niet dragen. Zonder Charles kreeg ze die niet om. Er kwam een brok in haar keel. Ze zou dolblij moeten zijn dat ze vrij was, maar zo voelde ze zich op dit moment niet.

Met een laatste blik door de kamer liet ze de lippenstift in haar tas vallen. Die ochtend had ze de puinhoop opgeruimd die zij en Adam de avond tevoren hadden gemaakt. Het leek wel alsof er een kudde koeien door de kamer was gerend. Ze zette haar schoenen op de vloer en trok ze aan. Toen ze met haar handen haar jurk gladstreek, zag ze dat haar telefoon onder de hoek van het bed uit piepte. Hoe was hij daar in godsnaam terechtgekomen? En waarom had Adam hem niet gehoord toen ze vanochtend dat nummer belde?

Ze raapte hem op en controleerde de display. De batterij was leeg, dus die zou ze in de auto op weg naar Taunton opladen. Ze had Sebastian al gebeld en hem laten weten dat ze haar mobieltje kwijt was, dus hoefde ze hem onderweg niet te bellen. Hij zou om 14.55 uur in Taunton aankomen.

Ze wierp nog een laatste blik in de spiegel en vertrok. Het was een schitterende dag en het schoot door haar heen dat het doodzonde was dat ze op een volmaakte lentedag niet met Sam in de tuin kon werken maar telefoontjes moest plegen. Echt, die telefoontjes waren eerder vervelend dan hartverscheurend geweest. Er waren maar een paar dingen erger dan twintig keer hetzelfde gesprek te moeten voeren, en het allerergerlijkste was nog wel dat ze de bezorgdheid van al die mensen moest pareren. Ze kon zelf niet wijs uit haar gevoelens en het irriteerde haar dat iedereen op voorhand van alles veronderstelde.

Ze controleerde twee keer of de voordeur op slot zat en pakte haar zonnebril voordat ze de garage in liep. Toen ze in de auto zat, schrok ze van een tik tegen het raam, en in plaats van haar telefoon aan de oplader te leggen vloog hij ongeveer door de lucht. Ze liet het raampje zakken. 'Sam. Wat is er?' Ze had hem eerder die dag het nieuws over Charles al verteld.

'Niets. Ik wilde alleen vragen of ik u misschien moet brengen? U hebt niet veel geslapen, denk ik zo, u zult wel doodmoe zijn.'

Victoria glimlachte, stak een hand uit het raam en legde die op zijn arm. 'Het gaat wel, hoor, naar omstandigheden zo goed als maar mogelijk is. Tijdens de rit heb ik tijd om ongestoord na te denken.'

'Zeker weten?' zei hij met gefronste wenkbrauwen.

'Ja, en ik heb daar met Sebastian afgesproken, dus ik hoef niet in mijn eentje terug te rijden.'

'Oké.' Hij stapte achteruit. 'Ik vind het zo erg.'

'Dat weet ik, en dank je wel. Ik zie je morgen.' Victoria reed haar fourwheeldrive achteruit de garage uit, in de hoop dat de dag niet nog bizarder zou worden.

Het was druk geweest op de weg en Victoria had geen kans gezien om onderweg naar het noorden een stop te maken. Sebastian stond op de stoep. Hij zag eruit als zijn normale sublieme zelf, met een weekendtas in de ene en een aktetas in de andere hand. Hij was ouder geworden en zijn haar begon al aardig wat zilvergrijs te vertonen, maar hij had zijn haar tenminste nog.

'Hallo.' Sebastian zette zijn tassen op de achterbank en stapte voorin in. Voor ze wegreed, boog hij zich naar haar toe en kuste haar op de wang, terwijl hij zijn hand op de hare op de versnellingspook legde. Hij gaf er even een kneepje in en liet haar daarna door het verkeer naar het ziekenhuis manoeuvreren. Victoria waardeerde het dat hij zo attent was, maar terwijl de satellietnavigatie haar instructies kweelde vond ze het spijtig dat ze zijn geruststellende aanraking moest missen. Ze voelde dat hij haar aandachtig opnam en dat verbaasde haar niet. Ze kenden elkaar inmiddels veertig jaar en er had zich tussen hen heel wat afgespeeld.

Nadat ze de auto op een parkeerplaats bij het ziekenhuis had gezet, draaide ze zich naar hem toe. 'Fijn dat je bent gekomen.' Ze wachtte even. 'Dit wordt misschien toch moeilijker dan ik dacht.'

'Dat weet ik wel zeker.' Hij stapte uit de auto, liep eromheen naar haar kant en opende het portier voor haar.

'Als altijd de gentleman.' Ze glimlachte toen hij zijn hand uitstak om haar te helpen.

'Sommige dingen zijn de moeite waard om in stand te houden. Zullen we?' Hij ging haar voor. Victoria kreeg een knoop in haar maag toen ze vroeg waar het mortuarium was. Sebastian legde een hand op haar arm toen ze door de gang liepen. Hij hield de deur voor Victoria open, die naar binnen liep en een blik wierp op de mensen die daar zaten. Waren zij daar ook vanwege het ongeluk? Iedereen keek somber, maar dat was logisch. De dood was zelden een vrolijke aangelegenheid. Maar dat zou het voor haar wel moeten zijn. Ze was bevrijd van een huwelijk dat ze niet had gewild, dat anders was gelopen dan ze had gewenst...

De vrouw achter de balie keek op. 'Kan ik u helpen?'

'Ja, ik ben Victoria Lake en ik ben hier om...' Ze kon even niets uitbrengen.

'We verwachtten u al. Gaat u alstublieft zitten, dan komt er zo iemand bij u.'

Victoria knikte en keek om zich heen of er twee plaatsen naast elkaar vrij waren. Voor haar gevoel had ze deze situatie niet in de hand. Haar opvoeding had haar op zo ongeveer elke omstandigheid in het leven voorbereid, maar nu opende zich een gapend gat, dat van de rouwende echtgenote. Ze wist dat daar ooit, in een grijs verleden, vaste regels voor waren geweest, maar nu waren die zo helder als oud glas in een broeikas.

'Tori. Ademhalen.'

Ze draaide zich naar Seb. Hij nam haar bij de hand en bracht haar naar een stoel. Hoe lang had ze midden in de ruimte gestaan? Hij wees haar waar ze moest gaan zitten en liep naar de waterkoeler. Het viel haar op hoe zelfverzekerd hij zich bewoog. Vandaag twijfelde hij niet aan zijn rol. Hij was de beste vriend, de rots in de branding die altijd opdook wanneer het moeilijk werd, de man op wie je kon bouwen. Hij glimlachte naar haar toen hij met twee dunne plastic bekertjes in zijn handen terugkwam. Wanneer was hij zo lekker in zijn vel gaan zitten? Dat was niet altijd zo geweest. De eerste keer dat ze hem ontmoette had hij onder de puistjes gezeten en had zijn stem tussen tenor en bas in gezweefd.

'Drink op.' Hij gaf haar een bekertje.

'Dank je.'

'Ik kan dit ook voor je doen.' Zijn grijze ogen stonden ernstig. In zijn slapen zaten nu rimpeltjes gegrift en de lijnen op zijn voorhoofd gingen niet meer weg.

'Dank je wel, maar dit moet ik doen; dat ben ik aan hem verplicht.'

'Dat klopt wel, maar het hoeft niet per se. Ik ben een van zijn vele advocaten, dus wettelijk mag ik dit voor je doen.'

'Ik weet het.' Ze nam een slok van het koude water.

'Mevrouw Victoria Lake?' Een man met een klembord in zijn hand stond bij de receptiebalie.

Ze stond op en als een schaduw stond hij aan haar zijde. Haar hele lijf stond gespannen. Ze had het gevoel dat het bij de minste aanraking ter plekke op de antiseptisch ruikende vloer in miljoenen stukken uiteen zou spatten. De man opende een deur. 'Komt u maar mee.'

Victoria rilde. De dunne zijde van haar wikkeljurk was bedoeld voor een lentedag en niet voor de ijskoude temperatuur die nodig was om te voorkomen dat een lijk ging ontbinden. Op een metalen tafel voor haar lag onder een laken een grote bult. Ze herkende haar man zonder dat het laken werd weggehaald. Ze had die vorm sinds haar twintigste in haar bed gehad. Die was niet veel veranderd.

De man legde zijn klembord neer en liep naar de tafel. Met lood in haar schoenen liep ze ernaartoe.

'Voordat ik het laken weghaal, moet ik u melden dat er ondanks de veiligheidsgordel en de airbag verwondingen aan het gezicht zijn.'

Ze fronste haar wenkbrauwen, greep naar Sebs hand toen het laken werd opgetild. Er zat aangekoekt bloed in Charles' dunnende haar. Hij had een snee in zijn neus, die gebroken was, zijn volle mond was bleek en de lippen waren geschaafd. Zijn huid zag er vreemd gezwollen uit en de rimpels die normaal over zijn voorhoofd liepen waren weg.

'Is dit uw echtgenoot, Charles Lake?'

Victoria beet op haar onderlip. Was dit Charles? Niet zoals zij hem had gekend. Seb kneep in haar hand. 'Ja, dit is Charles Lake, mijn echtgenoot.'

De man trok het laken weer over Charles' hoofd. 'Dank u. Kunt u bij de balie de papieren ondertekenen, zodat het lichaam binnenkort kan worden vrijgegeven?'

Dat was alles. Victoria hield Sebastians hand nog steeds stevig vast toen ze de gang door liepen. Zo'n einde had Charles niet verdiend. Hij had het verdiend om vredig in zijn eigen bed heen te gaan. Hij had zo veel gedaan om andere mensen te helpen. Het leven was absoluut niet eerlijk voor hem geweest.

8

Seb liep al bellend met zijn mobieltje op het terras heen en weer terwijl Victoria voor hen beiden een whisky inschonk. Ze waren zwijgend door het drukke vakantieverkeer teruggereden. Zij was in slaap gesukkeld en pas wakker geworden toen ze bij de hekken van Boscawen aankwamen. Bij het zien van het huis was het eerste wat ze voor zich zag het beeld van Charles' gehavende gezicht. Ze huiverde. Ze herinnerde zich dat ze had beloofd om Adam te sms'en als ze weer thuis was en pakte haar telefoon. Ook hij was ongerust geweest dat ze zelf zou terugrijden. Toen ze langs het poorthuis reden, had ze Sam daar zien staan met nog een paar mensen. Klaarblijkelijk gingen ze deze avond samen iets doen. Hij voelde zich al helemaal thuis in het dorp. Toen hij er nog maar net was, had ze zich zorgen gemaakt om hem, maar dat had niet gehoeven.

Ben thuis. Vx

Ze drukte op verzenden en keek haar berichten door. Er waren er heel wat en ze gingen allemaal over hetzelfde. Hoe erg ze het vonden en dat Charles veel te vroeg was gestorven. Het was een tragedie. Wat vanuit hun gezichtspunt ook zo was, maar vanuit dat van haar niet echt. Ze zou hem op haar eigen manier missen, maar nu was ze in alle opzichten vrij om met haar leven te doen wat ze wilde. Ze glimlachte toen ze door de opties van haar telefoon scrolde. Ze verwachtte iets van

Peter's Garden Nursery, over een plant waar ze naar op zoek was, en vroeg zich af of de vrouw haar 's ochtends misschien had gebeld voordat ze haar telefoon had gevonden en een bericht op haar voicemail had achtergelaten.

Ze zag verschillende gemiste oproepen, maar toen stokte de adem in haar keel. Het laatste telefoontje dat ze had gepleegd had een uur geduurd. Het was met Charles' nummer en het was van gisteravond half zeven. Maar ze had hem niet gebeld, dat kon gewoon niet. Toen had ze met Adam in bed gelegen.

Ze zonk neer op een stoel. Op de een of andere manier moest de telefoon tijdens hun vrijpartij zijn gevallen en was het laatste telefoontje herhaald, en dat was naar Charles geweest. Lieve god, hij had hen gehoord, had zijn plannen veranderd en was naar huis gereden. Ze sloot haar ogen, probeerde zich voor te stellen wat hij gevoeld moest hebben.

'Gaat het wel, Tori? Je ziet lijkbleek.' Seb stopte zijn telefoon in zijn zak en pakte het drankje dat ze voor hem had ingeschonken.

Ze focuste zich op Sebastian. Charles had er vast niet naar geluisterd. Hij zou opgehangen hebben... Maar dan zou het telefoontje niet zo lang geduurd hebben. Wat hadden zij en Adam gezegd? Wat moest dat gruwelijk voor Charles zijn geweest. 'Hoe laat belde Charles om jullie afspraak af te zeggen?'

'Een uur of acht, denk ik.' Hij ging op een stoel tegenover haar zitten. 'Ik ben net gebeld door een van mijn partners. Charles is tot na tienen bij hem geweest, dus daarna moet hij uit Londen zijn weggegaan. Na de heenreis van die ochtend moet hij compleet uitgeput zijn geweest. Het is pure zelfmoord om achter het stuur te kruipen als je zo moe bent.' Sebastian draaide het enkele ijsblokje in zijn glas rond. 'Wat heeft hem in godsnaam bezield?'

Victoria's hart ging als een razende tekeer. Ze wist precies wat hem had bezield, zij en Adam. Als Charles haar er al van verdacht dat ze hem bedroog, hoefde hij er na dat telefoontje niet meer aan te twijfelen.

'Tori, gaat het wel goed met je? Ik weet dat je een hoop op je bordje hebt.'

'O, Sebastian, je hebt geen idee, maar dan ook geen enkel idee.'

Haar opa zat in zijn stoel te slapen, de televisie stond aan en de krant lag op zijn schoot. Demi liep naar de zolder, waar haar telefoon nog een beetje bereik had. Ze keek naar de streep die aangaf dat haar mails binnenkwamen. Stilletjes deed ze een schietgebedje dat er een goed bericht tussen zou zitten, zoals een nieuwe baan of misschien een winnend lot uit de loterij. Voor dat laatste had ze dan natuurlijk wel aan de loterij moeten meedoen.

Bij het opruimen van haar moeders papieren had ze haar eigen geboortebewijs niet gevonden, en ook haar moeders huwelijksakte niet, en nu wist ze de reden voor het laatste: die was er nooit geweest. Maar haar geboortebewijs moest toch ergens zijn, al was het maar bij de burgerlijke stand.

Ze typte Charles Lake in de zoekbalk in. Hij stond op Wikipedia. Al scrollend zag ze een indrukwekkende lijst van de reeks opleidingen die hij had gevolgd, totdat hij in Durham was afgestudeerd. Zo te zien zat hij tot over zijn oren in de liefdadigheid. Ze fronste haar voorhoofd. Wat was er tussen haar ouders voorgevallen? Het begon te regenen, ze hoorde de druppels op het dak. Ze keek om zich heen en zag enkele mooie meubelstukken, waaronder twee oude windsorstoelen en een houten kist. Ze pasten niet bij de rest van de meubels in het huis, alleen bij het dressoir in de keuken, en wezen allemaal op een oudere periode in een grotere woning.

Er klonk een *pling*-geluid en terwijl de e-mails binnenkwamen, las zij een berichtje.

Hoi Demi. Sorry dat ik je telefoontje heb gemist. Als je nog steeds een sleutel nodig hebt, laat me dat dan weten. Soph X

Nou, misschien had ze die sleutel inderdaad nodig als ze had besloten wat ze ging doen, maar nu was het een lang vrij weekend, dus daar kon ze net zo goed met haar grootvader van genieten. Ze maakte zich zorgen over zijn versprekingen. Doordat ze hem het afgelopen jaar niet vaak had gezien – je wordt bedankt, Matt – wist ze niet of dit van de laatste tijd was. Haar moeder zou het geweten hebben. Ze wreef over haar slapen, probeerde zich te herinneren of Morwenna er iets over had gezegd. Het was raar dat haar grootvader haar soms Wenna noemde. Dat had hij nooit eerder gedaan, en ze leek niet eens op haar moeder.

Ze ging naar haar e-mails. Haar hart sloeg een slag over toen ze Matts naam zag en meteen daaronder een bericht van de mevrouw van Personeelszaken. Haar vinger bleef boven die twee hangen. Ze wist dat er in beide iets stond wat ze niet wilde weten. Ze opende de mail waar ze nog een sprankje hoop bij had en las die eerst.

Beste Demi,

Dank je voor je mail. We zullen je naam zeer zeker in ons bestand bewaren.

Hoewel het haar een beetje stak toen ze die woorden las, had Demi toch geen hoop gehad, dus het antwoord verbaasde haar niet. Morgen zou ze in alle ernst op zoek gaan naar een baan.

Haar vinger bleef boven Matts e-mail steken. Die wilde ze niet lezen, maar ze moest wel.

Demi,
Ik weet niet waarom je zo pisnijdig bent. Je weet wat ik lekker vind en je bent gewoon een preutse trut, sterker nog, je bent bijna frigide. Je moet eens volwassen worden. Ik dacht dat je dat na de dood van je moeder wel zou zijn, maar dat is duidelijk niet zo.
Ik heb je spullen ingepakt. Ik wilde het hele zooitje naar de kring-

loopwinkel brengen, maar je kreeg me op tijd te pakken. Ik houd de boel nog een week hier, maar langer niet. Laat me een dag van tevoren weten wanneer je de rommel komt ophalen.

Matt

Demi kromp ineen; ze kon zijn woede voelen. Ze was totaal niet verbaasd door de mail, maar ze had nog een sprankje hoop gehad dat hij zich zou verontschuldigen voor het verraad, het feit dat hij haar vertrouwen en nog zo veel meer had geschaad. Maar dat vertikte hij dus.

Demi wendde zich van de ramen af en ging in kleermakerszit op de houten vloer zitten. Stof dwarrelde om haar heen op en ze moest niezen. Wat moest ze verdomme doen? Ze bekeek haar andere e-mails, op zoek naar iets van de verzekeringsmaatschappij of de notaris. Zonder geld kon ze geen kant op. Op de een of andere manier moest ze de komende week in Londen zien te komen. Helaas zat er niets anders op dan nogmaals geld van haar grootvader te lenen. Ze vond het verschrikkelijk, maar ze moest hoe dan ook haar spullen ophalen. Ze had haar portfolio nodig. Als ze die niet had, kon ze niet solliciteren op een 'fatsoenlijke' baan. Het was een vicieuze cirkel, alles draaide om geld, of het gebrek daaraan, en haar eigen dommigheid.

Demi tikte op de bovenkant van haar gekookte eitje. Ze kon zich niet herinneren wanneer ze voor het laatst zo regelmatig had gegeten. Deed haar grootvader dat altijd of deed hij dat voor haar? Toen ze de vorige avond van zolder beneden kwam, had hij nog steeds in zijn stoel zitten slapen Ze had een kus op zijn voorhoofd geplant, een gehaakte deken over hem heen gelegd en was naar bed gegaan. Ze vroeg zich af of hij de hele nacht in de stoel had geslapen, misschien omdat de trap hem te veel was, maar vanochtend zag hij er fris uit en zeker beter dan zij. Ze had donkerpaarse kringen onder haar ogen na een nacht woelen, draaien en piekeren over wat ze moest doen.

'Nog wat thee?' Haar grootvader hield de pot omhoog.

'Ja, graag.' Ze keek de keuken rond. Het zou leuk zijn om het huis voor haar grootvader op te knappen. Ze wist zeker dat hij zijn omgeving niet eens meer zag. Zolang alles maar werkte en schoon was, betwijfelde ze of hij er ook maar iets van in de gaten had. Na het ontbijt zou ze wat bloemen plukken en die in de woonkamer zetten om het daar wat op te fleuren. Er mankeerde verder niets aan die kamer, maar bij de donkere muren en meubels viel alles in het niet wat er mooi aan was.

'Zo te zien maak je je zorgen.'

Ze sloeg haar ogen naar hem op en dacht eraan om te liegen. 'Klopt.'

'Een gedeeld probleem is een half probleem.'

'Misschien.'

Hij gaf haar nog een snee toast. Ze keek naar de knoestige vingers en wilde ze dolgraag schetsen. Ze zou het heerlijk vinden om zich te verliezen in iets creatiefs.

'Ik maak me zorgen over geld. Ik maak me zorgen dat ik geen baan heb, ik maak me zorgen over...' Demi zweeg. Ze maakte zich zorgen over wat Matt met de video zou doen.

'Ik heb altijd gevonden dat je om te beginnen naar de kunstacademie had gemoeten en niet de architectuur in had moeten gaan.'

'Nog zoiets waarin u en mam verschillend over dachten. Zij zei dat ik een vak moest leren.'

Hij pelde zijn tweede ei. 'Daar is niets mis mee, maar je had kunst kunnen studeren, docent kunnen worden, dan had je een vak geleerd én iets kunnen doen waar je van hield.'

'Daar was mam het vast niet mee eens geweest.'

'Ze wilde je alleen maar beschermen, zodat je voor jezelf kon zorgen.'

'Dat begrijp ik niet.'

'Je moeder wilde altijd beter. Zij was altijd de slimste en snelste. Op school behoorde ze tot de besten.'

Demi dacht aan de moeder die ze kende en wat zij van haar wist, en die paste niet in het beeld van steeds meer te willen. Demi moest denken aan al die mantelpakjes die ze naar de kringloopwinkel had gebracht. Die waren in hun tijd het neusje van de zalm geweest, maar ze waren wel heel oud. 'Waardoor is ze zo veranderd?' vroeg Demi, maar ze wist het antwoord al.

'Door jou. Het schandaal dat kon losbarsten.'

'Hoezo schandaal? We hebben het niet over de jaren vijftig. Dit was in de jaren negentig.'

'Maakt niet uit, als een huwelijk op de klippen dreigt te lopen, is er een schandaal.'

Demi bond in. Hij had natuurlijk gelijk. Haar vader was getrouwd. Ze moest zichzelf steeds weer inprenten dat haar vader leefde en in de buurt woonde. In Falmouth kon ze hem zomaar tegen het lijf lopen. Zou ze hem herkennen? Ja. Ze hoefde maar uit te kijken naar een mannelijke versie van zichzelf.

Natuurlijk zou hij haar ook herkennen. Hij had haar gezien. Ze speelde met de kapotte eierdop op haar bord. Hij was op de begrafenis van haar moeder geweest, maar had haar niet aangesproken. Ze speelde de dienst opnieuw af in haar hoofd, maar kon zich hem alleen maar herinneren toen ze de kerk uit liep. Hij had naar haar gekeken. Waarom had hij niets tegen haar gezegd? Hoe hard ze ook haar best deed, ze kreeg de stukjes niet in elkaar gepast.

'Genoeg over je moeder. Wat kan ik doen? Ik kan je wat geld geven, als je dat nodig hebt. En je kunt hier blijven.' Hij fronste zijn wenkbrauwen. 'Hoewel dat helaas niet al te lang meer zal duren.'

'Wat gebeurt er dan met het huis?'

'Vanwege mijn heup, de trap en andere dingen ga ik naar een verzorgingshuis. Ik weet alleen nog niet precies wanneer.'

'Ik begrijp het.' Ze zette haar bord in de gootsteen en ging op haar hurken naast haar grootvader zitten. 'Dank u wel voor het aanbod. Als het goed is, krijg ik aan het eind van de week mijn laatste salaris gestort, en dan zal ik u alles terugbetalen.' Ze haalde diep adem. 'Wat ik verder ook doe, eerst moet ik mijn spullen bij mijn ex gaan ophalen. Dus ook al wil ik het liever niet, ik moet weer wat geld lenen om naar Londen te reizen en hem onder ogen te komen.'

'Wil je me er niet meer over vertellen?'

Ze liet zich op de stoel tegenover hem zakken. 'Nee, tenzij het moet, en dat ligt aan u.'

'Ik zou nooit iemand dwingen me in vertrouwen te nemen, maar vergeet niet dat niets zo erg is als het lijkt.'

Demi glimlachte naar hem en wenste dat hij gelijk had, maar in deze situatie zag ze geen enkel lichtpuntje.

Victoria liep de keuken in en bleef staan toen ze zag dat Sebastian daar aan zijn laptop zat te werken. Hij droeg een grijze kasjmier sweater over een wit t-shirt. Hij had een peper-en-zoutkleurige stoppelbaard en zijn haar zag eruit alsof hij er voortdurend met zijn vingers doorheen had gewoeld. Het was een mooi plaatje.

'Goedemorgen,' zei Victoria terwijl ze naar het aanrecht liep.

'Wat je zegt.' Hij klapte zijn laptop dicht en stond op. Zijn nog steeds sterke spieren verscholen zich onder de zachte stof van de trui en plotseling vroeg ze zich af of hij actief aan zijn conditie werkte of dat het gewoon in zijn genen zat.

'Ben je al een poosje op?' Ze zag de lege cafetière op het aanrecht staan.

'Ja. Op de een of andere manier had mijn telefoon bereik en begonnen rond vieren de e-mails luidruchtig binnen te stromen.'

Victoria lachte. 'Meer koffie?'

'Absoluut.'

Vanuit haar ooghoek zag ze dat hij zijn computer in zijn aktetas terugstopte, evenals een blocnote waarop hij aantekeningen had zitten maken. Hij leek slecht op zijn gemak, alsof hij zich betrapt voelde dat hij aan het werk was. Victoria glimlachte. Tot aan zijn pensioen was Charles ook altijd vroeg opgestaan om te werken, en de meeste nachten ging hij tot in de kleine uurtjes door. Beide mannen waren gedreven en dit hoorde daar gewoon bij, maar van Sebastian had ze het niet eerder meegemaakt. Sterker nog, de keren dat ze hem in de afgelopen jaren had gezien, waren steeds tijdens een lang weekend logeren geweest, en toen had hij nooit werk meegenomen. Maar nu was hij hier als vriend en executeur-testamentair van Charles' nalatenschap – die nu háár nalatenschap was. Ze duwde het filter van de cafetière omlaag en begon tegelijk in gedachten plannen te maken om meer hulp in de tuin te organiseren.

'Hoe voel je je vanochtend?' Hij liep naar haar toe.

Ze schonk hem een droog lachje. 'Ik heb in elk geval beter geslapen, hoewel ik de hele nacht dacht dat ik de telefoon hoorde gaan en alle telefoontjes van gisteravond opnieuw beleefde.'

Hij raakte haar vingers aan toen ze hem een mok gaf. 'Ik vind het zo akelig.'

'O, Sebastian, hou toch op. We weten allebei dat het al heel lang niet goed zat tussen Charles en mij.' Ze blies in haar mok en keek naar het rimpelende oppervlak. 'Als het al ooit goed heeft gezeten. Maar we zijn wel ongelooflijk lang samen geweest.'

Hij deed een stap bij haar vandaan. Dat wist hij allemaal al, dus waarom zei ze dat nou?

'Ik had gedacht een kijkje te nemen in Charles' werkkamer en een begin te maken met het uitzoeken van zijn papieren, als je dat goed vindt tenminste.'

'Natuurlijk.' Ze draaide zich naar hem toe. 'Moet je horen, ik weet dat ik onuitstaanbaar ben en ik verdiende Charles niet, maar ik hield op mijn eigen manier van hem.'

Hij keek haar aan alsof hij in haar hart kon kijken en ze wendde zich van hem af. Daar lag te veel wat ze voor wie dan ook verborgen wilde houden.

'Tori, hij hield meer van je dan je ooit zult beseffen.'

Ze keek hem aan en zag een schaduw over zijn ogen trekken. Hij verzweeg iets. Dat wist ze zeker. Ze wilde dolgraag weten wat dat was. Ooit had ze hem even makkelijk kunnen lezen als de koppen in de krant, maar nu, na jaren als jurist te hebben gewerkt, had hij maar al te goed geleerd een pokerface op te zetten. Nu keken die grijze ogen haar heel ernstig aan. De pret die er meestal in danste was er niet, maar dat verbaasde haar niet. Zijn beste vriend was verongelukt, op weg naar Cornwall om zijn ontrouwe echtgenote ter verantwoording te roepen. Dat laatste wist Sebastian natuurlijk niet, dat wist zij alleen.

Victoria leunde met een dienblad in haar handen tegen de deur van de werkkamer. Seb was aan het bellen.

'Ja, ik ben dinsdag weer in Londen. Doe wat nodig is, maar wees discreet.' Hij legde de hoorn neer.

'Wees discreet? Wat spannend.' Ze glimlachte. 'Kom, laten we die sandwiches in de tuin opeten. Het is doodzonde om op een schitterende lentedag in een sombere werkkamer opgesloten te zitten.'

Hij stond op en toen ze zeker wist dat hij achter haar aan kwam, liep ze de werkkamer uit en via de woonkamer het terras op. De blauweregen had in de afgelopen dagen in volle bloei gestaan en toen ze eronderdoor liep, zweefde de geur om haar heen, bedwelmend en schijnbaar geluk belovend. Als ze nou maar in zulk geluk geloofde. Nee, daar was ze veel te nuchter voor. Het leven was een en al compromissen, dat had ze al jong geleerd.

Ze zette het dienblad neer en zette haar zonnebril op. Veel mooier dan dit konden de dagen niet worden. Heel jammer dat ze straks weer naar binnen moest om de uitvaart te regelen. De begrafenis zou in Londen plaatsvinden. Dat kwam beter uit, omdat een groot deel van hun leven zich daar had afgespeeld en er uit die hoek heel veel mensen zouden komen. Victoria zuchtte. Nou ja, ze zou daar vroeg of laat toch naartoe moeten om een kijkje te nemen in Charles' appartement, het contract op te zeggen en Charles' spullen weg te doen. Daar was ze natuurlijk nog lang niet aan toegekomen. Sommige kringloopwinkels zouden dolgraag al zijn kleren willen hebben. Hij was zo'n dandy geweest.

'Is het niet schitterend?' zei ze toen Seb naast haar kwam staan en ze samen over de tuin uitkeken. Ergens in de verte was een maaier te horen. 'Als alles geregeld is, ga ik om te beginnen meer hulp inhuren.'

Naast haar zei Seb even niets, hij fronste zijn wenkbrauwen. 'Betekent dit nog steeds zo veel voor je, Tori?'

Ze kneep haar ogen samen en bekeek zijn gezicht aandachtig om te ontdekken waarom hij die vraag stelde. Ze werd er niets wijzer van. 'Ja, dat is altijd zo geweest en dat zal altijd zo blijven.'

'Het is net als de rest. Het gaat voorbij.' Hij haalde zijn schouders op. 'Dit is bestendiger dan veel andere dingen. Het huis staat hier al honderden jaren.'

'Wil je hier nou werkelijk al je tijd en energie aan besteden?' Hij keek over het uitgestrekte grasveld vóór hen en naar het panorama van de akkers daarachter.

Victoria's borst verkrampte en ze wendde zich van de tuin naar hem toe. 'Ik heb toch niets anders?'

'Tori, je bent nog maar zestig. Je zou een nieuwe liefde kunnen vinden, of je talent en energie aan een liefdadigheidsinstelling kunnen wijden.'

'Ha!' Ze ging bij de tafel zitten waarop de sandwiches lagen te wachten. 'Ik hou van dit huis en de tuin. Ze hebben me nodig.'

Hij ging naast haar zitten. 'Het bestaat uit graniet en groen, dat is alles, en je hebt zo veel te bieden.'

Ze lachte. 'Ik vind het heerlijk dat je zelfs na al die jaren nog steeds denkt dat ik zo veel te bieden heb. Uitgerekend jij zou het slechtste van me moeten denken.'

'Dat heb ik nooit gedaan en zal ik ook nooit doen.'

'Nou, dat klinkt nog eens als een uitdaging. En ik ben dol op uitdagingen. Op hoeveel manieren kan ik je teleurstellen?' Ze wachtte even. 'Ik zal beter mijn best moeten doen.' Ze lachte verdrietig. 'Laten we maar gaan eten en kijken of we een datum voor de begrafenis kunnen prikken.'

'Doe nou niet zo. Ik weet hoe je werkelijk in elkaar zit, ook al verstop je dat voor iedereen.'

Ze zuchtte. 'Sebastian, het meisje van toen is allang verdwenen.'

9

$\mathcal{D}$ie afschuwelijke avond was nog maar iets langer dan een week geleden en nu stond Demi opnieuw op de stoep voor Matts flat. Ze haalde diep adem, wetend dat ze hier niet voor kon wegvluchten, dat ze sterk moest zijn. Over een paar minuten zou hij er zijn. Ze had nog een sleutel, dus ze kon gewoon naar binnen gaan en weg zijn voordat hij er was, maar hij had te kennen gegeven dat hij haar wilde spreken, wat wel het laatste was wat zij wilde.

Ze keek op haar telefoon en bedacht dat ze Sophie moest sms'en: ze zou die avond bij haar logeren. Na aankomst op station Paddington had ze kort met haar grootvader gebeld. Goddank hield hij niet van lange telefoongesprekken. Het scheelde niet veel of ze had alles eruit geflapt door de telefoon. Een duif waggelde naar haar toe en ze zag hoe de kleuren van de staalgrijze veren het zonlicht vingen.

'Demi.'

Bij het geluid van Matts stem draaide ze zich met een ruk om. Haar handen trilden. Wees redelijk. Blijf kalm. Laat je niet door hem manipuleren, sprak ze zichzelf op een mantra-achtige manier toe.

'Matt.' Ze kreeg kippenvel. Hoe had ze ooit kunnen denken dat ze van hem hield?

'Je hebt gewacht.'

'Dat heb je toch gevraagd?' Ze keek even in zijn ogen en wendde haar blik toen af. Ze wilde niet weten wat hij dacht.

'Ik heb je heel wat andere dingen gevraagd en die heb je ook niet gedaan.' Hij stond met gespreide benen en zijn armen over elkaar geslagen. Hij was op ruzie uit.

'Matt, laten we het daar niet meer over hebben.'

Hij liep naar haar toe, tot hij nog maar een paar centimeter van haar af stond, en ze dwong zichzelf geen duimbreed te wijken. Ze kon sterk zijn. Ze gaf geen krimp en hij liep de trap op. Ze volgde hem en herhaalde tegen zichzelf dat ze zich niet als voetveeg zou laten behandelen. Hij was een manipulerende klootzak die haar vertrouwen had geschaad.

In de flat gooide Matt zijn computertas op de bank. 'We moeten praten.'

'O ja?' Demi bleef afwachtend staan.

'Ja. Dat moeten we. Je bent totaal over de schreef gegaan.'

'*Ik?*' Demi hoorde haar stem overslaan en ze kromp ineen. Zo liet ze Matt merken hoe kwetsbaar ze was en hij wist nog niet de helft van het verhaal. Wat zou haar moeder haar nu aanraden? Wees proactief. Dit was een van die momenten waarop ze resoluut moest optreden. '*Jij* bent degene die over de schreef is gegaan. Door ons te filmen – míj te filmen – zonder dat ik dat wilde.' Haar stem ging steeds verder de hoogte in, ook al deed ze nog zo haar best. 'Dat is verkeerd, zo helemaal verkeerd.'

'Dat is het niet en dat wilde ik je ook laten zien.'

'Nee. Je hebt ons gefilmd.' Ze kreeg een akelige knoop in haar maag. 'Je hebt het toch gedaan terwijl ik nee zei toen je het vroeg.'

'Je had ermee moeten instemmen. Je bent zo saai, frigide zelfs.

'Ik ben frigide, hè? Nou, zo zag het er anders niet uit op die breedbeeld-tv van je. Nogal het tegendeel, lijkt me. Hoe kón je?'

'Omdat ik van je hou en ik er geil van word.'

Ze schudde haar hoofd. 'Waarom? Waarom moet je me zo nodig op een flatscreen bekijken, terwijl ik verdomme in 3D bij je was?' Haar gezicht brandde. 'Door wat je op tv ziet, heb je zo'n gestoord idee over seks gekregen dat je vindt dat wij dat ook moeten doen.'

'Nee. Dat is niet de reden waarom ik het heb gedaan. Je schaamt je voor je eigen lichaam, zo erg dat je nog niet naakt voor me wilt staan. Ik moest je laten zien hoe mooi je bent.'

'Ik wilde me liever niet naakt aan je laten zien omdat ik me niet op m'n gemak voelde bij je. Je bent enkel gefocust op bepaalde delen van me en niet op mij als geheel.'

'Ik hou van je.' Hij zonk op de bank neer.

'Dat doe je niet.' Ze schudde haar hoofd. 'Je houdt van een beeld dat je van me hebt en dat ben ik niet. Als je dacht dat ik ooit zou instemmen met wat jij hebt gedaan, dan heb je me nooit gekend.' Hoe kon ze twee jaar met hem zijn omgegaan, met hem hebben geslapen en er zelfs over hebben gedacht met hem te trouwen? Hij had nooit gezien hoe ze echt was, en klaarblijkelijk had zij ook nooit gezien hoe hij echt was. Waar hij van hield was haar lichaam, althans, sommige delen ervan. En wat zij van hem had gezien had ze zich slechts ingebeeld.

'Ik wil dat je de video wist.' Ze staarde hem strak aan.

'Ik wist dat je me dat zou vragen. Mag ik dan niet iets van je houden? Of beter nog, kun je niet van gedachten veranderen en blijven?' Hij deed een stap naar haar toe.

Ze verstarde. Aan een kant zou het zo gemakkelijk zijn om te blijven. Het zou haar acute problemen oplossen. Zijn gezicht straalde een en al opwinding uit en haar maag draaide zich om omdat hij niet naar haar gezicht maar naar haar borsten keek. Dit wilde ze absoluut niet. Hij greep haar bij de pols en ze raakte in paniek. Ze worstelde zich uit zijn greep los en zei trillend op haar benen: 'Je wist die video en alle andere films waarvan ik het bestaan niet weet.' Ze liep om hem heen naar zijn computertas.

'Oké, oké, ik doe het wel.' Hij pakte de tas en opende zijn laptop. Opeens kwam de achtergrondfoto van haar in bikini op Demi over als iets smerigs. Waarom had ze nooit eerder gemerkt dat ze voor hem enkel een lustobject was? De bikini was een cadeautje van hem geweest en hij had haar niet met rust gelaten voordat ze hem aantrok. Ze keek toe hoe hij zijn wachtwoord intoetste en de map met video's opende. Hoe meer ze erover nadacht, hoe afgrijselijker ze het vond dat dit op zijn werkcomputer stond. Het was helemaal niet privé.

Hij riep het bestand op. 'Kijk nou maar, dan zul je het zien.'

'Nee.' Ze rilde. 'Is dit de enige?'

'Ja. Ik had die nieuwe telefoon de dag daarvoor pas gekregen.'

Demi herinnerde zich die nacht nog zo levendig. Hij had champagne gekocht en heerlijk voor haar gekookt. Hij had haar in de val gelokt. Ze had gedacht dat hij het had gedaan om haar wat op te vrolijken nadat ze haar moeder was verloren, maar nee. De bubbels waren bedoeld om haar uit de tent te lokken. Ze kromp ineen. Ze had hem nooit helemaal vertrouwd. In haar hart had ze geweten dat ze nooit zichzelf kon zijn bij hem. Waarom had ze anders haar vriendinnen opzijgezet, zelfs haar moeder? – maar ze had nooit begrepen waardoor dat kwam.

'Wis hem nu.'

Hij drukte op wissen en keek haar aan alsof het nu klaar was.

'En nu de prullenbak leegmaken.'

'Je vertrouwt me niet.'

Ze balde haar vuisten langs haar zijden. 'Nee.'

Hij deed het.

'Start nu je computer opnieuw op.' Voor de zekerheid had ze alles eerst opgezocht. Ze wist dat er altijd iets op zijn harde schijf zou achterblijven, maar als je deze stappen volgde, zou het een verdomd moeilijke klus worden om het terug te halen en zo handig was hij niet.

'Meen je dat serieus?'

'Ik ben nog nooit zo serieus geweest.'

'Demi...'

'Doe het!'

Hij deed het. Dat ging allemaal te gemakkelijk, dacht ze. 'Nu je telefoon.'

'O, kom nou toch, waarom zou ik het op mijn telefoon laten zitten?'

'Waarom heb je het om te beginnen gedaan? Je hebt het toch niet ergens geüpload, hè?' Haar hart sloeg een slag over bij het idee.

'Absoluut niet!'

Ze geloofde hem. In zijn werk kon hij het zich niet veroorloven om met zijn kont op de sociale media te verschijnen. Maar ze wist dat hij er een back-up van had gemaakt. Ze liep naar het bureau en haalde er zijn usb-stick en externe harde schijf uit. Misschien was er nu nog geen back-up van gemaakt, maar ze moest zeker zijn. Hij prutste met zijn telefoon nadat hij het wachtwoord had ingetoetst, waarna ze hem uit zijn handen trok, binnen een paar seconde de film had gevonden en hem had gewist.

'Zo was je vroeger nooit.'

'Toen hoefde dat ook niet, maar nu wel.' Ze gaf hem zijn telefoon terug en daarna de harde schijf. Zodra dit alles achter de rug was zou ze een taxi bellen en maken dat ze hier wegkwam.

Victoria zette haar tas en rolkoffer bij de achterdeur. Het was een bewolkte maar mooie dag. Dat zou de rit aangenamer maken. Het was nu drie weken geleden dat Charles was gestorven en ze had haar reis naar Londen tot het laatst toe uitgesteld. Morgen was de begrafenis. Het had allemaal zo veel langer geduurd dan ze had verwacht, niet alleen vanwege het gerechtelijk onderzoek, maar ook vanwege de organisatie van een uitvaart waar een hoop mensen naartoe zouden komen, ook al had ze zo veel mogelijk gedelegeerd.

Ze bladerde door de plannen voor de tuin. Ze wilde dat de begrafenis achter de rug was, zodat ze zich kon richten op haar grote liefde.

'Alles klaar?' Sam stond in de deuropening.

'Ja, dank je.'

'Ik bewaak hier het fort wel. U hoeft niet in vliegende haast terug te komen.'

Victoria glimlachte. 'Ik vind het vreselijk om wanneer dan ook bij de tuin weg te moeten, maar in deze tijd vind ik het nog het ergst.'

'Ik kan u foto's sturen.'

Ze grinnikte. 'Dat is bepaald niet hetzelfde als het echte werk, wel?'

'Zeker niet, maar als u het echte werk niet kunt krijgen, helpt het misschien wel.' Ze zag dat hij naar het bestelformulier keek. 'Volgens mij had ik u aangeraden om variatie aan te brengen in de appelbomen.'

'Dat klopt, maar ik heb besloten dat je het mis hebt.'

Sam stopte zijn handen in zijn zakken. 'Moet u horen, mevrouw Lake, ik weet dat u de tuin in de oude staat wilt herstellen, maar u moet er toch anders naar kijken.'

Ze wilde hem eigenlijk onderbreken, maar liet hem uitpraten. 'Ooit woonden er bijna honderd mensen op dit landgoed. Nu zijn alleen wij tweeën er nog. Dus tenzij u van plan bent om Boscawen Cider of iets dergelijks in het leven te roepen, zult u zich met de fruitbomen twee keer moeten bedenken. U moet ook rekening houden met diversiteit.' Hij leunde tegen het fornuis. 'Momenteel hebt u vijf boomgaarden, ruwweg twee hectare, maar die zijn niet in topconditie. Vorig jaar viel het grootste deel van de oogst op de grond. De meeste bomen dragen tegelijkertijd vrucht. Als u een paar nieuwe variaties introduceert, of zelfs andere lokale soorten, dan zou dat helpen.' Hij wees naar het bestelformulier. 'Het grootste deel van de boomgaard bestaat al uit Cornish Giant en Cornish Gillyflower, uitstekend allemaal, alleen met een grotere variatie kunt u de oogst spreiden. Maar ook dan vraag ik me af: waarom hebt u in godsnaam zo'n grote boomgaard nodig dat je er een bedrijf mee kunt beginnen?'

Victoria richtte zich in volle lengte op. Hij mocht dan alle gelijk van de wereld hebben, er was geen sprake van dat ze naar hem zou luisteren. Dit waren haar tuin en haar geld. Ze zou de tuin in de staat herstellen zoals haar overgrootmoeder die had aangelegd en waarvan haar grootmoeder zo veel had gehouden.

'Denk na voordat u dit gaat doen. Het is goed om de oogst te spreiden. Door andere variëteiten te introduceren worden de bestaande bomen alleen maar sterker, omdat er een biodiversiteit wordt gecreëerd die beter is voor de oude én nieuwe bomen. En het is goed voor de bijen, die we nodig hebben voor de bestuiving.'

Victoria keek op haar horloge. 'Wat stel je dan voor?'

'Halveer de bestelling en voeg er andere variëteiten aan toe. Met de aanplant van zo veel bomen hebt u geen idee hoeveel appels u krijgt, en u gebruikt de bomen die u nu hebt niet eens.'

'Ik wil de tuin in de oude staat terug,' zei ze.

'Tuinen ontwikkelen zich, mevrouw Lake, en als uw voorouders hier vandaag zouden zijn, zouden ze absoluut nieuwe variëteiten introduceren. Kijk gewoon naar alle soorten die uw overgrootmoeder heeft geplant en die om te beginnen niet eens uit dit land afkomstig zijn, afgezien van de oorspronkelijke tuin. Mevrouw Tregan was een geweldige tuinvrouw en vernieuwer.'

Ze perste haar lippen op elkaar. Vreemd dat hij dat wist, maar misschien had hij dat weten op te maken uit die delen van de tuin die het hadden overleefd. 'Daar heb je een punt. Als ik terug ben, zal ik er zorgvuldiger naar kijken.'

'Dank u dat u naar me hebt willen luisteren. De oude variëteiten zijn goed, maar de nieuwe hebben een hoop te bieden. En ik denk dat u ook moet kijken of er niet een paar perenbomen bij moeten.'

'Walnoten en peren plant je voor je kind'ren,' mompelde ze zachtjes. In geen jaren had ze aan dat gezegde gedacht. Haar overgrootmoeder zei het vaak als ze door de boomgaarden liepen. 'Jij weet minder van tuinieren dan ik, Sam.' Victoria keek hem aandachtig aan terwijl hij naar de plannen op de tafel keek. 'Ik zie je over een paar dagen. Bel me als je me nodig hebt.'

'Hier komt alles prima in orde.' Hij keek op. 'En ik vind het echt heel erg van meneer Lake. Hij was een goed mens.'

'Dank je.' Victoria pakte haar autosleutels. Er was nog iets wat ze op haar hart had. 'En Sam, beloof me alsjeblieft dat je de vlierbomen niet snoeit voordat je hun toestemming hebt gevraagd.'

Hij fronste zijn wenkbrauwen. 'Daar gelooft u echt in, hè?'

Ze zuchtte. 'Vroeger deed ik alleen alsof, maar twee keer in mijn leven heb ik gezien wat er gebeurde als je geen toestemming vraagt.' Ze keek uit het raam. Er was niet veel voor nodig om terug te denken aan de ruzie die ze met Perry's vrouw Julia had gehad. Het enige wat Victoria had willen doen was de kennis doorgeven die Edith en Gladys haar hadden bijgebracht. 'Beide keren zijn er mensen omgekomen bij een auto-ongeluk. Dat is naar mijn zin iets te veel toeval.'

Hij wierp haar een zijdelingse blik toe. Ze was niet gek, dat wist ze zeker, en ze wist ook dat als er al iemand schuldig was aan Charles' dood, zij dat was. Maar ze werd een beetje zenuwachtig van dat hele gedoe.

'Als ik u daarmee een plezier doe, wil ik het wel beloven, alleen geloof ik niet dat bomen slecht kunnen zijn, in welk opzicht ook.'

'Dat ben ik met je eens, maar de vlier is een listige boom.' Ze dacht aan de waarschuwingen van haar grootmoeder Gladys en dat haar overgrootmoeder het met haar eens was geweest.

'Rij voorzichtig.' Hij glimlachte.

Ze pakte haar tas en het bestelformulier. 'Dat ben ik zeker van plan; en Sam, bedankt voor al je hulp.' Ze liet hem in de keuken achter met de plannen. Appelbomen. Waarom wilde ze de boomgaarden in ere herstellen? Moest ze daar dan een reden voor hebben?

10

*V*ictoria zat rechtop terwijl ze in kleine halve cirkels in de draai-stoel heen en weer draaide. Ze had haar enkels gekruist en de marineblauwe rok van haar mantelpak viel tot een paar centimeter boven haar knie. Haar knieën waren nog steeds mooi. Ze had niet haar toevlucht hoeven nemen tot lange rokken om uitgezakte, slappe of platte knieën te bedekken zoals zo veel vrouwen deden. Het zonlicht viel door de hoge klassieke ramen, waardoor het fijne weefsel van haar rok oplichtte. Vandaag leek Londen op zijn best. De vorige dag was dat niet zo geweest, toen de regen de begrafenis had bedorven.

Ze voelde nog altijd de nieuwsgierige blikken van de aanwezigen in de kerk, alsof ze hier bij haar in de directiekamer zaten. De spieren van haar gezicht deden pijn omdat ze dan weer een beleefde glimlach en dan weer een verdrietige, verloren uitdrukking moest opplakken. Ze had haar best gedaan om de rol van de rouwende weduwe te spe-len, en eerlijk gezegd wás ze ook verdrietig. Je kon niet zo veel jaren met iemand samenleven zonder genegenheid voor diegene op te vat-ten. Nou ja, dat kon natuurlijk wel, maar zij en Charles hadden de draad redelijk opgepakt nadat ze hadden verwerkt dat ze geen kinde-ren zouden krijgen. Sterker nog, na wat ze allemaal hadden doorge-maakt om voor nageslacht te zorgen, was het een wonder dat ze elkaar nog konden luchten of zien, laat staan nog enige genegenheid voor elkaar konden opbrengen. Die terugkerende schuldvraag stak nog steeds als ze eraan terugdacht. Zij was onvruchtbaar. Ze had met talloze andere mannen onbeschermde seks gehad, het levende bewijs van waar ze maar niet aan wilde. Charles had niet veel sperma, maar ze kon hem niet alle schuld in de schoenen schuiven. Victoria wist zeker dat niet al haar minnaars daar last van hadden gehad en ze had ervoor gezorgd dat ze rond haar ovulatietijd met hen naar bed ging. Het was dikke pret, maar resultaat ho maar.

Voor haar geestesoog zag ze hoe de kist door het middenpad van de kapel werd gedragen. De organist had iets plechtigs gespeeld wat ze niet had herkend. Ze wist niet eens zeker of het wel Charles' keus was geweest. Hij hield veel meer van een bezielende hymne dan van dit soort gezever. Misschien had ze meer aandacht moeten schenken aan de muziekkeuze. Maar de bloemen waren prachtig geweest, hoewel dat Charles worst zou zijn. Sterker nog, hij zou ze veel te duur hebben gevonden, zou liever hebben gehad dat het geld naar een liefdadigheidsinstelling was gegaan.

Als zij eenmaal het geld onder haar beheer had, en als deze schijnvertoning van het voorlezen van het testament voorbij was, kon ze een eerlijk leven gaan leiden. De noodzakelijke bedriegerij was best leuk geweest, al haar liaisons hadden er een pikant tintje door gekregen, maar dat hele gedoe was haar al snel tegen gaan staan. Ze verlangde ernaar ontspannen in bed de krant te lezen en niet steeds de bewijzen te hoeven opruimen.

Demi stond op Manchester Square voor de deur van de kantoren van Crowther, Dunn & Roberts en trok aan de zoom van haar jasje, dat niet helemaal was hersteld van de stortregen en het slaapje dat ze erin had gedaan. Ze zag eruit als een zwerver, in tegenstelling tot het gebouw, met zijn elegante, extra hoge ramen. Het was ontworpen om indruk te maken en dat deed het ook. Ze slikte, maar dat hielp niet veel voor haar droge mond. Ze vouwde de brief open en las die nogmaals om zeker te weten dat ze hier moest zijn en dat haar vader echt dood was, niet zogenaamd dood, zoals haar moeder haar al die jaren had voorgespiegeld.

Al die tijd had hij geweten dat ze bestond en toch had hij ervoor gekozen om pas contact met haar op te nemen toen hij twee meter onder de grond lag. Ze had een formele brief van een notaris gekregen waarin ze werd ontboden om op die en die datum aanwezig te zijn bij het voorlezen van Charles Lakes testament. Ze had geluk gehad dat ze hem überhaupt had gekregen, want hij was naar haar moeders adres gestuurd. Gelukkig was Demi daar nog even geweest om een oude buurvrouw te bezoeken die de post voor haar had bewaard.

Waarom was hij op de begrafenis van haar moeder niet naar haar toe gekomen? Nou ja, misschien was dat toen niet zo'n goed moment, maar een paar dagen later had toch wel gekund, als de schok minder groot zou zijn geweest? In de afgelopen paar dagen had ze zo vaak op het punt gestaan om deze afspraak helemaal af te zeggen, maar uiteindelijk had de nieuwsgierigheid het gewonnen van de wens om hem, of liever gezegd zijn zaakwaarnemer, te zeggen dat hij kon opzouten. Hij had zich al die jaren niets aan haar gelegen laten liggen, dus waarom zou zij nu nog iets doen?

Van haar laatste salaris had ze niet veel geld meer over. Ze had nog geen werk gevonden en sliep op de vloer van Sophies eenkamerappartement in Earl's Court. Als dit nog veel langer ging duren, zou ze een uitkering moeten aanvragen. Maar misschien had haar dode vader haar nog iets nuttigs nagelaten. Naar verluidde was hij stinkend rijk geweest. Ze had op internet de rouwberichten gelezen en het leek verdomme wel alsof hij een heilige was. Maar natuurlijk werd er met geen woord gerept over het bastaardkind waar hij geen cent aan had bijgedragen.

Ze vouwde de brief weer op en stopte hem in haar tas, haalde diep adem en liep de paar treden op naar de glanzend zwarte deur. Die was zo perfect geschilderd dat de groene bomen achter haar zich erin spiegelden. Ze belde aan en wachtte. Dit kon ze. Ze rekte zich tot een meter zestig uit – dat lukte haar alleen als ze hoge hakken droeg – en keek in de camera toen een vrouwenstem vroeg wie ze was.

'Demelza Williams.'

'Kom binnen, alstublieft.'

Er klonk een zoemer en Demi duwde tegen de deur, verwachtend dat die zwaar zou gaan, maar dat was niet zo. Ze viel bijna met deur en al naar binnen en probeerde haar evenwicht terug te vinden toen de receptioniste naar haar glimlachte.

'Miss Williams, ik zal u naar de directiekamer brengen.' De onberispelijke vrouw stond op en zweefde op zulke hoge hakken weg dat Demi het een wonder vond dat ze erop kon blijven staan, laat staan dat ze erop kon lopen. Demi keek omlaag naar haar eigen schoenen. Dit waren de beste die ze had, bestemd voor sollicitatiegesprekken, maar ze zagen er zo sjofel uit dat ze haar voeten het liefst zo snel mogelijk wilde verstoppen. Hoe eerder ze ergens zat waar niemand haar schoenen kon zien, hoe beter. Maar bij de gedachte aan heel veel mensen rondom een tafel trok ze wit weg. Ze hoopte dat er niets vervelends zou gebeuren en dat het allemaal simpel zou kunnen worden afgehandeld.

Ze liepen vier lage treden op en de strakke lijnen en warme kleuren hadden een ontspannende uitwerking op haar. Dit was uiteraard precies de bedoeling. Alles was neutraal maar niet smakeloos. Dure inkttekeningen en aquarellen zaten in eenvoudige lijsten. En toen, bijna zonder waarschuwing, waren ze bij een witgeschilderde dubbele deur met bewerkte panelen aangekomen. Ook al was alles ontworpen om cliënten op hun gemak te stellen, toch had Demi zweethanden. De receptioniste bleef staan toen er ergens een telefoon overging, en Demi's hart stokte ook even. Ze trok haar tas hoger over haar schouder.

'Als u hier even wilt wachten?'

Demi knikte, stond in tweestrijd. Ze keek naar de deuren en toen weer naar de ingang met de deuropener. Er was nog een uitweg. Ze kon de deur uit lopen, bij haar grootvader gaan wonen en in een of andere pub biertjes gaan tappen. Maar ze wist dat dat op den duur geen oplossing was. Hij moest binnenkort naar een verzorgingshuis. Misschien kon ze hier in Londen biertjes tappen, maar dan moest ze wel ergens kunnen wonen, en zo'n plek had ze niet. Ze kon niet veel langer bij Sophie blijven logeren en ze had haar cv naar vijf architectenbureaus gestuurd in de hoop werk te vinden. Tot nu toe had dat niets opgeleverd, zelfs geen sollicitatiegesprek, maar het kon nog.

'Sorry. Ik ga u even voor.' De receptioniste was weer terug. Ze duwde de beide deuren open en het gesprek in de kamer viel onmiddellijk stil.

'Sebastian, dit is Demelza Williams. Pastoor Paul heeft net gebeld, hij zit vast in het verkeer en is hier over een minuut of tien.' Ze wendde zich tot Demi. 'Wilt u misschien koffie of thee?'

Demi keek de kamer rond naar de duidelijk nieuwsgierige gezichten en dacht dat ze meer zou hebben aan een dubbele wodka. 'Koffie, zwart graag.' Ze liet zich op de dichtstbijzijnde lege stoel rond de grote ovale tafel zakken voordat iemand haar van top tot teen kon opnemen.

Victoria tikte met haar nagels op de tafel. Ze wist eigenlijk niet waarom ze zo vroeg was gekomen. Sebastian maakte een hele toestand van het lezen van het testament, terwijl het toch zo simpel was als wat. Charles had haar alles nagelaten, op wat geld voor zijn liefdadigheidsinstellingen na. Ze wist zeker dat hij aan zijn neef Edward een schilderij had vermaakt, misschien wat van zijn wijn aan Sebastian. De oldtimer, de Aston Martin, zou naar de priester gaan, die hem waarschijnlijk toch zou verkopen en het geld zou weggeven aan de liefdadigheid. Dat was natuurlijk doodzonde van zo'n prachtige auto, maar daar hoefde zij zich niet druk over te maken, zij zat vol met ideeën voor Boscawen.

Ze keek naar de mensen die er op dat moment waren. De priester was zoals gewoonlijk te laat, hij werd ongetwijfeld opgehouden omdat hij iemands ziel moest redden. Ze schudde haar hoofd en haar oog viel op de dikke buik van de man die de liefdadigheidsinstelling runde waar Charles geld in pompte. Het was duidelijk dat hij zichzelf niets tekortdeed. Hij zou het geld moeten gebruiken om overhemden te kopen waar hij met zijn enorme omvang in paste, dan hoefde de rest van de wereld tenminste niet getrakteerd te worden op de harige buik die door de gaten piepte van het overhemd dat hij nu droeg.

Sebastian belde met zijn mobiele telefoon en keek door de grote ramen naar de binnentuin. Zelfs na al die jaren lag die er nog steeds mooi bij. Dertig jaar geleden had zij die voor hem ontworpen en aangelegd, toen hij en zijn partners het gebouw hadden aangekocht. Terwijl ze ernaar keek, vond ze het des te erger dat ze nu niet op Boscawen kon zijn. Ze moest daar echt in alle ernst mee aan de slag. Gisteravond had ze in bed tot in de kleine uurtjes plannen zitten schetsen.

Nu legde Seb een hand op haar schouder. Ze keek op en hij schonk haar iets wat was bedoeld als een geruststellende glimlach. Maar er was toch geen reden om haar gerust te stellen? Alles viel nu op zijn plek. Vanavond zou ze weer in haar bed in Boscawen liggen en morgen zou ze beginnen.

De deuren zwaaiden open en Sebs überefficiënte receptioniste kwam binnen met in haar kielzog een wat slonzige jonge vrouw. Ze deed Victoria aan iemand denken, maar kon er niet de vinger op leggen. Het meisje zou wel iets te maken hebben met een van Charles' liefdadigheidsinstellingen. Ze keek naar Sebastian, die glimlachte naar de sjofel geklede blondine.

Ze legde haar handen in haar schoot en keek naar het gezicht van de mensen die daar aanwezig waren, met name naar dat van de vreemdelinge. Victoria zag de verwachtingsvolle uitdrukking op hun gezicht, maar uiteraard wisten zij niet wat er in Charles' testament stond, alleen zij en Sebastian wisten dat. Zij zouden niet veel krijgen. Hoewel Charles onlangs had gemompeld dat hij zijn testament wilde veranderen, betekende dat waarschijnlijk alleen dat hij het aandeel van de liefdadigheid wilde verhogen toen een investering van hem goed was uitgepakt.

Victoria wendde zich tot Sebastian, in de hoop dat hij zou beginnen met deze schijnvertoning van een bijeenkomst. Ze wist zeker dat hij dit ook via een brief, e-mail of een paar telefoontjes had kunnen afhandelen. Ze vond het allemaal maar overdreven, dat voorlezen van het testament.

'Nou, terwijl vader Paul hiernaartoe onderweg is, wil ik u allen bedanken dat u bent gekomen.' Sebastian leunde naar voren en legde zijn handen op de tafel. Die waren door de jaren heen niet veel veranderd, los van de sporen van het ouder worden, en hij had nog steeds de zon in zijn gezicht van zijn verblijf op Boscawen gedurende de afgelopen paar weken.

'Duurt het lang?' vroeg de dikke man.

'Als we eenmaal beginnen niet langer dan een uur.'

'Schiet dan maar op, Sebastian. Paul kan toch zeker later aanschuiven? Jij en ik weten sowieso wat er in het testament staat.' Victoria zuchtte. 'Nu voel ik me gevangen in een of andere afschuwelijke televisieproductie van een whodunit waarin elk moment een belabberd geklede inspecteur kan opduiken.'

Sebastian richtte zich tot haar en zijn grijze ogen stonden vermoeid. 'Er is het een en ander veranderd in het testament, Tori, en het is belangrijk dat alle erin genoemde partijen aanwezig zijn.'

Haar maag kromp samen. Dit klonk niet best. Charles zou nooit iets hebben veranderd zonder het haar te vertellen, alleen als het iets kleins en simpels was. 'Onzin. Charles zou me dat hebben gezegd.'

Sebastian fronste zijn wenkbrauwen. 'Ik wil er alleen over kwijt dat het om recente veranderingen gaat.'

Demi nam de koffie van de receptioniste aan, dankbaar dat haar handen iets te doen hadden terwijl ze toekeek hoe de arrogante vrouw aan het kissebissen was met de advocaat. Hij had vriendelijke ogen en zag eruit alsof hij zich doodergerde aan de vrouw. Dat zou iedereen doen, maar ze wist dat dit de weduwe van haar vader was, de vrouw die hij niet wilde verlaten, de vrouw voor wie hij haar in de steek had gelaten. Victoria Lake was zo elegant als ze maar zijn kon, van het zilvergrijze haar, dat in een chique bobstijl was gekapt, tot aan het marineblauwe mantelpak toe. Alles aan haar was duur. Ze keek omlaag naar haar eigen kleren en schoof haar stoel dichter naar de tafel.

De deuren gingen nogmaals open en een priester kwam binnen. 'Sorry dat ik zo laat ben, maar het was verschrikkelijk druk op de weg.' Hij keek iedereen een voor een glimlachend aan. De spanning in de kamer zakte wat weg, behalve de spanning die van Victoria Lake afstraalde. Ze keek de nieuwkomer nijdig aan, die naar haar toe liep en haar op de wang kuste. Demi wist zeker dat hij iets in haar oor fluisterde, want ze vertrok haar mond in een afkerig pruilmondje. De priester richtte zich op en liep naar een lege stoel naast Demi.

Hij stak zijn hand uit. 'Ik ben vader Paul, en jij bent zeker Demelza.'

Demi knipperde met haar ogen en schudde hem de hand. Hoe kon hij weten hoe ze heette? Zij kende niemand in deze kamer.

'Nu we er allemaal zijn, kunnen we beginnen.' De advocaat ging naast Victoria zitten. 'Voor degenen van u die me niet kennen: ik ben Sebastian Roberts. Ik ben al dertig jaar Charles Lakes advocaat en ben samen met vader Paul Boaden een van de executeurs-testamentair van zijn nalatenschap.' Hij zweeg en keek de mensen aan tafel aan. Iedereen luisterde aandachtig, hield zijn blik gericht op Sebastian Roberts. Voordat hij ging zitten had hij zijn colbert uitgedaan en zijn mouwen opgerold, maar zijn stropdas had hij om gelaten. Zo had Demi zich een lezing van een testament niet voorgesteld. Maar wat had ze er dan van verwacht? Ze hoopte dat ze iets zou krijgen waar ze wat aan had, geld bijvoorbeeld. Hemel, wat kon ze dat nu goed gebruiken, want de verzekering was nog steeds niet over de brug gekomen. Ze zeiden dat ze ermee bezig waren. Intussen liep de schuld aan haar grootvader op.

'Charles Lake was een gefortuneerd man die hard heeft gewerkt om die rijkdom te vergaren, maar hij was genereus voor de mensen die geen geld hadden.'

Demi trok een wenkbrauw op. Wat? Zij en haar moeder hadden op z'n zachtst gezegd zuinig moeten leven. Er was nooit iets extra's geweest. Ja, ze hadden een prachtige huurflat gehad en aan kleren of eten was nooit gebrek geweest, maar ze had twee jaar moeten sparen voor haar computers, die ze tijdens haar studie in de weekenden bij elkaar had gewerkt met vakken vullen. Naar hén toe was hij niet genereus geweest. Ze keek naar de dure echtgenote. Hij was bij haar geweest. Victoria trok nog steeds een ontevreden pruilmondje en Demi zag zo dat zij het niet eens was met Charles' edelmoedigheid. Als Charles dan zo goed was, wat zag hij dan in dat kr... Demi bond in. In die vrouw.

'Dus laten we beginnen met de liefdadigheidsinstelling Education for Good, die hij heeft opgericht om kwaliteitsonderwijs te bieden aan getalenteerde maar arme leerlingen in Cornwall.' De advocaat knikte naar de dikke man aan de overkant van de tafel. 'Charles heeft nog eens drie miljoen pond toegevoegd aan de schenking die hij al had vastgesteld voor het schoolgeld.'

'Wat edelmoedig van hem.' De man glimlachte.

Demi zette grote ogen op. Drie miljoen pond. Ze keek naar Victoria en vroeg zich af of ze van streek was, maar Victoria zat de grote robijn aan haar ringvinger te bestuderen. De steen ving het licht op dat door het raam viel en weerkaatste rode stralen door de kamer. Ze keek naar het spel van de rood met roze schakeringen op de muren terwijl er intussen reusachtige geldsommen over tafel gingen. Als zij hier maar een fractie van zou krijgen, zou ze haar hele leven er warmpjes bij zitten. Afgezien van Victoria Lake zaten de andere mensen verwachtingsvol rechtop en je mond viel open van de bedragen die werden voorgelezen. Iedereen was blij, behalve Victoria. De frons die bij het tweede liefdadigheidslegaat op haar voorhoofd was verschenen werd bij elke volgende opsomming dieper.

'Deze veranderingen in het testament zijn naar behoren en in het bijzijn van getuigen goedgekeurd op vrijdag 23 mei 2014.' De advocaat ging staan en rolde met zijn schouders. Victoria Lake hield zich nu muisstil. 'Nu komen we bij de persoonlijke kant van het testament, dus ik zou vader Paul, Demelza, Edward en Victoria willen vragen te blijven. De anderen mogen vertrekken.'

Demi zag wel dat ze geen keus hadden. Hij vertelde de vertegenwoordigers van de liefdadigheidsinstellingen op beleefde toon dat ze konden gaan. En aan hun gezichtsuitdrukking te zien waren ze heel tevreden. Een van hen schudde de hand van de advocaat zo driftig dat Demi dacht dat zijn schouder uit de kom zou schieten. De receptioniste verscheen ten tonele, maakte de dubbele deuren open en begeleidde ze snel de kamer uit. Ze móchten ook wel tevreden zijn, zeg. Zo te horen had Charles iedereen meer gegeven dan verwacht.

Er werden thee- en koffiepotten op tafel gezet en Demi vroeg zich af wat er nu ging gebeuren. Ze schonk haar koffiekopje bij en het viel haar op dat iedereen gespannen was, vooral Sebastian. Hij bleef maar met zijn schouders rollen.

'Moeten we niet eens beginnen?' Victoria keek op haar horloge. Volgens haar berekeningen was de erfenis door Charles' edelmoedigheid met nog eens tien miljoen geslonken. Dat kon ze wel hebben, maar als hij zijn giften aan de andere aanwezigen in dit vertrek ook had veranderd, dan moest ze misschien haar plannen aanpassen. Ze wist dat hij slechts een klein legaat aan Paul zou nalaten, omdat die een armoedegelofte had afgelegd, dus had het geen zin om hem veel te geven – hij zou het geld eenvoudigweg aan de kerk doorgeven. Edward, daarentegen, kon een probleem vormen. Charles had in het verleden wel gepruttteld dat Edward zijn voor de hand liggende erfgenaam was, maar daar had ze hem de laatste tijd niet meer over gehoord. En toen ze vijf jaar geleden voor het laatst hun testamenten hadden doorgenomen, zou het overschot van de nalatenschap – echt het leeuwendeel – naar de langstlevende partner gaan. Dus ook al had hij zijn gift aan Edward verhoogd, zij en Boscawen zouden veilig zijn.

'Natuurlijk.' Sebastian vulde zijn koffiekopje en deed er een volle lepel suiker in. Nu wist Victoria dat er iets goed mis was. Sebastian nam nooit suiker.

'Toen Charles drie weken geleden zo tragisch aan zijn einde kwam, was hij bezig de laatste veranderingen in zijn testament aan te brengen. Op de avond van zijn dood is hij nog tot laat op de avond met iemand van mijn team aan het werk geweest, en wat ik u nu presenteer is wat er die avond uit de bus is gekomen.' Sebastian keek naar Victoria. 'Voordat we beginnen, moet ik zeggen dat alle veranderingen rechtmatig zijn doorgevoerd. Ik wil ook duidelijk maken dat een nalatenschap van deze omvang niet snel kan worden bekrachtigd. Het duurt enige tijd om vast te stellen hoeveel belasting over de erfenis betaald moet worden.' Hij keek iedereen in de ogen. 'Dus laten we beginnen met de legaten aan vader Paul.'

'Prima.' Paul glimlachte. Ook al kende ze hem al sinds hun tienerjaren, voor Victoria bleef hij een raadsel.

'Charles heeft jou zijn Aston nagelaten, met een bedrag van honderdduizend pond voor de zorg en het onderhoud. Hij heeft je ook de kleine Constable-studie van Venetië nagelaten. Beide worden onder beheer geschonken en mogen zo lang je leeft niet worden verkocht.'

Paul grinnikte en Victoria fronste haar voorhoofd. Ze was dol op dat kleine schilderij.

'Charles heeft mij het kleine schilderij *Madonna met Kind* van een oude Italiaanse meester nagelaten, samen met een kist port uit 1960,' vervolgde Sebastian.

Victoria lachte meesmuilend. Daaraan was niets veranderd. In zeker opzicht had ze gedacht dat Charles zijn beste vriend meer zou nalaten, maar aan de andere kant, wat had Sebastian nou nodig? Niets. Victoria keerde zich naar het kleine muisje in het slechtzittende mantelpak. Waarom was zij hier eigenlijk nog? Zij moest wel zo'n liefdadigheidsgeval zijn, dat kon niet anders.

'Aan zijn neef Edward laat Charles het ronde bedrag van een miljoen pond na en het gouden zakhorloge van zijn grootvader.'

Victoria ontspande haar schouders en leunde in haar stoel naar achteren. Haar grootste angst, dat een deel van Boscawen aan Edward zou worden vermaakt, was geweken. Ze keek naar Sebastian. Hij frunnikte met de zwarte vulpen in zijn hand. Ze had gekeken hoe hij zijn lijst afwerkte en kon vanuit deze hoek zijn handschrift niet lezen, maar ze zag wel dat er nog één item op de lijst over was. Dat was zij natuurlijk, dacht ze, hoewel deze Demelza Williams, die aan de overkant van de tafel zat, er ook nog was.

'De rest van Charles' nalatenschap, ten slotte, komt na geraamde belastingverplichtingen uit op zo'n vier miljoen pond aan investeringen en cash, en Boscawen.'

Victoria fronste haar wenkbrauwen. Waar was de rest van zijn geld gebleven? Toen ze vijf jaar geleden het testament doornamen was er nog twintig miljoen pond geweest, en dat was nadat hij zijn liefdadigheidsbesognes er had afgetrokken. Slechts vier miljoen pond in investeringen en cash? Met de huidige rente kon dat amper de lopende kosten van het landgoed dekken.

'Dit wordt gelijkelijk verdeeld tussen zijn vrouw, Victoria Lake, en zijn dochter Demelza Williams.'

Victoria hapte naar adem, ze kon bijna niet praten. 'Zijn w-wat?' Haar stem stierf weg. Charles had geen kinderen. Zíj had geen kinderen. Althans, god wist dat ze alles geprobeerd hadden wat menselijkerwijs mogelijk was – en soms voelde het als alles wat ónmenselijkerwijs mogelijk was – om kinderen te krijgen. Wanneer? Hoe? Had Charles haar bedrogen? Of had hij deze muis geadopteerd? Victoria bekeek Demelza Williams eens aandachtig en zag dat dit kind niet geadopteerd was. Nee, ze was van Charles. Ze had hetzelfde lichtblonde haar als Charles toen die even oud was als zij, een licht getuite, volle mond en een abnormaal bleke huid. Sterker nog, Victoria vroeg zich af waarom ze de gelijkenis niet meteen had gezien toen het ellendige schepsel kwam binnenwandelen.

Charles had haar bedrogen, hij had zijn huwelijksgelofte gebroken en nu gaf hij Boscawen – in elk geval de helft – aan zijn bastaardkind. Het was te veel.

Ze stond op en deed het enige wat ze kón doen. 'Ik vecht het aan!'

11

Sebastian keek haar met vermoeide ogen aan. 'Dat had Charles al verwacht.'

'Wat dacht hij verdomme wel niet?' Victoria staarde naar het bastaardkind, deze Demelza Williams. Moest ze Boscawen met haar delen? Geen sprake van dat die vrouw ook maar één voet op het grondgebied van Boscawen zou zetten, daar zou zij een stokje voor steken.

Victoria draaide zich van Demelza naar Sebastian. Hij had geweten wat er aan de hand was en hij had geweten dat Charles haar had bedrogen. 'Wat is er met al het geld gebeurd, Sebastian?'

'Klaarblijkelijk heeft hij in het afgelopen jaar enkele slechte investeringen gedaan, wat niets voor hem was, en een maand geleden heeft hij een groot bedrag aan een liefdadigheidsinstelling voor daklozen geschonken.'

'Een wat?'

'Een liefdadigheidsinstelling die daklozen opvangt.' Seb zuchtte. Ze zag de donkere kringen onder zijn ogen; die waren er twee dagen geleden nog niet geweest.

'Hoeveel?'

'Vijf miljoen.'

Victoria ging weer zitten en maakte enkele snelle berekeningen. 'Heeft iemand gevraagd om Charles' medische gegevens in te kijken?'

'Ja, dat hebben wij gedaan. Eind april is hij bij zijn huisarts geweest en afgezien van zijn welbekende hoge bloeddruk was hij zo gezond als een vis.'

Victoria dacht aan de pillen die hij dagelijks slikte. Hadden die geen bijwerkingen op de hersens? Want Charles was duidelijk gek geworden, compleet mesjogge. Ook al had hij niet de helft van haar huis aan de bastaard weggegeven, dan nog zou ze maar met moeite rond kunnen komen van het deel dat over was. En dan al dat extra geld dat hij aan die idiote liefdadigheidsinstellingen had gegeven. Dat zou ze terugvorderen. Zij was veertig jaar zijn vrouw geweest en had recht op zijn geld en een comfortabel leven. Ze had niet al die tijd met hem samengeleefd, met hem geslapen en hem gepamperd om slechts de helft te krijgen van een fortuin dat zo ver was geslonken dat ze er met haar verstand bijna niet bij kon.

Ze wendde zich tot de muis, die zo mogelijk nog bleker was geworden dan ze al was. Het was voor haar duidelijk een even grote verrassing als voor Victoria. Tenzij dit gespeeld was, natuurlijk. Victoria keek Demelza met toegeknepen ogen aan, bekeek haar eens goed. Hoeveel bedrog verschool zich achter dat poeslieve uiterlijk?

'Ik weet dat al die informatie jullie nogal rauw op het dak valt, dus ik stel voor dat we het eerst laten bezinken voordat we verdere actie ondernemen.'

Victoria staarde Sebastian boos aan. 'Sorry?'

Hij stak een hand op. 'Paul, zou jij Demelza mee willen nemen naar de pub, en Edward, als jij nog vragen hebt, dan weet je me te vinden.' Hij wachtte even. 'Ik moet iedereen er wel aan herinneren dat niets definitief is voordat het testament bekrachtigd is, en met zo'n grote nalatenschap kan dat even duren.'

Victoria keek woest naar Edward. Hij zag eruit als de boer die zijn schaapjes op het droge heeft. Een miljoen pond schoon aan de haak en een achterlijk gouden zakhorloge.

'Tante Tori, ik wil u nogmaals zeggen hoe akelig ik het vind van oom Charles.'

Victoria beet op haar tong en knikte. Ze had haar spichtige neef niets te zeggen. Als ze alleen al naar hem keek, kreeg ze kippenvel. Kon ze zijn miljoen aanvechten? Misschien wel.

'Ik bel u morgen, tante Tori, verdriet kan in vele gedaanten toeslaan,' zei Edward, en hij vertrok.

Ze keek toe hoe Paul het probleem Demelza Williams afvoerde. Wanneer had Charles haar bedrogen? Demelza leek een jaar of tweeëntwintig, misschien ouder. Ze wendde zich tot Sebastian. Nu waren ze alleen.

'Hoe heb je dit ooit voor me verborgen kunnen houden?' Victoria stond op en het viel haar op hoe moe Sebastian eruitzag. Onder zijn gebruinde huid zag hij bleek en de vonk was uit zijn ogen verdwenen. Herinneringen aan een andere tijd kwamen bij haar naar boven, aan teleurstelling en verlies.

'Het kon niet anders.'

'Ik ken je al sinds mijn twaalfde.'

'Dat weet ik.' Hij woelde met zijn handen door zijn haar en keek haar aan, zijn grijze ogen stonden verdrietiger dan ze in jaren had gezien. 'Maar ik was het verplicht en ik moest zeker weten dat alles wettelijk correct verliep. Ik ben een van de executeurs-testamentair van deze nalatenschap en heb me aan de wet te houden.'

'Aan de wet te houden,' sneerde Victoria. 'Laten we daar ook maar vriendschap en stompzinnige loyaliteit aan toevoegen.' Ze liep naar het raam en keek de tuin in. Wat moest ze verdomme doen? Waar moest ze beginnen? 'Wanneer kwam je te weten dat er een bastaardkind was?'

Stilte.

'Mijn hemel, weet je het al zo lang?' Ze betastte het parelsnoer om haar hals; ze had Audrey gevraagd om haar te helpen het om te doen. 'Waren er anderen?'

'Nee.'

'Hoe oud is deze Demelza?'

'Vijfentwintig.'

Victoria deed haar ogen dicht. Dat was toen ze Charles had gedwongen om nog één vruchtbaarheidsbehandeling te doen en ze nog amper met elkaar spraken. Ze had de veertig voor zich zien opdoemen en wist dat haar tijd opraakte. Maar tijd was nooit het probleem geweest. Haar verdomde lijf, dat was de moeilijkheid geweest. Hetzelfde lijf dat olympisch zwemkampioen had kunnen worden, als haar vader niet had gezegd dat het tijdverspilling was, dat zoiets een dochter van hem niet paste. Als Perry atletisch aangelegd was geweest en in die positie had verkeerd, had hij hem aangemoedigd. Maar zij was geboren om te baren, en dat was nou net het enige wat ze niet kon.

'Wie was de moeder?'

'Ene Morwenna Williams.' Hij schudde zijn hoofd. 'Ik vind het echt heel erg.' Sebastian stak een hand uit om over haar schouder te strijken, maar Victoria deinsde terug.

'Jij!' Ze schudde haar hoofd. 'Het is al erg genoeg dat die verdomde heilige Charles zijn huwelijksgeloften heeft gebroken en er een minnares op na hield, maar jij, Sebastian John Andrew Roberts, jij wíst het.' Ze lachte verbitterd. 'Jouw verraad is zo mogelijk nog erger, maar aan de andere kant vermoed ik zomaar dat je vond dat het mijn verdiende loon was.' Ze wendde zich van hem af. Ze kon de blik in zijn ogen niet verdragen en ging zitten. Ze zette haar ellebogen op tafel en legde haar hoofd in haar handen, probeerde helder na te denken. Ze zou de wet aan haar zijde hebben. Maar, en dat was een grote maar, ook al zou ze het geld van Demelza Williams terug kunnen vorderen, zou dat dan genoeg zijn?

'Heeft die vrouw de verandering in Charles' testament veroorzaakt?'

'Zou kunnen.'

'Dat secreet.' Victoria richtte zich op. 'Waar is ze nu? Zocht hij haar elke keer dat hij in Londen was op?'

'Nee.' Sebastian ging naast haar zitten. 'Het was jaren geleden al afgelopen.'

'Als dat zo was, wat heeft zij er dan mee te maken?'

'Ze is twee maanden geleden overleden.'

Wat kon ze doen? Opnieuw bleef ze machteloos achter. Gal rispte op in haar keel. God, wat haatte ze haar vader nog steeds. Maar Charles was nog erger dan haar vader. Iedere man van wie ze ooit in haar leven had gehouden, had haar bedrogen, en nu zelfs Sebastian.

Dit was een droom en als Demi wakker werd zou ze ontdekken dat ze op zwart zaad zat en dat Matt de seksvideo van haar en hem op internet had gezet. Dát was de realiteit van haar leven. Niet dat ze een rijke erfgename was. De priester was alleraardigst geweest, maar werd weggeroepen. Hij had gevraagd of ze daar wilde wachten en had gezegd dat Sebastian Roberts straks naar haar toe zou komen. Haar gedachten maalden door haar hoofd. Ze bezat een half huis en twee miljoen pond. *Twee miljoen pond.* Ze had haar moeders levensverzekering van tienduizend pond al een fortuin gevonden.

Maar toch leek het alsof in alles wat er was gezegd gecodeerde berichten verstopt zaten. Iedereen had de onderliggende tekst begrepen, behalve zij. Zoals de reden waarom Charles haar een half huis had nagelaten. Waarom had hij haar niet gewoon geld geschonken, zoals hij ook met zijn neef had gedaan? In plaats daarvan kreeg ze noodgedwongen te maken met zijn vrouw en dat, zo wist Demi ook wel, zou nog knap lastig worden.

Haar telefoon tingelde. Het was Sophie.

Hoe gaat het? Heeft hij je iets nagelaten wat de moeite waard is, geld bijvoorbeeld? Sx

Wat zou ze zeggen?

Ja. Vertel 't je vanavond wel. Dx

Ze keek naar de bar toen ze hoorde dat iemand in een schorre lach uitbarstte. Ze stond buiten dit alles, maar had het gevoel dat ze in een maalstroom werd meegesleurd. Ze kon het gevoel niet verklaren, maar angst wervelde om haar heen. Deze erfenis was minder goed nieuws dan op het eerste gezicht leek. Onder het oppervlak lagen problemen op de loer die haar omlaag konden sleuren, en dat was wel het laatste waarop ze zat te wachten.

De notaris kwam binnen en bleef bij de bar staan. Hij pakte een paar menu's en ging bij haar zitten. 'Ik weet uit betrouwbare bron dat het beste wat vandaag op het menu staat de worstjes en de puree zijn, hoewel minder goed voor mijn omvang.' Hij klopte op zijn platte buik. 'Nou, Demelza, ik kan me voorstellen dat je heel wat vragen hebt, maar zullen we eerst lunch bestellen?'

Ze knikte. 'Noem me alsjeblieft Demi. Niemand noemt me Demelza.'

Hij fronste zijn wenkbrauwen. 'Oké, Demi, wat zal het zijn? Worstjes met puree of in beslag gefrituurde saucijzen?'

Ze wilde geen van beide. 'Graag een boerensandwich met cheddar.'

'Goeie keus. Dan ga ik dat even bestellen.' Hij glimlachte naar haar. 'Een glas wijn?'

Ze knikte. Door de wijn kon ze misschien beter nadenken.

'Wit of rood?'

'Wit graag, droog.' Hij knikte en liep naar de bar. Welke vraag zou ze het eerst stellen? Die over haar vader? Wat ze vandaag over hem had gehoord paste niet in het plaatje van hem dat op haar eigen leven sloeg. En afgezien van haar vader wist Demi eigenlijk niet wat ze met die erfenis aan moest.

'Gebeurd. Nou, waar zullen we beginnen?' Hij keek haar met begripvolle grijze ogen aan.

Ze schraapte haar keel. 'Dat vroeg ik me net ook al af.'

'Met welke vraag zit je het meest?' Hij leunde op de bank naar achteren en ze zag dat hij haar nauwlettend opnam.

Ze deed haar mond open om precies dat te zeggen wat er op dat moment in haar opkwam, en dat was: is Victoria Lake echt zo naar als ze eruitziet? Maar ze bedacht zich. 'Vertel me over Charles Lake.'

'Dat is gemakkelijk.' Hij glimlachte. 'Ik kende Charles al vanaf zijn zesde. We hebben samen op de basisschool gezeten en hij sprong tegen massa's bullebakken voor me in de bres. Toen was Charles nog groot voor zijn leeftijd. Hij heeft er ooit een een stomp op zijn neus verkocht, die met een bloedend gezicht naar de onderwijzer rende.' Hij schudde zijn hoofd. 'Toen de onderwijzer naar buiten kwam om Charles te zoeken, probeerde ik tussenbeide te komen en de schuld op me te nemen, maar daar wilde hij niet van horen en hij heeft de onderwijzer nooit verteld waarom hij dat joch had geslagen. Hij moest bij de hoofdmeester komen en nablijven, wat hij deed zonder er een woord aan vuil te maken.' Hij nipte van zijn wijn. 'Dat is illustratief voor de man die hij is geworden. In zaken was hij meedogenloos maar eerlijk, en hij had altijd oog voor de minderbedeelden onder ons.'

Ze leunde naar voren. 'Maar dat klopt niet.' Ze zweeg en vroeg zich af of ze wel zou zeggen wat er op haar hart lag, maar hij glimlachte bemoedigend naar haar. 'Hij was een man die zijn vrouw bedroog en zijn kind aan haar lot overliet.' En hij hield niet van mij, voegde ze er stilletjes aan toe. Ze zag dat hij deze informatie liet bezinken en dacht – maar heel zeker wist ze het niet – dat hij een tactisch, nietszeggend antwoord aan het verzinnen was.

'Dat klopt, zo is het misschien inderdaad gegaan, maar in mijn leven heb ik wel geleerd dat dingen heel vaak niet zijn wat ze lijken. En eigenlijk geldt dat in zekere zin ook voor het verhaal dat ik je net heb verteld. Charles werd door zijn onderwijzer en hoofdmeester een bullebak genoemd, en toch klopte daar helemaal niets van. Hij was een voorvechter, niet iemand die anderen koeioneerde.'

Demi keek hem even aan. 'Het hangt er maar van af hoe je ernaar kijkt. Wij hebben het niet breed gehad, ik heb de liefde van een vader moeten missen en als echtgenoot was hij Victoria ontrouw. Dat zijn ook feiten.'

Hij glimlachte. 'Ja, de wereld is overwegend grijs. Maar één ding moet ik rechtzetten. Je vader hield wel degelijk van je. Dat moet je goed onthouden.'

'Ik kan me niets van hem herinneren.' Terwijl ze dit zei, dacht ze aan de foto's in haar grootvaders fotoalbum.

'Ik kan je vertellen dat je altijd in zijn gedachten was en dat hij werd achtervolgd door het verdriet dat hij jou moest missen.'

'Niet genoeg om er iets aan te doen.'

Sebastian lachte droogjes. 'Zo lijkt het inderdaad, maar hij respecteerde de wens van je moeder.'

'De wens van mijn moeder?' zei Demi met gefronst voorhoofd.

'Ja, het was haar beslissing dat Charles in geen enkel opzicht deel zou uitmaken van jouw leven. Charles was nu eenmaal Charles, hij moest dat wel respecteren omdat hij ervoor koos om Victoria niet in de steek te laten.'

En daar lag nou net het probleem, dacht Demi. Victoria had hem vast stevig onder haar zorgvuldig gemanicuurde duim gehad.

ZOMER

*Beweer niet dat je een ander door en door kent totdat
je een erfenis met hem hebt gedeeld.*

JOHANN KASPAR LAVATAR

12

*L*eunend op zijn wandelstok stond haar grootvader haar op het perron op te wachten. Zijn gezicht begon te stralen toen Demi uit de wagon stapte. Een vriendelijke man hielp haar bij het uitladen van haar tassen en dozen uit de trein. Er waren twee grote koffers en drie vuilniszakken met spullen, plus haar portfolio en desktopcomputer. Dat was haar leven, afgezien van de laptop die over haar schouder hing. Er was niets meer in Londen achtergebleven.

'Hallo, meisje van me. Ik ben met de auto. Ik dacht dat we die misschien nodig zouden hebben, en zo te zien klopt dat wel.'

'Sorry.'

'Hoeft niet, hoor. Ik kan een tas dragen, maar ik denk dat we een paar keer moeten lopen.

'U mag niets dragen!'

'Onzin. Ik mag dan naar een verzorgingshuis vertrekken, maar invalide ben ik nog niet.'

Demi wilde ertegenin gaan, maar toen ze de uitdrukking op zijn gezicht zag gaf ze hem de lichtste tas. Het station was nu verlaten, dus konden ze de spullen veilig op het perron achterlaten. Samen liepen ze naar de auto en ze zorgde dat hij daar bleef terwijl zij heen en weer liep voor haar spullen. Uiteindelijk was er voor haar geen ruimte meer in de auto en ging zij lopend naar het huis van haar opa, nadat ze hem had laten beloven dat hij moest wachten met uitladen tot zij er was. Zijn heup was in de drie weken dat ze in Londen was geweest duidelijk nog verder achteruitgegaan.

Ze was dankbaar dat hij zo begripvol was. Hij leek alles te nemen zoals het kwam, maar ze was te laat hiernaartoe verhuisd om te voorkomen dat hij naar het verzorgingshuis moest. Als ze nou twee maanden eerder naar hem toe was gegaan, had hij misschien nog in zijn eigen huis kunnen blijven. Maar de zaak was nu al zover in gang gezet dat het niet meer teruggedraaid kon worden. Hoe dan ook, zijn geheugenproblemen hielden aan. Ze wist niet of dat normaal was voor zijn leeftijd of dat zijn versprekingen op iets ernstigers duidden, en in dat geval had hij sowieso professionelere hulp nodig. Bovendien had de huurbaas het huis alweer verhuurd en de nieuwe huurders zouden over een week komen.

Ondanks zijn belofte deed haar grootvader een poging om een tas uit de kofferbak te halen toen ze aankwam. 'Stop!' Demi sprintte het laatste stukje. 'U had het beloofd.'

'Ik kon er niets aan doen, en als ik hem al niet kan tillen, dan kun jij het toch helemaal niet?' Hij deed een stap achteruit toen Demi bij hem was, nog nahijgend van het hardlopen.

'Goeie vraag, maar het gaat best, hoor.' Ze nam het handvat van hem over, zakte iets door haar knieën en tilde de grootste tas uit de auto.

'Ik kan hem naar het trapje rollen.' Hij keek haar verontschuldigend aan en Demi wilde hem wel omhelzen. Hij hield van haar. Hij probeerde te helpen, en wat was ze dankbaar dat hij er was. Anders zou ze dakloos zijn. Ze was zo'n sukkel, maar dit was niet het moment om daarbij stil te staan. Eens een sukkel betekende niet altijd een sukkel. Ze kon en zou van haar fouten leren. Ze zou niemand meer vertrouwen, en dan zou alles uiteindelijk goed komen.

Maar nu moest ze haar spullen uit haar grootvaders auto zien te krijgen. Dan zou ze bedenken wat ze ging doen. Ze had geen idee wanneer ze de erfenis van haar vader kreeg, en de verzekeringsmaatschappij zat nog altijd boven op het geld van haar moeder. Sebastian had gevraagd of ze over twee dagen naar Boscawen wilde komen, voor een bespreking. Klaarblijkelijk dacht hij dat een ontmoeting daar ter plaatse kon helpen, maar Demi zag gewoon niet in hoe een bijeenkomst op Victoria's terrein ook maar iets zou veranderen. De vrouw haatte haar, en vanuit haar standpunt kon ze dat best begrijpen. Ze maakte zich meer zorgen om de gezondheid van haar opa en het feit dat hij de volgende dag naar het verzorgingshuis ging. Ze wilde niet nadenken over waar ze de dag daarna moest gaan wonen, als ze het huis uit moest zodat het kon worden schoongemaakt voor de nieuwe huurders.

'Eet wat, kind.' Haar grootvader keek naar al het eten dat nog op haar bord lag en toen naar Demi.

'Sorry, ik ben er met mijn hoofd niet bij.'

'Dat zie ik, maar eet je eten op en zorg dat dit een gedenkwaardige laatste avond wordt.' Hij glimlachte.

'Ik vind het zo erg.'

'Het valt wel mee, hoor. Hoewel de timing van deze verhuizing beter had gekund.' Hij gaf haar de schaal erwten aan en Demi schepte plichtsgetrouw een lepelvol op haar bord. Het was een heerlijke maaltijd van geroosterd lamsvlees, gebakken aardappels en doperwten, en op het aanrecht stond nog een toetje. Ze moest ophouden met het eten op haar bord rond te schuiven. Hij had zo zijn best gedaan om er iets speciaals van te maken.

'Dit is echt heerlijk. Waar hebt u leren koken?'

Hij lachte. 'In elk geval niet van je grootmoeder, dat is een ding dat zeker is.' Hij keek naar het dressoir. 'Mijn moeder kon fantastisch koken en heeft als kokkin gewerkt, dus dat heb ik van haar geleerd.'

'Komt het dressoir soms bij haar vandaan?'

'Nee, je overgrootouders hadden niet ver van hier een boerderij.' Hij keek door de keukendeur naar de tuin. 'Toen je oma en ik trouwden, hebben we die meubels van hen gekregen, als start voor ons nieuwe leven.'

'Wat een prachtig cadeau.'

'Inderdaad. Toen woonden we in een groter huis en ik gaf les in het noorden van Cornwall, maar tegen de tijd dat je moeder was geboren waren we naar een kleiner huis in Falmouth verhuisd.' Hij knikte naar het dressoir. 'Zoals je ziet, was het een beetje passen en meten.'

'Maar zo ontzettend mooi.'

'Je grootmoeder hoopte dat ze het ooit aan je moeder kon doorgeven, maar Wenna had zo haar eigen ideeën.'

'Inderdaad. Niet dat het in de flat zou hebben gepast.'

Hij lachte. 'Nee, dat ging niet. Ik weet eigenlijk niet wat ik er nu mee aan moet. Jij wilt het zeker niet hebben?'

'Ik vind het heel mooi, maar ik heb er momenteel geen plek voor.'

Hij glimlachte. 'Ik hoopte al dat je dat zou zeggen. Ik heb een babbeltje gemaakt met een van mijn oud-leerlingen voor het geval je het wilde, en hij zet het zolang in zijn garage, samen met de stoelen van zolder, als je die ook wilt hebben. Ik kan een paar meubels meenemen naar het tehuis zodat ik wat spulletjes van mezelf heb, maar anders had ik alles aan de huurbaas verkocht.' Hij haalde diep adem. 'Ik heb er alleen spijt van dat ik mijn buurman al had beloofd dat hij de auto kon kopen.'

'Dat geeft allemaal niks.' Ze raakte zijn hand aan.

Zijn gezicht werd somber toen hij naar de tuin keek. Alles stond schitterend in bloei. Ze reikte over de tafel en pakte zijn hand vast.

'Ik weet zeker dat het gezin dat hier komt wonen er goed voor zal zorgen.'

'Het is toch mal dat ik zo gehecht ben aan zo'n kleine tuin, maar ik ben er echt dol op.'

Demi zuchtte. Ze wenste dat haar moeder er nog was en dat er een manier was om haar grootvader in het huis te laten wonen dat hij al zo lang als zijn thuis had beschouwd.

Hij wilde opstaan, bleef toch zitten en keek Demi aan. 'Niet dat het belangrijk is, maar je overgrootmoeder was vroeger kokkin op Boscawen.'

'Uw moeder, die u heeft leren koken?'

'Ja. Vroeger hielp ik haar tijdens mijn zomervakanties in de keuken.'

'Dus u kent Boscawen.'

Hij knikte. 'Het is een bijzondere plek.'

'Vertel me er eens iets over?' Ze legde haar vork neer en keek haar grootvader aandachtig aan.

'Nou, het is oud. Een deel ervan gaat terug tot de zestiende eeuw en sommige gedeelten zijn echt schitterend.' Hij fronste zijn voorhoofd. 'Ik heb het grootste deel van de tijd in de keuken doorgebracht, die wanhopig aan een modern jasje toe was.' Hij glimlachte. 'Je moet het me vertellen als ze er iets aan gedaan hebben, vooral aan de tuin. Dat was een magische plek.'

'Zal ik doen.' Ze nam een hap lamsvlees. 'Waarom denkt u dat mijn vader mij de helft heeft nagelaten?'

'Het eerste wat in me opkomt is schuldgevoel.' Hij stond langzaam van zijn stoel op. 'Maar misschien heeft het om de een of andere reden iets voor je moeder en hem betekend.'

Ze fronste haar wenkbrauwen. 'Had hij het toen al in zijn bezit?'

Hij schudde zijn hoofd. 'Na de dood van Peregrine Tregan, in de jaren tachtig, is het aan een vreemde verkocht.' Hij zuchtte. 'Grappig dat ik me sommige dingen wel kan herinneren en andere weer niet, zoals mijn ontbijt van vandaag.'

Ze liep naar hem toe en sloeg haar armen om hem heen. 'We hebben samen havermoutpap gegeten in de tuin.'

Ze kuste hem op de wang. Misschien was het verzorgingshuis toch maar het beste, totdat ze het geld van haar vader had en ze een mooie plek kon zoeken waar ze samen konden wonen.

13

*V*ictoria liep door de keuken te ijsberen. Niet te geloven dat ze had ingestemd met een ontmoeting hier met het bastaardkind. De geschatte advocaatkosten om het testament op zo veel fronten aan te vechten duizelden haar nog steeds, dus voordat ze op dat pad verder zou gaan, wilde ze eerst proberen een beroep te doen op eenieders gevoel voor wat eerlijk en rechtvaardig was. Het klopte van geen kant dat zij, Charles' weduwe, met zo weinig achterbleef. Als ze het extra geld van de liefdadigheidsinstellingen kon terugvorderen, kon ze de bastaard een bedrag ineens aanbieden om haar uit Boscawen uit te kopen. Uiteraard zou Victoria dan nog steeds met het probleem zitten dat ze te weinig geld had om haar plannen te verwezenlijken, nou ja, snel te verwezenlijken.

Sam kwam de moestuin uit en sloeg links af. Victoria stopte met ijsberen, dankbaar dat ze in elk geval genoeg geld had om zijn salaris door te betalen. En nadat ze de rekeningen eens goed had bekeken, kon ze het net redden om het huis te blijven runnen zoals ze deed, met schoonmaker en al. Het hield echter niet over. Ze had te eten, maar dat was haar laatste zorg. Boscawen was niet goedkoop en ze wist niet zeker of ze zich de extra hulp kon veroorloven die ze onlangs voor de tuin had ingehuurd, twee jongens die het niet voor niets deden. Ze wreef over haar slapen. Waarom hielden ze die bijeenkomst nu, terwijl ze nog geen reactie van de liefdadigheidsinstellingen had ontvangen?

Ze hoorde het geluid van knerpend grind op de oprijlaan. Ze streek haar haar glad en liep naar de voordeur. Ze moest er vooral voor zorgen dat Demelza zich onwelkom en absoluut niet op haar gemak voelde. Nee, niet slecht op haar gemak, ze moest zich schuldig voelen. Demelza had geen recht op Boscawen, hoewel Victoria moest toegeven dat ze, afgezien van zijn genen, best recht had op iets van Charles. Ze fronste haar voorhoofd. Volgens Sebastian had Charles nooit iets betaald aan de opvoeding van het kind en dat paste niet in het beeld dat zij van haar echtgenoot had. Hemeltjelief, het had wel geleken alsof hij voor elk slim maar arm kind uit Cornwall de opleiding had willen betalen. En omdat dit de armste streek van het Verenigd Koninkrijk was, had hij daar een groot deel van zijn kapitaal aan gespendeerd. Cornwall was ooit de rijkste provincie geweest, en nu zat die aan de grond, net als Victoria. Hoe had hij haar dit kunnen aandoen?

Ze deed de voordeur open. Zonlicht stroomde naar binnen en ze wist dat ze ervoor moest zorgen dat dit lukte. Op de een of andere manier moest ze Boscawen zien te redden. Ze wist niet waarom. Victoria had zelf geen erfgenaam, maar het was wel haar erfgoed. De tuin, ontworpen door en zo dierbaar voor haar overgrootmoeder, was iets wat ze aan de wereld hoorde na te laten. De naam Tregan zou verbonden zijn met de mooiste tuinen, de tuinen van Cornwall. Dat was wat ze aan Charles had willen vertellen, dat ze het landgoed wilde schenken aan zoiets als de National Trust, zodat iedereen ervan kon genieten. Hij zou het ermee eens zijn geweest, dat wist ze zeker. Tenslotte was dat ook liefdadigheid. Waarom had ze dat nooit tegen hem gezegd? Ze slaakte een zucht. Nu was niet het moment om bij het verleden stil te staan. Ze moest zorgen dat de toekomst zou slagen.

Ze plakte een glimlach op haar gezicht en stapte uit de schaduw van de deur de oprijlaan op om het kind van haar man en de mede-eigenaar van Boscawen te begroeten. Haar hart bevroor bij de gedachte, maar ze lette er niet op en liep naar de auto. Sebastian schoof net achter het stuur van de Jaguar vandaan.

'Goedemiddag, Tori.' Hij schermde zijn ogen met een hand af en keek om zich heen. Victoria zag dat Sam, die met een kruiwagen bezig was het bed onder de pergola met de pruimenbomen leeg te maken, daarmee was opgehouden om naar de nieuwe bezoeker te kijken.

Victoria verplaatste haar blik van Sam naar Demelza toen die uit de auto stapte. Ze was zo bleek, onnatuurlijk gewoon. Zelfs Charles had met zijn deegachtige huid nog meer kleur gehad. Kwam ze dan nooit buiten? Demi's mond ging open en vormde een o, toen viel ze en Sam haastte zich naar haar toe om haar op te tillen.

'Hemeltjelief, wat is er met haar aan de hand?' Victoria keek naar het slappe lichaam in Sams armen terwijl hij haar naar de zitkamer droeg. Ze wist dat Boscawen indrukwekkend was, maar zo indrukwekkend nou ook weer niet. Natuurlijk was het overweldigend voor iemand die niet met zoiets was opgegroeid; nog een reden waarom Charles' dochter geen recht had op de helft.

Demi rilde en er werd een zachte deken over haar heen gelegd. Beelden schoten door haar hoofd: reuzinnen en ogen, en in haar mond de smaak van oudbakken gemberkoekjes. Ze had die nachtmerrie in geen jaren gehad, maar hier in Cornwall bleven de beelden haar ook overdag achtervolgen. Ze was echter niet flauwgevallen vanwege de reuzin of de ogen. Het kwam door de deur. Ze kende die deur.

Als kind werd ze schreeuwend om hulp uit die nachtmerrie wakker. Haar moeder had haar verteld dat de droom stamde uit de tijd van haar blindedarmoperatie. Ze had verschrikkelijk veel last gehad van de narcose en een antibioticum, en, zo had haar moeder uitgelegd, door de medicatie had Demi waarschijnlijk beelden uit films en boeken door elkaar gehusseld. En dat alles was uitgegroeid tot haar nachtmerrie.

Maar nu wist Demi zeker dat het niet onder invloed van medicijnen uit haar eigen fantasie was ontstaan. Het kwam door de deur van Boscawen. Ze wist niet hoe ze die kende, of wat de reuzen en ogen met Boscawen te maken hadden, maar haar jonge geest had ze met elkaar in verband gebracht en de doodsangst die ze had ervaren was nog even echt.

Een koele hand raakte haar voorhoofd aan en ze deed haar ogen open.

'Hoi. Hoe gaat het nu?' vroeg een donkere stem.

Demi knipperde met haar ogen en focuste zich, staarde in de mooiste blauwe ogen die ze ooit had gezien. 'Eh, ik weet het eigenlijk niet.'

'Het was een schitterende entree.' Ze moest lachen om zijn Australische accent.

'Niet met opzet.'

'Trouwens, ik ben Sam.' Zijn ogen leken te dansen op een geluidloze lach.

'Demi.'

'Dat weet ik. Je lijkt wel wat op je vader.' Hij hield zijn hoofd schuin. 'En jij bent de oorzaak van het hele drama.'

Ze fronste haar wenkbrauwen.

'Geintje. Sorry. Slecht moment om er een grap tussen te gooien.'

Ze glimlachte om zijn berouwvolle blik. 'Inderdaad, maar voor deze keer is het je vergeven.'

'Mooi zo. Nou, ik zal opnieuw beginnen, maar dan een beetje beter.' Hij grinnikte. 'Kom je altijd zo op of waren het de zenuwen?'

Ze slikte, ze had nog steeds een droge mond van de gembersmaak. 'Goddank alleen de zenuwen.' En de wetenschap dat ze op de een of andere manier eerder op Boscawen was geweest. Ze wist niet hoe, maar ze kreeg kippenvel toen ze het herkende.

'Hoe kwam je er in godsnaam bij om haar mee hiernaartoe te nemen?' Victoria stond in de hal tegenover Sebastian.

'Het is nu ook van haar.'

Ze sloeg haar armen over elkaar. Anders zou ze hem ter plekke een klap hebben verkocht. 'Doe niet zo belachelijk! Boscawen kan nooit van haar worden.'

'Tori, je bent onredelijk en wettelijk heb je geen poot om op te staan.'

Ze knarsetandde. 'Waarom heb je hem dit laten doen? Je wéét toch wat het voor me betekent?'

'Hij kon doen waar hij zin in had en hij hééft een regeling voor je getroffen.'

Ze wendde zich af van de goedbedoelende blik in zijn ogen. Hij had het recht aan zijn zijde. Hij had altijd gedaan wat goed was, deed een stap opzij als zij juist wilde dat hij knokte. Was altijd de betere man, de betere mens. Sterker nog, hoe meer ze erover nadacht, hoe meer ze begreep waarom Charles zo veel aan liefdadigheid weggaf. Hij wilde zijn best doen om meer op Sebastian te lijken. Charles had natuurlijk geweten wat in al die afgelopen jaren haar grote liefde was geweest, en kijk nou eens waartoe dat had geleid: ze moest het huis delen met Charles' liefdesbaby.

'Sebastian, jij weet net zo goed als ik dat een verdeeld landgoed niet gaat werken, en Charles heeft me niet genoeg nagelaten om haar uit te kopen.'

'Ze heeft een naam, Demelza, of Demi, dat heeft ze liever. Ze is een goeie meid.'

'Ze is geen meid, maar een volwassen vrouw. Ze krijgt het zelfs voor elkaar,' ze zweeg en draaide zich om om een blik de kamer in te werpen, 'om Sam uit haar hand te laten eten.'

Seb grijnsde. 'Jaloers?'

Ze kneep haar ogen samen, deed haar best hun lichaamstaal te lezen. Sam zat geknield bij de bastaard, naast Victoria's lievelingsstoel, waarin hij haar voorzichtig had neergezet. Ze had de blik op zijn gezicht gezien toen hij haar optilde. Hij was smoorverliefd. Hoe was dat zo gauw gebeurd? Voor zover zij wist, had hij in de twee jaar dat hij in Cornwall was nog nooit iets met iemand gehad. Niet dat hij geen sociaal leven had, maar er was niemand in het bijzonder geweest. Ze had de geruchtenmolen zorgvuldig in de gaten gehouden, en daar was nooit iets opvallends uit naar voren gekomen. En toch was het duidelijk dat hij werd betoverd door de bastaard.

'Tori.'

'Noem me geen Tori! Charles had het recht niet om mijn huis weg te geven of me in deze penibele situatie te brengen.'

'Je zou het kunnen verkopen en naar Londen kunnen verhuizen.'

Ze draaide zich met een ruk om, balde haar vuisten strak tegen haar zijden. 'Mijn hele leven heb ik naar de pijpen van anderen gedanst. Ik heb gewoond waar me dat werd gezegd en ben weggegaan van de plek die me het dierbaarst was omdat ik er geen recht op had, en nu vraag je me om het enige wat ik ooit heb gewild op te geven?'

Hij sprak op zachte toon. 'Ik heb je ooit om één ding gevraagd.'

'Dat is niet eerlijk.' Ze ontspande haar vuisten. 'Jij bent weggegaan.'

'Niet voorgoed. Dat wist je best.'

Victoria zuchtte. 'Dat ligt achter ons en dit is het heden, dit is nu van míj.' Ze keek nogmaals de zitkamer in en zag hoe ze zaten te praten. Victoria snapte wel dat ze moest ophouden om in termen van een bastaardkind aan Demelza te denken, maar ze wilde het niet. 'Charles heeft me nooit begrepen, maar ik had gedacht dat hij wist wat Boscawen voor me betekende. Daarin heb ik me duidelijk vergist, heel erg vergist.' Ze liet haar schouders zakken en werd overmand door vermoeidheid. Ze draaide zich om en keek naar Sam, die nog altijd naast het meisje zat. Hij was jong genoeg om haar zoon te kunnen zijn, het kind dat ze nooit had gekregen. Natuurlijk gold dat ook voor het meisje.

'Laten we die verdomde bijeenkomst maar zo snel mogelijk afwerken.' Victoria beende naar de kamer.

Demi ging rechtop in de stoel zitten. 'Wie ben jij, Sam?' Ze bekeek hem aandachtig, zag hoe bruin hij was. Hij had ruwe handen en op zijn onderarmen zaten wat grondvlekken. Toen ze opkeek, zag ze dat er een twijgje in zijn bruine haar zat. Ze glimlachte.

'De tuinman.'

Dat verklaarde het twijgje. 'Heb je het hier naar je zin?'

Hij knikte. 'Het is een fijne plek.'

Ze keek de kamer rond, duwde het déjà-vugevoel weg dat hier iets akeligs was gebeurd. Ze wreef over haar slapen. Dit sloeg gewoon nergens op en ze moest haar hoofd helder krijgen. Sebastian had haar verteld dat Victoria niets van haar moest hebben, hoewel ze dat zo ook wel had geweten, en tijdens de rit naar Boscawen had hij uitgelegd welke mogelijkheden er voor Demi openlagen.

Ze zag dat Victoria en Sebastian in de hal stonden te praten. Ze spraken op gedempte toon, dus ze kon niet verstaan wat ze zeiden, maar de lichaamstaal tussen die twee was verwarrend. Het ene moment was die heel formeel en het volgende leek er een soort intimiteit tussen hen te zijn. De een deed een stap naar voren en de ander een terug, maar soms niet helemaal; het leek haast wel een dans. Ze kneep haar ogen toe en probeerde er wijs uit te worden.

Plotseling draaide Victoria zich naar haar toe en ving Demi's blik op. Demi verstarde. Een konijn in de koplampen? Vergeet het maar, dit was erger. De haat in die blik was dodelijk. Ze haalde diep adem. Het zou oorlog worden en ze moest sterk zijn. Een onwillekeurig lachje ontsnapte aan haar mond.

'Alles goed?' Sam legde een hand op haar arm. Het contrast van hun beider huid was onthutsend.

Demi wendde haar blik van de donkere en de bleke huid af. 'Ja, ik geloof het wel. Hoe is ze?'

'Mevrouw Lake?'

Ze knikte.

'Vastbesloten en een fantastische baas.'

Vastbesloten. Hmm. Dat was wel duidelijk toen Sebastian en Victoria vanuit de hal naar hen toe kwamen. Demi wendde haar blik van hen af en bestudeerde de kamer. Die was groot, met vier openslaande deuren die op een terras uitkwamen, waardoor het vertrek in het licht baadde. Maar de lijnen van de ramen werden overspoeld door zware fluwelen gordijnen en hoewel de meubels mooi waren, was de stoffering saai. Goede botten maar geen schwung. Met verscheidene stijlen kon je hier een bijzondere kamer van maken in plaats van een landhuis dat in de jaren zeventig was blijven hangen. Nadat ze Victoria's Chanel-mantelpakje had gezien, had ze een huis verwacht dat net zo elegant zou zijn, maar Boscawen, of in elk geval deze kamer, zag er moe uit. Ze hadden toch zeker wel geld gehad voor een binnenhuisarchitect, als Victoria het niet zelf wilde doen?

'Hoe gaat het nu met je?' Sebastian ging op de bank zitten.

'Beter, dank je.' Ze keek van hem naar Victoria. Haar gezicht was een beheerst masker. Geen spoor meer van de haat die ze enkele ogenblikken geleden had gezien.

'Goed, als Tori dan ook wil gaan zitten en Sam...' Hij glimlachte naar hem. 'Wil jij ons alsjeblieft alleen laten?'

'Natuurlijk.' Sam wierp Demi een bemoedigende blik toe en liep met een knikje naar Victoria de kamer uit.

Demi keek hem na terwijl hij de deur uit liep en vroeg zich af wat er komen ging.

Victoria ging in de oorfauteuil zitten. Precies dezelfde stoel als die van haar vader, tot aan het bruine fluweel aan toe. Ze streek over de stof. Dit was haar huis. Dat zou nooit aan Demelza toebehoren. Ze klemde haar kaken op elkaar toen ze aan Charles dacht en aan wat hij had gedaan, dat hij haar met zijn dochter had opgezadeld. Wanneer was hij tot dat besluit gekomen? Ze had het aan Sebastian gevraagd, maar die had simpelweg gezegd dat Charles tot het laatste moment voordat hij uit Londen vertrok nog wijzigingen in het testament had aangebracht. Had hij dat gedaan omdat hij haar met Adam had gehoord? Waren deze instructies van Charles van recente datum of van langer geleden?

'Jullie hebben nu allebei een kans gehad om de inhoud van Charles' testament te laten bezinken.' Sebastian keek naar Demelza en wendde zich toen tot Victoria. Victoria had meer gedaan dan er alleen naar kijken: ze had het helemaal uitgeplozen om te zien of het ergens barsten vertoonde. Toen ze die niet had gevonden, had ze geprobeerd Sebastian uit te horen of er nog iets mogelijk was. Toen dat mislukte, had ze op aanbeveling van Audrey een peperdure advocaat in de arm genomen.

'Hij wilde dat jullie Boscawen zouden delen en daarom heeft hij het zo geregeld.' Sebastian zweeg even en Victoria grimaste terwijl ze zijn woorden tot zich door liet dringen. Ze moest hem aan de tand voelen over deze regeling.

'Ik besef heel goed dat jullie daar helemaal geen zin in hebben.'

Victoria keek naar Demelza's bleke gezicht. Zo te zien was ze niet op Boscawen gebrand en leek ze er zelfs in de verste verte geen belangstelling voor te hebben. Ze hield haar gewelfde mond net zo getuit als Charles altijd deed als iets hem niet aanstond. Te bedenken dat ze dat ooit wel lief had gevonden. Nu kon ze het wel uitschreeuwen.

'Ik weet zeker dat jullie beseffen dat je slechts twee keuzes hebt.' Hij keek ze om de beurt aan. Victoria hield Demi nauwlettend in de gaten. Ze rechtte haar schouders. 'Jullie kunnen Boscawen houden en samenwerken om het landgoed te beheren, of jullie kunnen het verkopen.'

Victoria las de gezichtsuitdrukking van het meisje. Ze wilde ervanaf. Dat zou Victoria ook willen als ze in haar schoenen stond. Victoria was er woedend over dat als ze Boscawen wilde houden, ze moest tolereren dat deze belediging van haar huwelijk, haar persoon en haar ziel mede-eigenaar was. Want hoe Victoria ook met de cijfers had gegoocheld, ze kon Demelza niet uitkopen. Zelfs als ze heel Boscawen en de vier miljoen had gekregen, zou het nog een hele toer zijn geweest om de eindjes aan elkaar te knopen.

'Welke route jullie ook volgen, er is nog niets definitief totdat het testament is bekrachtigd, en dat duurt minstens een half jaar, maar een jaar is waarschijnlijker.' Hij stond op en liep naar het dichtstbijzijnde raam. 'Of jullie het nu houden en gaan samenwerken of gaan verkopen, jullie zullen beiden je uiterste best moeten doen om Boscawen zo aantrekkelijk te maken dat er eventuele kopers op afkomen. Zo'n groot landgoed als dit heeft beperkte mogelijkheden. Hoewel het land helemaal doorloopt tot aan de rivier, mag je daar niet bouwen, want het bos is beschermd.' Hij draaide zich om en keek hen aan. 'Hierdoor wordt het beduidend minder waard. Maar je kunt om te beginnen wel de toegang naar de kade restaureren en verbeteren. Daarna kunnen jullie vergunning aanvragen om het botenhuis dat daar ooit heeft gestaan weer op te bouwen en uit te breiden.'

'Verdomme, Sebastian!' Victoria stond op en keek naar Demelza, die er nu bij zat als een angstig dier. 'Dit is niet te doen.'

'Wat wil je dan?' Demelza stond op.

Victoria keek haar scherp aan; haar stem was donkerder en heser dan Victoria had verwacht.

'Ik wil Boscawen. Ik dacht dat dat wel duidelijk was.'

'Zonder mij.'

'Natuurlijk zonder jou.' Victoria dwong zichzelf tot een vriendelijk glimlachje. Misschien kon ze haar overhalen om het aan haar te schenken, schuldig als ze zich voelde dat ze iets had gekregen waar ze geen recht op had. Victoria trok haar neus op. Misschien lukte het niet, maar het was de moeite van het proberen waard.

'Ik wil Boscawen niet.' Demi's stem trilde een beetje.

'Schitterend.' Victoria glimlachte. Dit kon nog een makkie worden.

'Dus koop me maar uit.'

'Voordat jullie verdergaan: vergeet niet dat er niets kan worden gedaan voordat het testament is bekrachtigd, dus het heeft geen zin om dit gesprek nu te voeren. Vandaag gaat het erom dat jullie leren met elkaar te communiceren.'

Demi keek naar Sebastian. Hij was vriendelijk geweest, maar hij draaide zichzelf een rad voor ogen als hij dacht dat daar ook maar enige kans op was. Een korte blik op de onroerendgoedprijzen in Cornwall had haar geleerd dat het landgoed minstens vijf miljoen pond waard was. Dus haar aandeel was daar de helft van plus de andere twee miljoen, onder aftrek van wat er aan de fiscus moest worden betaald. Ze wist niet zeker of daar rekening mee was gehouden.

Het was meer geld dan waar ze ooit van had gedroomd, behalve één keer, toen ze een staatslot had gekocht. Nu had ze een loterij gewonnen waar ze niet eens aan meegedaan had. Terwijl Victoria ongetwijfeld het gevoel had dat ze bestolen was. Aan de andere kant was Demi ook beroofd geweest, beroofd van haar vader, beroofd van de tijd die ze met hem had moeten doorbrengen en van zijn steun tijdens haar opvoeding. Niet dat haar moeder niet fantastisch was geweest, want dat was wel zo. Maar al die jaren dat Demi had geloofd dat hij dood was, had hij in Londen bij haar in de buurt gewoond, en dat deed pijn.

'Sorry dat ik moet storen, mevrouw Lake.' Sam stond buiten op het terras. 'Maar de bomen zijn aangekomen.'

'Bomen?' Victoria fronste haar voorhoofd.

'De appelbomen die u hebt besteld.'

'Verdorie!'

Demi zette grote ogen op. Waarom had Victoria in hemelsnaam appelbomen gekocht? In de papieren van het landgoed had ze zien staan dat er vijf boomgaarden waren. Waarom had ze in godsnaam nog meer appels nodig?

'Wat zal ik tegen ze zeggen?'

Demi zag dat Victoria bloosde en kuchte voordat ze iets zei. 'Laat ze ze maar bij de schuur zetten, dan doen wij de rest wel.'

'Dit zijn de papieren.' Sam gaf ze aan haar, samen met een pen. De kleur trok uit Victoria's gezicht weg. Demi vroeg zich af hoeveel die bomen kostten. Sebastian had haar verteld dat Victoria waarschijnlijk niet in staat was om haar uit Boscawen uit te kopen.

Hij had ook voorgesteld dat Demi voorlopig in het huis zou gaan wonen. Niet wetende waar ze aan toe was, had ze maar een kleine koffer meegenomen en de rest van haar bezittingen in de garage van de vriend van haar grootvader achtergelaten, bij de meubels die hij voor haar bewaarde. Maar om nou onder één dak met de duivel te gaan wonen? Voor haar gevoel was in één huis verblijven met Victoria ongeveer hetzelfde als samenwonen met een woedende tijger. Maar als ze het niet deed, moest ze per direct een ander onderkomen zien te vinden.

'U hebt trouwens goeie bomen uitgekozen. Bedankt dat u rekening hebt gehouden met mijn advies.' Sam glimlachte naar Victoria en Demi kreeg de indruk dat ze zijn hoofd er wel af kon bijten toen ze de papieren weer in zijn handen duwde.

Victoria draaide zich met een ruk om. 'Demelza, wat doe je hier? Je hoort hier niet thuis. Boscawen is het huis van mijn familie en daar heb jij niets mee te maken.'

Demi greep de rugleuning van de stoel vast. De woorden kwamen er zo giftig uit dat er veel meer uit sprak dan enkel de boodschap dat ze moest opsodemieteren. Demi had op dat laatste wel gerekend, maar zoals Victoria het zei klonk het alsof Demi niets waard was, alsof ze een onbenul was over wie ze heen kon lopen.

'Charles Lake – mijn váder – heeft de helft van dit landgoed aan mij nagelaten en ik heb er alle recht op om hier te zijn.'

'Hij had het recht niet! En een bastaard heeft geen recht op een erfenis, nooit gehad ook.'

'Tori, je gaat ver buiten je boekje en wettelijk zit je er faliekant naast.'

'Zout op, Sebastian.' Victoria vloog de kamer uit, de tuin in.

Demi zonk neer op de dichtstbijzijnde stoel. Misschien zat er inderdaad niets anders op dan hier even te wonen, maar het was wel duidelijk dat dat geen pretje ging worden.

14

*D*e zon brandde op haar rug toen Victoria naar de schuur beende. Ze hoopte dat Sam had begrepen welke schuur ze bedoelde. Er was er maar een met een betrouwbare watervoorziening en die jonge bomen hadden een hoop water nodig. Wat had ze wel niet gedacht toen ze die bestelde? Was het koppigheid geweest?

Ze sloeg de hoek om en liep over het pad tussen het huis, de moestuin en het vlierbomenbos. Het was duidelijk waar Sam de bomen had teruggesnoeid. Het bos had altijd vlak naast het huis gelegen en had het door de eeuwen heen geluk gebracht. Alle Tregans waren bijna fanatiek over het bos geweest, behalve Perry's vrouw, Julia. Zij had het vlierbomenbos gesnoeid en daardoor het pact tussen de bomen en de Tregans verbroken. Zelfs Edith en Gladys waren het roerend eens geweest dat het vlierbomenbos cruciaal was voor het landgoed. Verder waren ze het over ongeveer alles oneens geweest. Victoria vertrok haar mond toen ze terugdacht aan het gekibbel van de beide vrouwen. Ieder van hen vertelde een ander verhaal, maar uiteindelijk draaide het altijd om het in stand houden van de familie en Boscawen.

Onder de bomen was de lucht koeler. Ondanks het droge weer rook ze nog altijd vochtige aarde. Zonlicht viel tot diep in het bos, ving in een straal een vlinder. Die fladderde tussen de varens door die de grond bedekten. Waarom had ze driehonderd tweejarige appelbomen van twintig pond per stuk gekocht? Zesduizend pond. Nog geen week geleden zou ze over zo'n bedrag helemaal niet hebben nagedacht. Sterker nog, dat had ze ook niet gedaan. Maar nu was het een enorme uitgave en dit was nog maar het begin. Ze zou extra hulp moeten inhuren om ze te planten. Het was een slopende klus om dit met z'n tweeën te moeten doen.

Ze grijnsde bij de gedachte aan de blik op Sams gezicht. Hij was opgetogen geweest dat ze naar hem had geluisterd en op zijn oordeel had vertrouwd. Tegelijkertijd had hij wel geraden hoe de zaken er nu voor stonden. Vroeger zou ze de weduwe zijn geweest die in het Weduwehuis zou worden neergepoot, zoals dat ook met haar overgrootmoeder en daarna met haar grootmoeder was gebeurd, terwijl de erfgenaam in het grote huis werd geïnstalleerd. Nu behoorde het Weduwehuis aan een andere familie toe en moesten zij en de erfgename Boscawen delen. Maar het was ronduit belachelijk dat iemand kon verwachten dat zij met de dochter van haar echtgenoot onder een dak ging wonen, om elke dag geconfronteerd te worden met het levende bewijs van zijn ontrouw. Zij mocht dan met talloze mannen hebben geslapen, ze had nooit van hen gehouden. Op die manier had ze Charles nooit bedrogen. Naar omstandigheden had zij zo veel van hem gehouden als ze kon.

Ze lachte. Ze had van hem moeten scheiden toen duidelijk werd dat ze geen kinderen konden krijgen. Maar Charles was katholiek, nou ja, zij ook, maar voor haar betekende dat niet hetzelfde. Zij had zich bekeerd om met hem te trouwen, om met zijn geld te trouwen. Ze had de woorden uitgesproken, maar daar bleef het bij. Dus scheiden kwam niet in Charles' woordenboek voor. Hij was zijn geloof en zijn geloften aan haar trouw gebleven. En toch had hij een liefdesaffaire gehad, met Demelza als resultaat.

Nu ze erop terugkeek, bedacht ze dat ze een nietigverklaring hadden kunnen aanvragen. Ze wist zeker dat ze ergens had gelezen dat die werd toegewezen als een huwelijk kinderloos bleef. Het was al tegen zijn geloof ingedruist om die vruchtbaarheidsbehandelingen te ondergaan, en die moedeloos makende ervaring had hen pas echt uit elkaar gedreven.

Nu stond Sam daar, met driehonderd potten voor zijn neus, terwijl hij een soort sproeier aan het installeren was. Als ze niet snel in actie kwamen, zou het op iets uitdraaien wat te vergelijken was met geld weggooien in de oostenwind, die net begon te waaien en de bladeren aan de bomen in de boomgaard erachter in beroering bracht. Het veld links van haar was vroeger een boomgaard geweest, maar na de Tweede Wereldoorlog was die gerooid. De bomen waren oud en ze konden het fruit niet kwijt. Andere markten hadden het overgenomen. Rond de jaren zestig was een volgende boomgaard vernietigd. Alles was veranderd.

'Mevrouw Lake,' zei Sam. 'Ik moet morgenochtend naar Falmouth om materiaal te halen voor een bewateringssysteem dat ik ga aanleggen. Vandaag geef ik ze allemaal met de hand water, maar zelfs als ze in de grond staan, hebben ze elke dag water nodig.' Hij keek haar recht aan. 'Ik dacht dat u ze pas in de winter zou laten leveren.'

Ze hoorde de beschuldiging in zijn stem. Dat was veel verstandiger geweest. In de winter hadden ze minder te doen. Maar eind juni was waanzin, dan was de tuin op z'n hoogtepunt. Momenteel had ze echter in haar hoofd niet alles op een rijtje. 'Ik weet het. Ik ben de laatste tijd mezelf niet geweest.'

'En dat zal wel een tijdje zo blijven.' Hij kneep zijn ogen tot spleetjes, keek uit over het veld. 'Hebt u Adam gebeld?'

Ze schudde haar hoofd. Als ze aan hem dacht, verstrakte haar hele lijf.

'Hij was hier gisteren, u belt hem steeds niet terug en hij is ongerust.'

Ze werd op haar nummer gezet. Ze lachte. Haar tuinman las haar de les. 'Dank je voor het doorgeven van de boodschap.' Ze glimlachte naar hem en liep na nog een laatste blik op haar dwaasheid weg.

Er kwamen vreemde geluiden uit Victoria's vroegere slaapkamer. Wat was daar in hemelsnaam aan de hand? Ze marcheerde met gefronst voorhoofd de gang door. Toen ze de kruk vastgreep ging de deur open. Ze liep recht op Sebastian af, die struikelde, en ze vielen beiden op het bed.

'Volgens mij zijn we hier wel eens eerder geweest.' Victoria rolde van hem weg naar haar kant.

'Volgens mij ook.' Hij keek naar het raam.

'Ja, daar ben je wel een paar keer doorheen geklommen.' Ze glimlachte. 'Helaas is de blauweregen waar je in bent geklauterd weg.' ·

Hij stond op en keek naar haar omlaag. 'Mooie herinneringen.'

'Hmm.' Ze ging rechtop zitten. 'Wat doe je hier eigenlijk?' Toen zag ze dat het bed waarop ze zat was opgemaakt. Ze stond op. 'Wat denk je wel niet dat je aan het doen bent?'

'Ik maak een kamer in orde voor Demi.'

Ze vond het lachwekkend zoals ze aan weerskanten van het bed stonden. Het was jaren geleden dat ze voor het laatst met hem in een slaapkamer was geweest. Ze was dronken geweest en had geprobeerd hem het bed in te krijgen. Hij had geweigerd. Nu stonden ze naast een bed dat hij voor Demelza had opgemaakt. Alsof ze die vrouw in haar huis zou toelaten.

'Vergeet het maar, Seb. Dat gaat niet gebeuren.' Ze liep de kamer uit en sloeg de deur achter zich dicht.

'Sebastian, ik vind het maar niks om hier te moeten logeren.' Demi stopte een lok haar achter haar oor. Ze voelde zich in zo veel opzichten ongemakkelijk. Hoe kon ze zeggen dat ze wist dat ze eerder in dit huis was geweest? Waarom vormde deze plek het decor van haar nachtmerrie?

'Dat snap ik wel. Maar Tori blaft harder dan ze bijt.'

Demi trok een wenkbrauw op.

'Geloof me, ik ken haar.' Hij schonk Demi een meesmuilend glimlachje.

'Hoe lang had Charles het huis al in zijn bezit?'

'Ruim twee jaar. Waarom vraag je dat?'

'Omdat Victoria er zo aan gehecht is.'

'Ah, Boscawen is generaties lang in haar familie geweest, totdat het na de dood van haar broer in 1984 werd verkocht.' Hij droeg haar bagage de brede trap op. Dat verklaarde niet hoe Demi hier eerder kon zijn geweest, maar wel waarom Victoria zo vastbesloten was. En hoe het kwam dat haar overgrootmoeder voor Victoria's familie had gewerkt. Demi vroeg zich af of Victoria iets van die connectie wist.

Terwijl ze achter Sebastian aan liep, zag ze dat de verhoudingen van de hal precies goed waren. Net als de salon lag de hal op het westen, waar hij de middagzon opving. Ze wist zeker dat als ze haar schoenen uit zou doen en op blote voeten over de grote flagstones zou lopen, die warm zouden aanvoelen. De voordeur stond nog altijd verwelkomend wagenwijd open, maar Demi wist dat ze hier niet welkom was en dat ze dat ook nooit was geweest.

'Gaat het wel?' Sebastian bleef halverwege de trap staan.

Ze kreeg kippenvel. Paniek en pijn schoten door haar hoofd. Ze legde haar handen op haar slapen.

Sebastian raakte haar arm aan. 'Voel je je nog steeds niet goed? Je hebt de laatste tijd zo veel veranderingen moeten doormaken.'

'Dat is het niet.' Ze haalde diep adem. 'Nou, het heeft er misschien wel mee te maken, maar...' – ze wachtte even – '... ik kan hier toch onmogelijk eerder zijn geweest, wel?'

Hij wendde zijn blik van haar af. 'Zoals ik al zei, het huis is ook een tijdje in het bezit van andere mensen geweest.'

'Uiteraard.' Ze forceerde een glimlachje. Ze beeldde zich vast dingen in. Misschien had haar moeder gelijk gehad en had ze iets gelezen over een plek die hierop leek. 'Sebastian, nog één vraag. Waarom wilde mijn vader me niet?'

'O, Demi, hij hield meer van je dan je je kunt voorstellen, maar zo simpel is het leven niet.' Hij haalde zijn schouders op en nam haar verder mee de trap op. Toen ze op de overloop waren, bleef Demi staan en keek omlaag. De muren leken zó uit de victoriaanse tijd te komen: ze waren donker bordeauxrood geschilderd, dus de hal was op dit tijdstip van de dag licht genoeg, maar 's avonds moest hij beangstigend zijn.

'Wist je dat Charles op mijn moeders begrafenis was?'

'Ja.'

'Weet je ook waarom hij niet naar me toe is gekomen?'

'Ik...' Hij keek omlaag. Victoria was de hal in gelopen en schopte haar schoenen uit. Demi keek hoe ze een verwelkte bloem uit het boeket op de wandtafel wegplukte. De pluimen van donkerpaarse vlinderbloemen staken af tegen het donkergroen van de laurier, maar de pracht ging verloren in het schemerige bordeauxrood van de muren.

'Ik weet dat hij van plan was om met je te gaan praten, maar het leek toen niet het juiste moment.'

'O.'

Victoria keek omhoog en wisselde een blik met Demi. Er lag pure haat in de ogen van de oudere vrouw en Demi begreep wel waarom. Haar vader had zijn vrouw bedrogen en nu was ze ook nog eens gedwongen om haar huis te delen met zijn kind.

'Sebastian, wat doe je daar, verdomme?' Victoria's scherpe stem rees naar hen op.

'Ik breng Demi naar haar kamer.'

Victoria wilde de trap op lopen, maar bleef staan en zette haar handen in haar zijden. 'Ik wil het niet hebben, dat heb ik je al gezegd.'

'Victoria, je hebt tien slaapkamers.'

'Nee.'

'Prima, maar vannacht blijft ze hier.' Sebastian slaakte een zucht.

'Nee.' Ze sloeg haar armen over elkaar.

'Je gedraagt je als een kleuter.'

Victoria hield voet bij stuk en bleef net zolang staan staren tot Sebastian naar beneden zou komen. Demi wilde haar niet boos maken, maar dat deed ze alleen al door het feit dat ze er was.

'Dit is mijn huis en ik wil haar hier niet hebben.'

Demi liep naar Sebastian toe en fluisterde: 'Ik wil best weggaan, hoor. Ik zoek wel een B&B.'

'Laat het maar aan mij over. Ga even een wandelingetje maken in de tuin. Die is echt schitterend.'

Sebastian liep met haar de trap weer af, waarbij hij fungeerde als schild tegen Victoria's dodelijke blik, en Demi glipte door de deur een geurig paradijs in.

Langs de hele lengte van een hoge stenen muur was een bed vol rozen. Die waren in het begin van het bed bloedrood en hoe verder ze van het huis verwijderd waren, hoe zachter de kleuren werden, van roze naar wit. Ze wilde er dichter naartoe lopen om de geur in te ademen, maar bleef staan om te kijken of ze niet in de gaten werd gehouden. Het was zo vreemd om de deur die jarenlang zo prominent in haar nachtmerrie aanwezig was geweest, nu in een gouden gloed te zien baden. Het was een prachtig plaatje, helemaal niet de entree van een huis vol verschrikkingen. Ze had het huis vast ergens gezien en nu moest ze een manier zien te vinden om die angstige gevoelens los te koppelen van de werkelijkheid.

Het was een prachtige juniavond. Toen ze de oprijlaan af wilde lopen, zag ze in het bos in de verte een paarsblauwe flakkering: laat bloeiende grasklokjes. Haar adem stokte en ze herinnerde zich dat haar oma haar altijd waarschuwde dat ze nooit een grasklokje mocht plukken, dat de elfen haar dan zouden stelen. Ogen. Bos. Angst. Haar mond werd droog.

Ze vluchtte de oprijlaan af, liet het huis achter zich totdat ze bij een pad kwam. Het geluid van stromend water en de valse tonen van iemand die zong zweefden naar haar toe. Het was een liedje van de Beatles en Demi wist vrij zeker dat Sam de solist was. Ze hoorde dat aan zijn Australische accent en het klonk heel verwelkomend.

Ze schopte een steen weg, liep het pad af en zag hem toen naast een schuur staan waar hij Victoria's appelbomen emmers water gaf. Links van haar stond het veld al vol fruitbomen. Waarvoor had ze er in hemelsnaam nog meer nodig?

'Hoi.' Sam zwaaide.

'Dat gaat nog wel even duren.'

'Vertel mij wat.' Hij sloeg zijn ogen ten hemel. 'Zin om me te helpen?'

'Tuurlijk.'

'Kun je steeds de volgende emmer vullen?'

Ze knikte en ging aan het werk, terwijl ze haar best deed zich niet te laten afleiden door zijn rollende armspieren. Hij zag er zo goed uit. Matt, die er prat op ging dat hij in topvorm was, was vergeleken bij hem een slappeling. Hij was ook aantrekkelijk met zijn zongebruinde huid en ogen die de kleur hadden van de grasklokjes die ze zojuist had gezien. Sam zag er, nou ja, 'gezond' uit, een beter woord wist ze zo gauw niet. Demi slikte. Ze wist niet of ze hem wel zo moest bewonderen, maar hij was adembenemend en kijken kostte niets.

Water klotste over de rand van de emmer die ze aan het vullen was. 'Maak je er nu al een potje van?' Hij nam de volle emmer van haar over en ze lachte.

'Ja, sorry baas.'

'Dus je bent een erfgename?'

Demi stopte de tuinslang in een volgende emmer. Toen ze hem losliet om rechtop te gaan staan, kronkelde hij, schoot los en sproeide hen beiden nat.

Hij lachte. 'Hé, dat zegt genoeg.'

'Nee, dat is het niet. Ik heb er nog niet erg over nagedacht.' Ze trok haar neus op. 'Nou, dat is ook weer niet waar. Het is allemaal te ingewikkeld en ik denk niet dat het doorgaat. Victoria gaat het testament aanvechten.'

'Hmm. Heb je Charles gekend?'

'Nee.' Demi verhuisde de slang naar de volgende emmer, ervoor zorgend dat hij nu wel bleef zitten. 'Nogmaals, dat is ook weer niet helemaal waar. Ik schijn hem als klein meisje wel gekend te hebben, maar dat kan ik me niet herinneren.'

'Dat is echt jammer. Meneer Lake was een fantastische vent.' Sam liep weg om een volgende boom water te geven. Demi stak de slang in een volgende emmer, pakte een volle op en kwam Sam halverwege tegemoet.

'Dank je.'

'Dit gaat eeuwen duren. Moet je dit elke dag doen?'

'Ja, maar morgen ga ik spullen kopen om een bevloeiingssysteem aan te leggen, een sprinkler of een slang met gaatjes.' Hij hield zijn hoofd schuin en grijnsde.

'Een slang met gaatjes? Is dat de modernste technologie?'

'Heel effectief, hoe primitief het ook mag zijn. Ik ben de hele middag bezig geweest om uit te vogelen hoe het moet. Ik weet niet zeker wat mevrouw Lake dacht toen ze de bestelde bomen nu al liet afleveren. We hadden het over november of december gehad.'

Demi bukte zich en las de beschrijving van de boom op een van de potten, waarop stond dat het fruit grote hoeveelheden sap produceerde. 'Appelsap?'

'Eerder cider.' Hij keek naar de boomgaard achter zich. 'Vroeger produceerden ze goede cider op Boscawen en dat is tot aan de Tweede Wereldoorlog gestaag doorgegaan.'

'Echt waar?' Demi keek naar de bomen voor haar. Ze wist dat het een boomgaard was, hoewel de bomen niet in rechte lijnen stonden, maar een beetje lukraak waren neergepoot.

'Ja, sterker nog, heel vroeger kregen de arbeiders hun loon voor een deel in cider uitbetaald.'

Demi glimlachte. 'Je weet er veel van, zeg.'

'Niet echt, maar ik vind het interessant.'

'De geschiedenis of de cider?'

'Allebei.' Hij lachte. 'Door zijn geschiedenis wordt deze plek nog aantrekkelijker.'

'Ze heeft al zo veel bomen, waarom wil ze er in godsnaam nog meer?'

Sam haalde zijn schouders op. 'Dat weet ik eigenlijk niet. Maar ze wil de tuin in oude glorie herstellen.'

'Dit is de tuin niet.'

'Klopt, maar mevrouw Lake is erg aan Boscawen gehecht.'

'Dat heb ik gemerkt, ja.' Demi sloeg haar ogen ten hemel. 'Maar met zo veel meer bomen krijg je ook heel veel meer appels.'

'Het duurt een paar jaar voordat deze bomen veel vrucht gaan dragen. En de bomen die ze heeft, produceren niet genoeg om op commercieel niveau iets op te leveren.'

'Denk je dat ze er een bedrijf van wil maken?'

'Goeie vraag.' Sam liep met twee volle emmers weg en zij vulde er weer een paar. Het duurde niet lang of ze waren klaar.

'Bedankt voor je hulp.'

Ze glimlachte. 'Het was fijn om iets te doen te hebben. Ik ga maar weer eens terug om te kijken of ze elkaar de hersens hebben ingeslagen en of ik voor vanavond een B&B moet opzoeken.'

'Dat hoeft niet, hoor. Ik heb wel een bed voor je.'

Demi deed een stap naar achteren. Ze was niet gewend aan zo veel voortvarendheid, tenzij er iets achter stak.

'Er zijn twee slaapkamers in het poorthuis,' vervolgde hij, 'dus ruimte zat.'

Had hij soms een bijbedoeling? Nee, ze dacht van niet. Hij was gewoon echt een leuke vent. 'Dat is aardig van je, Sam. Bedankt.'

'Nou ja, het is toch van jou.' Hij grinnikte en ze lachte. Ja, tenslotte was dat inderdaad zo.

'Kom op, dan gaan we je spullen halen.' Hij controleerde of de kraan helemaal dicht was en ging haar voor het pad af. Demi volgde hem op een paar passen en vroeg zich af wat Victoria van deze nieuwe regeling zou vinden.

'Wat voer je in je schild, Seb?' Victoria keek hem nijdig aan. De onbeschaamdheid dat hij zomaar dacht dat ze Demelza Williams in haar huis zou toelaten.

Hij zette Demi's koffertje neer. 'Ik voer niets in mijn schild. Ze heeft er alle recht op om hier te zijn.'

'Nee, het klopt niet, in zo veel opzichten klopt er helemaal niets van.' Victoria keek aandachtig naar zijn gezicht, wilde zijn gedachten lezen, maar opnieuw had hij zijn pokerface opgezet. 'Wil je me soms kwetsen?'

'Zeer zeker niet. Ik doe simpelweg het juiste. Demi is Charles' dochter en hij heeft duidelijk verklaard dat hij wil dat jullie tweeën dit huis delen.'

'Waarom?' Ze schokte met haar schouders. 'Hij wilde me kwetsen. Hij wilde me onder de neus wrijven dat ik degene was die onvruchtbaar was.'

Ze keerde zich weer naar het boeket toe. Die ochtend had ze er met plezier naar gekeken, maar nu wilde ze het wel tegen de bloedrode muren gooien. Zij had de muren wit willen hebben, maar Charles wilde per se dat ze weer in de kleur geschilderd werden uit de tijd dat hij hier voor het eerst kwam om zijn jongere broer, de vriend van Perry, op te halen. Die ontmoeting had haar wereld veranderd en duidelijk ook die van hem.

'Ik geloof niet dat hij dat voor ogen had. Charles is nooit rancuneus geweest, dat weet je best.'

'Ha. Het kan best zijn dat hij dat later in zijn leven is geworden.' Ze stopte haar hand in haar zak en speelde met haar mobieltje. Wat had Charles gehoord? Had hij om die reden zijn testament veranderd? Adam was er vanaf een uur of half zeven geweest. Charles had zijn etentje met Sebastian afgezegd en had met iemand anders aan zijn testament gewerkt, en daarna was hij naar huis gereden.

'Welke veranderingen zijn er als laatste in het testament aangebracht?' Had Charles soms uit woede Boscawen van haar afgenomen? Hij wist zonder meer dat ze het met andere mannen deed. In het begin was ze wel discreet geweest, maar na verloop van tijd was ze onvoorzichtig geworden en maakte het haar niet meer uit wie het wist. Maar ze had met haar onvoorzichtigheid Charles nooit opzettelijk willen kwetsen.

'Waarom vraag je dat?'

'Nou, ik heb Charles' testament vijf jaar geleden voor het laatst gezien. Toen werd er nog niet over dit kind gerept.'

'Voor haar is er altijd een voorziening geweest.'

Victoria draaide zich met een ruk om, opende haar mond en deed hem weer dicht. Natuurlijk had Charles iets voor haar geregeld. 'En dat heeft hij voor mij geheimgehouden. Kun je me vertellen wat die regeling toen was?'

'Nee.'

Ze balde haar handen tot vuisten. Vijf jaar geleden hadden ze Boscawen nog niet gehad. 'Je had het erover dat hij instructies voor je had achtergelaten. Wat waren die instructies dan?'

'Sorry, dat is vertrouwelijk.'

'Hij is dood.' Ze trok haar wenkbrauwen op.

'Dat verandert er niets aan.'

'Dat verandert verdomme alles!' De man was zo frustrerend, zoals hij daar stond met alle informatie waar zij zo'n behoefte aan had, en het was niet gespeeld. Sterker nog, hij had in geen eenenveertig jaar met haar gespeeld.

15

Sam stond erop haar koffer te dragen toen ze van de oprijlaan naar het poorthuis liepen. Demi huiverde. De grote rododendrons waren bijna uitgebloeid, maar een paar helderrode bloemen hielden nog dapper vol.

'Gaat het wel?' Sams blauwe ogen stonden bezorgd. 'Je hebt het koud.'

'Het is frisser dan ik na zo'n warme dag had verwacht.'

'Ja, de lucht wordt hier vochtig, waardoor hij kouder aanvoelt. Het is niet ver meer naar het poorthuis.'

Vanuit haar ooghoek wierp ze een blik om zich heen, om er zeker van te zijn dat niemand hen in de gaten hield. Was Victoria achter hen aan gelopen om er zeker van te zijn dat ze zo ver mogelijk weg ging? Ze was een kreng van een wijf. Ze mocht best kwaad zijn, maar waarom moest ze zo akelig doen? Het was amper Demi's schuld dat de zaken deze wending hadden genomen.

'Is ze altijd zo?'

'Wie? Mevrouw Lake?'

Demi knikte terwijl haar oog viel op wat vingerhoedskruid bij de eiken die aan de kleine achtertuin van het poorthuis grensden.

'Nee. Ze was altijd wel wat gecompliceerd en een beetje driftig, maar niet gemeen, nee.' Sam reikte in zijn zak en haalde er een grote sleutel uit tevoorschijn. Zo te zien zat het originele slot er nog op, uit de tijd dat het huis was gebouwd. Ze vermoedde dat dat eind negentiende eeuw moest zijn geweest, met die gotische ramen en krullen.

'Thuis.' Hij hield de deur voor haar open en haar mond viel van verbazing open. Binnen was het spaarzaam ingericht, met witte muren en banken, maar het accent lag op de glanzend geboende, antiek eiken meubels. Op de ronde tafel in de hal stond een feestelijk boeket van vergeet-me-nietjes waar ook een paar grasklokjes uit tuimelden. Demi bleef staan en staarde naar de bloemen.

'Ik dacht dat grasklokjes beschermd waren.'

'Dat zijn ze ook, maar deze laatbloeiers waren in de maaier van een van de jongens terechtgekomen en ik kon het niet over mijn hart verkrijgen om ze op de grond te laten liggen.' Hij raakte een geurige steel aan en op de een of andere manier wist hij één grasklokje binnenstebuiten te keren zonder het stuk te maken.

'Wauw.' Het viel haar weer op dat zijn ogen dezelfde kleur hadden als de bloem, blauwpaars.

'Dat heeft mijn oma me geleerd.'

Demi keek hem vragend aan.

'Ze had heimwee naar haar geboorteland, Engeland, en had in haar tuin in Perth grasklokjes laten planten. Toen ik klein was, vertelde ze me dat als ik een klokje binnenstebuiten kon keren zonder het stuk te maken, ik uiteindelijk het hart zou veroveren van degene die ik liefheb.' Hij schonk haar een scheef glimlachje. 'Dat is nog niet gebeurd, maar ik blijf hopen.'

Ze glimlachte. 'Ik werd juist gewaarschuwd voor grasklokjes. Het zijn elfenplanten. Als je er een plukt, stelen ze je ziel.' Een koude rilling liep over haar rug terwijl ze dit zei.

'Kom verder. Je hebt het koud.' Ze liepen de zitkamer in.

'O, wat mooi.' Ze keek om zich heen naar de grenenhouten vloerplanken met daarop de oude kleden in bedekte tinten.

'Dank je.'

De zijtafels en het schrijfbureau glansden zacht in het avondlicht dat door de westelijke ramen scheen. 'Antiek?'

'Ja. Heb ik op de zolder van het grote huis gevonden en mevrouw Lake zei tegen me dat ik alles mocht gebruiken wat ik nodig had.'

Demi keek om zich heen en zei tegen hem: 'Indrukwekkend. Je hebt een goede smaak.'

'Ik weet niet zeker of ik dat als compliment of als belediging moet opvatten.' Hij hield zijn hoofd schuin. 'Ben je verbaasd omdat je dacht dat ik een slechte smaak had, of geen smaak of omdat je deze stijl gewoon niet van me had verwacht?'

Ze grinnikte. 'Het laatste.'

'Hmm. Ik vraag het me af.' Hij wreef in een gemaakt gebaar over zijn kin en keek haar aandachtig aan. 'Volgens mij dacht je dat ik was blijven steken bij unichic, bij gebrek aan een beter woord.'

'Wat betekent dat nou weer?'

'Een beduimelde poster van Che Guevara en planken op bakstenen.'

'Dat kan best leuk zijn.'

'Misschien voor iemand van achttien, maar bepaald niet voor iemand van achtentwintig.'

Lachend liep ze verder de zitkamer in. Ze vond het schitterend dat daar nog meer bloemen stonden, ze tuimelden uit jampotten en koffieblikken. Het effect was volmaakt – er straalde een nonchalante elegantie van af.

Boven de schoorsteenmantel hing een oude kleurenprint van een schoener die een rivier afvoer. Ze wist er niet veel van, maar ze dacht dat het een tafereel uit Cornwall moest zijn. De verbleekte kleuren contrasteerden fraai met de ruwe donkere lijst. De hele kamer had iets koloniaals, maar er was nog iets anders. En dat kwam door het meubilair. Het leek op de meubels die haar grootvader op zolder had staan. Mooie, solide boerenmeubels; het was zelfs meer dan dat, want ze waren eerder verfijnd dan ruw.

'Ik zal je je kamer laten zien.' Sam ging linksaf en opende een deur naar een kleine, nette kamer met een eenpersoonsbed. In tegenstelling tot de woonkamer zat hier behang op de muren, met een patroon van koolrozen. Het was betoverend en eigenlijk niet geschikt voor zo'n kleine kamer, maar het paste toch.

'Onwijs, hè?'

'Ja.' Ze stak een hand uit en voelde de print op het papier, genoot van het ribbelige oppervlak. 'Iedereen zei dat ik eroverheen moest schilderen, maar dat kon ik niet over mijn hart verkrijgen.'

'Je had gelijk.' Ze glimlachte naar hem. 'Ze zaten er faliekant naast.'

'Ik laat je even rustig uitpakken en dan gaan we naar de pub. Volgens mij zijn we wel aan een borrel toe.'

'Goed idee.' Ze keek hem na toen hij de deur achter zich dichttrok, en controleerde of er een slot op zat, wat inderdaad zo was. Niet dat ze dacht dat Sam niet te vertrouwen was, maar ze kende hem amper.

'Je weet dat je er vroeg of laat toch echt aan moet geloven, Tori.' Sebastian schonk een afgepaste hoeveelheid gin in.

'Nee.' Victoria nam het drankje aan toen hij haar dat aanreikte. 'Nee, dat doe ik niet. Waarom moet ik het testament accepteren?'

'Omdat het waterdicht is. Charles wist wat hij deed.'

Ze drukte haar vingers tegen de geslepen rand van het kristallen glas. Een milde pijn beet in haar vingertoppen. Toen ze losliet, stroomde het bloed haar vingers weer in. Ze wist dat het waterdicht was, dat was typisch Charles, maar dat betekende niet dat ze het hoefde te accepteren. Het enige probleem waren de kosten. Eén vraag aan een advocaat kostte al een fortuin. Sebastian was een van de besten die er waren, en hij zei tegen haar dat het een verloren zaak was.

'Vertrouw me nou maar.'

'Ha.' Ze liep naar buiten het terras op. Misschien had ze moeten inbinden en Demelza hier toch laten logeren. Door haar koppigheid zat Demelza nu bij Sam in het poorthuis en Victoria had gezien hoe hij naar haar keek. Hoe lang zou het duren voordat er iets zou gebeuren tussen die twee als ze daar overnachtte? Met zulke jonge hormonen was dat een kwestie van dagen.

'Wat zit je zo dwars?'

Gebrek aan lekkere seks, dacht ze, maar ze draaide zich naar hem toe en zei: 'Waarom heeft hij dit gedaan? Hij had een geldbedrag voor haar opzij kunnen zetten en niet zo veel aan de liefdadigheid hoeven geven.' Ze schudde haar hoofd. 'Ik weet dat jij het weet, Sebastian. En nu we het daar toch over hebben, waarom heeft hij zo veel aan de liefdadigheid gegeven en wat is er met zijn investeringen gebeurd? Het was niets voor Charles om geld te verliezen. Hij was als koning Midas. Als hij ergens in investeerde, dan leverde dat ook iets op.'

'Ik moet toegeven dat me dat ook een raadsel was.' Hij leunde tegen de muur van het huis.

Goudkleurig licht viel op de ramen van de tweede verdieping. Het huis had zich prima gehouden. Goddank was het belangrijkste werk al gedaan toen Charles nog geld had. Hoe moest ze dit voor elkaar boksen?

'Ik heb zijn financieel adviseur om een verslag gevraagd.'

'En?'

'Nou, dat is juist zo raar. Hij wist het eigenlijk ook niet. Hij zei wel dat het leek alsof Charles er in het afgelopen jaar met zijn hoofd niet bij was.' Seb zuchtte. 'Ik heb zijn investeringen nagelopen. Allemaal prima in orde, maar klaarblijkelijk heeft hij in april enkele risico's genomen.' Hij zweeg even. 'Ik heb zo'n gevoel dat hij toen zijn concentratie even kwijt was.'

'Weet je ook waarom?'

Hij keek haar aan. 'Ik heb er wel een idee over.'

Ze klemde haar tanden op elkaar. Typisch Seb om er het zwijgen toe te doen. Hij had jaren geleden voor haar moeten vechten. Dat was het enige wat ze had gewild.

In haar herinnering zocht ze het afgelopen jaar af. Was Charles toen anders geweest? Als dat zo was, zou ze dat dan gemerkt hebben? Waarschijnlijk niet, wat meer zei over hoe ze met haar echtgenoot omging dan haar lief was. En toch had ze alles gedaan wat van haar werd verwacht, ook met hem vrijen als hij dat wilde, wat de laatste tijd niet vaak meer was voorgekomen. En het was jaren geleden geweest dat zij hém had opgezocht voor seks. Seks. Ze moest nodig Adam bellen. 'Hij heeft de veranderingen over het huis pas op die vrijdagavond laat doorgevoerd, hè?'

'Tori, dat mag ik niet zeggen.' Hij wendde zijn blik van haar af en keek over de velden uit. Ze wist dat hij veel meer wist dan hij liet blijken, maar ze moest en zou erachter komen.

'Zelfs nu nog loyaal?'

'Geen commentaar.'

'Dat hele vriendschapsgedoe hoeft toch niet over zijn dood heen getild te worden?'

Hij lachte. 'Maar klantvertrouwelijkheid wel.'

'Jij wijkt ook nooit een duimbreed van het rechte pad af.' Op de een of andere manier moest ze achter de waarheid zien te komen. Als Charles Adam en haar had gehoord, en dat kon bijna niet anders, had hij uit wraak het huis verdeeld.

'Ik doe mijn best.'

'Altijd de ridderlijke voorvechter van gerechtigheid. Nooit in de verleiding gekomen om de donkere kant op te zoeken?'

'O ja, die verleiding is er zeker geweest.' Toen hij dit zei lieten zijn grijze ogen haar niet los. Vergeten passie stroomde door haar heen.

Demi had nu al spierpijn doordat ze Sam eerder die dag had geholpen. Ze wist nu wel waarom hij zo fit was. Tuinieren was zwaar werk. Misschien was het niet zo'n goed idee om naar de pub te wandelen, maar Sam zei dat het niet ver was en het was bovendien een prachtige avond. Ze keek naar hem. Hij leek in gedachten verzonken. 'Hoe lang werk je hier al?'

'Bijna twee jaar.' Hij draaide zich naar haar toe.

'Wat doet een Australiër in de binnenlanden van Cornwall?'

'Ik zat op een dood spoor en je kunt hier heerlijk zeilen.' Hij vertraagde zijn pas om gelijke tred met haar te houden.

Over zeilen wist ze geen zinnig woord te zeggen, maar ze wist wel hoe het voelde om op een dood spoor te zitten. Alles hing dan in de lucht en was buiten bereik. 'Was je in Australië ook tuinman?' 'Nee.' Hij keek over de heg. Ze vroeg zich af wat hij kon zien, want zij zag alleen het fluitenkruid ín de heg.

Hij zei glimlachend tegen haar: 'En jij? Wat doe jij, afgezien van het feit dat je een erfgename bent?'

Ze lachte. 'Ik weet nog steeds niet zeker of ik dat wel ben, maar ik vermoed dat het inderdaad zo is. Momenteel ben ik werkloos...'

Zijn telefoon ging en hij ging langzamer lopen. 'Sorry, mijn moeder.' Demi deed haar best niet te luisteren, maar het leek over fruitbomen te gaan.

Ze kwamen bij een kruispunt en hij hing op. Demi draaide zich om en keek naar de wegwijzer.

'Alles goed? Sorry hoor.' Hij schoof zijn telefoon in zijn zak.

'Geeft niet, joh. Ik heb alleen het merkwaardige gevoel dat ik hier eerder ben geweest.'

'Misschien is dat ook wel zo.'

Ze fronste haar wenkbrauwen. Hij had gelijk. Haar moeder kwam uit deze buurt en het was heel goed mogelijk dat ze al in deze contreien was geweest voordat haar ouders uit elkaar gingen, of misschien zelfs met haar grootouders. Maakte ze er soms meer van dan het was? Als kind was ze in Cornwall geweest en ze wist er niets meer van. Misschien was haar moeder zo van streek geweest door de scheiding van Charles dat ze die herinnering uit hun beider hoofd had gewist.

'Het is nu niet ver meer.'

'Mooi.' Haar telefoon zoemde en ze haalde hem tevoorschijn. Matts naam flitste op het scherm op.

Verlang zo erg naar je dat het pijn doet. Alles is vergeven. We komen er wel uit. xx

Haar maag speelde akelig op. Waarom liet hij haar niet gewoon met rust?

Sam keek naar haar. 'Je ziet een beetje pips. Gaat het wel?'

'Ja, hoor. Ik ben gewoon niet aan wandelen gewend, denk ik,' loog ze.

'Als je op het platteland woont, zul je daaraan moeten wennen. Hier is niets naast de deur.'

'Nou, we zullen wel zien hoe lang ik hier blijf.'

'Ik hoop nog wel een tijdje.' Hij glimlachte en wees. 'Daar is de pub.'

'Voor mijn voeten geen moment te vroeg.'

Hij lachte. 'Voor de terugweg zal ik proberen een lift te regelen.' De tafeltjes buiten zaten vol en Demi's stemming klaarde op toen ze naar binnen liepen.

'Hé Sam, ik dacht dat je het niet ging redden.'

'En een potje darts missen? Voor geen goud.' Hij sloeg zijn ogen ten hemel en zei tegen haar: 'Voor ik hier kwam had ik dat nog nooit gedaan en ik zit pas sinds een maand in het team.'

Een lange blonde man kwam naar hen toe. 'Hallo schoonheid, ik ben Tom en je wilt echt niet in zijn gezelschap aangetroffen worden. Hij is lelijk, een aussie en een waardeloze dartsspeler. Ik, daarentegen, ben geweldig.' Hij grinnikte.

Demi schoot in de lach.

'Wat wil je drinken?' Sam deed zijn best om zijn vriend nors aan te kijken, maar dat lukte niet erg.

'Een glas witte wijn lijkt me heerlijk.'

'Wat voor soort?'

Demi wendde zich van Tom af. 'Iets droogs.'

'Oké.' Sam liep naar de bar. 'Hé, Jamie, verkoop je die Cullen-sauvignon ook per glas?'

'Zo, en hoe heet jij?' Tom kwam dichterbij en Demi deed een stap naar achteren, probeerde in te schatten of dit zomaar wat goedmoedige gekkigheid was.

'Demi.'

'Demi van die actrice?'

'Nee, afkorting van Demelza.'

'Kom je uit Cornwall?' Hij grijnsde.

'Mijn moeder wel.'

'Cool.'

Een groep mensen kwam binnen met Peta voorop. Dat had Demi niet moeten verbazen, maar ze was toch verrast.

Tom boog zich dichter naar haar toe en zei: 'De tegenstanders zijn gearriveerd.'

'Demi, wat leuk om je hier te zien.' Peta liep recht op haar af en kuste haar op de wang. 'Het geluk lacht je weer toe.' Peta keek haar aandachtig aan en Demi bloosde. 'Kijk niet zo verbaasd. Je hebt met je erfenis de plaatselijke krant gehaald.' Peta glimlachte. 'Ik ben wel goed, maar zo goed ben ik nou ook weer niet.' Ze keek om zich heen. 'Dus waar is dit zogenaamde ontzagwekkende team dat we gaan af-slachten?' Ze draaide zich weer naar Demi en zei: 'Ik wenste dat ik kon voorspellen wie als winnaar uit wedstrijden tevoorschijn komt en zo. Dan zou ik rijk zijn.'

Sam kwam met een pint en Demi's wijn naar hen toe. Hij gaf het glas aan haar en ging tussen haar en Tom in staan.

'Hoi. Ik ben Peta.'

'Sam.'

Peta keek van Sam naar Demi en weer terug. 'Hallo, vreemdeling, ben jij de schaapscheerder uit Australië?

'Leuk hoor.' Hij haalde zijn schouders op.

'Goed dan. Ik ga een cider halen, want ik hoef niet te rijden.' Ze liep naar de bar. 'Wat voor ciders heb je allemaal?' Ze keek met gefronst voorhoofd naar de mogelijkheden. 'Dat moet ik anders zeggen: welke ciders uit Cornwall heb je?'

Het viel Demi op dat Sam het gesprek nauwlettend volgde. Peta was ook zo mooi om te zien, al was ze excentriek. Die twee zouden een interessant stel vormen.

'Hé Sam, je trakteert de tegenpartij toch niet op een drankje, hè? Hoe meer zij opheeft, hoe beter ze wordt, niet slechter,' riep Tom van-af de andere kant van de bar.

'Dank je voor de waarschuwing.' Sam bewoog zich dichter naar Demi toe. 'Ik zal je aan de rest van de ploeg voorstellen.' Halverwege bleef hij staan. 'Hé, hallo.'

'Sam.'

'Demi, dit is Adam. Een...' – hij aarzelde even – 'regelmatige gast op Boscawen.'

'Hallo, Adam.' Demi glimlachte naar hem. Adam leek zich wat afzijdig te houden van de rest van de mensen.

Sam nam haar bij de hand en liep met haar naar de plek waar de dartborden hingen en het team zich had verzameld. 'Jij speelt zeker niet?'

'Nog nooit gedaan.'

'Nou ja, voor alles is een eerste keer,' fluisterde hij in haar oor.

16

'Goedemorgen, slaapkop,' zei de stem aan de andere kant van de deur. Demi knipperde met haar ogen terwijl ze zich probeerde te herinneren waar ze was. Kleuren namen vorm aan. Ze was in Sams huis.

'Goedemorgen.' Haar stem klonk hees.

'Ik dacht niet dat je de hele dag zou willen verslapen en ik moet naar Falmouth.' Hij morrelde aan de deurkruk. 'Ik heb een kop thee voor je.'

Demi sprong uit bed en haalde de deur van het slot. Ze stak haar hoofd om de deur.

'Dank je.' Ze stak een hand uit maar zorgde dat hij haar lichaam niet zag. Ze droeg enkel een oud t-shirt.

'Je hoeft de deur niet op slot te doen, hoor. Ik ben geen slaapwandelaar en ik ga ook niet zonder uitnodiging een damesslaapkamer binnen.' Hij hield zijn hoofd schuin en trok zijn mond strak, maar zijn ogen lachten.

'Fijn dat te weten.' Demi moest lachen om zijn poging beledigd te kijken. Ondanks zijn charme en wat hij zei, zou ze toch de deur op slot doen. 'Mag ik met je meerijden naar Falmouth?'

'Ik hoopte al dat je dat zou zeggen. Hoe lang heb je nodig?'

Ze woelde met een hand door haar haar. Dat kon er nog wel mee door. 'Tien minuten.'

'Zal ik wat toast voor je maken?'

'Eigenlijk heb ik nog geen honger.'

'Echt niet?' Hij fronste zijn wenkbrauwen. 'Sommige mensen zeggen dat het ontbijt de belangrijkste maaltijd van de dag is.'

'Vast.' Demi deed de deur dicht en nam een slokje thee. In Falmouth had ze tenminste telefoonbereik, en ze kon haar grootvader bezoeken en de verzekeringsmaatschappij achter de broek zitten. Ze had haar eigen geld nodig. Op papier zwom ze erin, maar in werkelijkheid had ze nog tien pond en ze moest haar beltegoed opwaarderen. Misschien kon ze een lening krijgen met het landgoed als onderpand. Ze zou Sebastian ernaar vragen.

Na een snelle douche keek ze in de kast waarin ze haar weinige spullen had opgehangen. Ze trok een zomerjurkje aan en keek uit het raam om te zien of dat kon. Ja, er was geen wolkje aan de lucht. Ze draaide haar haar in een knot en liep naar Sam bij de voordeur.

'Nogmaals goedemorgen.' Hij gaf haar een sleutel.

Ze keek er met gefronst voorhoofd naar. 'Waar is die voor?'

'Van het poorthuis. Ik ben niet steeds bij je in de buurt en ik wil dat je het gevoel hebt te kunnen komen en gaan wanneer je wilt.'

'Bedankt.' Demi slikte. Hij was zo aardig. 'Ik zal heus niet voor eeuwig misbruik maken van je gastvrijheid.'

'Maakt niet uit. Je bent tenslotte een erfgename en zult me binnenkort rijkelijk belonen.'

Ze lachte. 'Maar natuurlijk. Mijn toekomst bestaat uit een en al auto's en zeiljachten.'

'Je bolide staat op je te wachten.' Hij wees naar een ouwe aftandse fourwheeldrive die absoluut betere tijden had gekend.

Sam zette Demi ergens in Falmouth af en ze ging op weg naar het verzorgingshuis. Slechts één nacht in het poorthuis van Boscawen en ze voelde zich al van de buitenwereld afgesloten. Was het nog maar twee dagen geleden dat haar grootvader hiernaartoe was verhuisd? Ze vroeg de vrouw aan de receptie of hij in zijn kamer was.

'Nee, hij zit in de tuin van het heerlijke junizonnetje te genieten.'

Ze wees naar een deur en Demi liep naar haar grootvader toe, die in de schaduw van een boom zat te lezen.

'Hallo.' Ze bukte zich en gaf hem een kus.

'Wenna, wat heerlijk om je te zien.' Hij sloeg het boek dicht. 'Ik zat net wat van Dickens te lezen.'

Demi ging op de bank naast hem zitten en zag dat hij *Grote verwachtingen* las. 'Zo, hoe gaat het hier, opa?'

'Grappig, dat wilde ik jou ook vragen.' Hij lachte. 'Niet slecht, hoor, maar het eten is niet zo lekker als bij mezelf.'

'Dat is vast moeilijk.'

'Klopt.' Hij keek aandachtig naar haar gezicht. 'Je ziet er een beetje moe uit. Vind je het grote huis niet mooi?'

'Ik logeer daar niet echt.' Ze grimaste toen ze dacht aan Victoria's gedrag van gisteren.

'Niet mooi?'

'Nee. Het is prachtig, maar Victoria is...' Ze wachtte even, dacht na. '... gecompliceerd. Dat is volgens mij wel een beleefde omschrijving van haar.'

'Dan lijkt ze wel wat op haar overgrootmoeder.'

'U hebt hen gekend.' Ze schudde haar hoofd. 'Ja, natuurlijk hebt u hen gekend.'

'Ik heb je al verteld dat mijn familie vroeger op de boerderij werkte die het dichtst bij het Weduwehuis stond. Edith Tregan was een goede, maar vastberaden vrouw.'

Ze trok haar neus op. De woorden 'goed' en 'Victoria' pasten niet in één zin. 'Ik begrijp nog steeds niet waarom mijn vader me de helft van het huis heeft nagelaten. Hij moet geweten hebben dat zijn vrouw daar volkomen door over haar toeren zou raken.'

Haar grootvader fronste zijn wenkbrauwen. 'Ja, ik herinner me het gerucht dat ze geen kinderen konden krijgen.' Hij draaide het boek in zijn handen om. 'Hij was stapelgek op jou.'

'O ja?' Op de foto's was dat inderdaad wel te zien, maar het paste niet bij de stilte in de achttien jaar daarna.

'O ja, absoluut.'

'Meneer Williams, de fysiotherapeut wacht op u.' De verzorger stak zijn arm naar haar grootvader uit.

'Sorry, liefje, ik moet ervandoor.' Hij glimlachte. 'Kom je gauw weer?'

'Natuurlijk.' Ze kuste hem op de wang en liep naar de voorkant om daar te wachten tot Sam haar kwam ophalen. Ze controleerde haar berichten en Facebook. Op haar nieuwspagina stonden nog meer foto's van Maia's dochter, en helaas was ze volgens Matts berichten nog steeds met hem samen, ook al had ze haar status in 'single' veranderd.

Victoria keek Charles' werkkamer in. 'Seb, waarom ben je hier eigenlijk nog? Moet je niet weer eens aan het werk?' Het had hem dagen gekost, maar het bureau was nu leeg en op de grote leren bank die ernaast stond lagen allemaal keurig nette stapels.

'Ik zie jou zo gauw nog niet tijd vrijmaken om dit uit te zoeken.' Hij keek glimlachend naar haar op. Haar hart sloeg een slag over. Zelfs nu deed die glimlach haar nog iets. Als ze veertig jaar geleden met hem getrouwd was, zou ze dit dan nog steeds hebben gevoeld? Of zou de tredmolen van het huwelijk de vonk hebben gedoofd? Waarschijnlijk wel.

Ze zette een kop koffie op een onderzetter. Ze wist eigenlijk niet waarom ze die moeite nam. Het leren bovenblad zat zo onder de kringen dat het leer niet eens meer te zien was. 'Dat is zo. Je zou er een schitterend vreugdevuur mee kunnen maken.'

Hij leunde naar achteren. 'Met het meeste ervan kun je dat inderdaad wel doen, maar ik moet zeker weten of er niets waardevols tussen zit.'

'Zou dit niet door een junior gedaan moeten worden?' Ze leunde met een heup tegen het bureau.

'Waarschijnlijk wel, maar op de een of andere manier zou me dat het gevoel geven dat ik een oude vriend zou verraden.'

'Jij en die verdomde loyaliteit van je ook. Wat heeft het je ooit op-geleverd?'

'Jou in elk geval niet.' Hij stond op.

'Dat is geschiedenis.'

'Ja, onze geschiedenis.' Hij kwam dichter naar haar toe en streek met amper een beweging over haar hand. Herinneringen... Ooit was haar hele wereld vanwege hem met draaien gestopt. Daarna was hij weggegaan, om de armen in Afrika te helpen, en zij was verdergegaan met haar leven, maar hoe stond het er nu met hen voor?

Haar mobieltje ging. Ze deed een stap naar achteren en keek naar het nummer. Het was Adam. Ze kon niet steeds zijn telefoontjes weg-drukken en tegelijk naar zijn lichaam verlangen. Zelfs zij wist dat het leven zo niet in elkaar stak. Ze drukte op de knop. 'Adam.'

Sebastian pakte zijn kop koffie en liep naar de openslaande deuren. Terwijl Victoria luisterde naar Adam, die vertelde hoe erg hij het vond en hoe bezorgd hij was, keek ze de weglopende Sebastian na.

Sam en Demi hadden ongeveer twintig vlierbloesemkoppen in de mand verzameld en liepen terug naar het poorthuis. 'Dus dit is je tweede oogst?' vroeg Demi.

'Ja, met die vorige portie was ik te enthousiast, die heb ik te vlug ge-botteld, en toen is een van de flessen geëxplodeerd.' Sam nam de mand van haar over.

Ze trok haar neus op. 'Dat was lachen, zeker.'

'Zo kun je het ook bekijken.' Hij wierp haar een zijdelingse blik toe terwijl hij een sleutel van onder een geraniumpot pakte en de keuken-deur openmaakte. 'Een andere manier is natuurlijk dat het één grote plakkerige bende was, het zat zelfs op het plafond.'

'Lekker dan.' Ze keek om zich heen naar de spullen die hij op het aanrecht had klaargezet. 'Dit ziet er veel technischer uit dan een een-voudige vlierbloesemchampagne.'

'Dit wordt ook geen gewone vlierbloesemchampagne, het wordt míjn champagne.'

'Van het explosieve soort.' Ze grinnikte.

'Leuk hoor.' Hij pakte een van de schalen waarvan ze had gezien dat hij ze die ochtend had gesteriliseerd.

'Kan ik iets doen?'

'Je mag de bloemkoppen verdelen, en als ik de suiker erin heb gedaan kunnen we ze erin vorken.' Hij woog de suiker af.

'Vorken?' Ze keek hem met toegeknepen ogen aan.

'Ja, met een vork pak je alleen de bloemkoppen en niet de stelen.'

'Wat geeft dat?'

Hij keek op van de weegschaal. 'De stelen zijn bitter.'

'Dit is veel geavanceerder dan zoals mijn moeder en ik het maakten.' De champagne van haar en haar moeder was elke keer weer anders, nou ja, eerder gevarieerd. Eén jaar was hij niet te drinken geweest. Wat hadden ze toen gelachen.

Hij glimlachte. 'Dat weet ik wel zeker.'

Hij ging verder waar hij mee bezig was en zij verdeelde de bloesems, ervoor zorgend dat ze niet beschadigd raakten. 'Ik neem aan dat je ook vlierbessenwijn gaat maken?'

Hij keek met een ruk op. 'Hoe wist je dat?'

Ze tuitte haar mond. 'Ik weet het niet... Misschien omdat je zo'n pietje-precies bent.'

Zijn schouders ontspanden. 'Dat ligt er zeker duimendik bovenop.'

'Maakt dit alles nog enig verschil voor de smaak?'

Toen hij klaar was met de suiker, richtte hij zich op. 'Ja. De kleinste aanpassingen kunnen echt iets veranderen.' Hij pakte een vork en een bloemkop. 'Ik wil graag dat jij dit doet.'

Ze haalde diep adem. Die woorden leken net iets te veel op wat Matt maar al te vaak tegen haar had gezegd.

'Sorry, ik was vergeten alsjeblieft te zeggen.'

Ze glimlachte en deed na wat hij met de vork had gedaan. Algauw was alles klaar. 'En nu?'

Hij dekte de schalen met schone theedoeken af. 'Ze moeten drie uur blijven staan en dan doen we de andere ingrediënten erbij.'

'Oké.'

'Heb je zin om in de tussentijd een wandeling over je landgoed te maken?'

Ze lachte. 'Ik heb niet bepaald het gevoel dat het van mij is. Van haar mag ik niet eens in het huis komen.'

'Ik zorg wel dat ze ons niet ziet, als je dat liever hebt.'

Ze grinnikte. 'Ik ben maar een béétje bang voor haar, hoor.'

Hij lachte terwijl hij de keukendeur achter hen afsloot. 'Ik helemaal niet meer.'

Victoria legde de telefoon neer. Naarmate ze verder onderzocht hoe ze het testament kon aanvechten, stapelden de kosten zich torenhoog op, en het zag ernaar uit dat haar investering weinig zou opleveren, áls die al iets opleverde. Ze zuchtte. Ze had Sam en Demelza langs het huis en over een grasveld zien lopen. God, daar kon ze dus echt niet tegen. Boscawen was van háár. Ze liep de hal in en probeerde een plan te bedenken. Er moest een manier te vinden zijn, maar volgens de advocaat was het niet waarschijnlijk dat ook maar iemand zou vinden dat ze er slecht van af was gekomen. Ze had immers een erfenis van een slordige vijf miljoen gekregen.

Toen ze naar de cijfers keek, zag ze dat hij een punt had, maar als je bedacht dat ze in het vorige testament nog het dubbele zou hebben gekregen...

Seb kwam de keuken uit lopen.

'Jij.' Ze klemde haar kaken op elkaar. Hij had de antwoorden en wilde die niet delen.

'Ook hallo.' Hij schonk haar een scheef glimlachje. 'Ik heb Demi voor een lichte lunch uitgenodigd.'

'Wat heb je gedaan?'

'Ik heb Charles' dochter voor de lunch gevraagd.'

'Denk je soms dat ik eten voor haar ga klaarmaken?' De spanning begon in haar tenen en sloeg door haar hele lichaam heen.

'Nee, dat zou ik nooit denken.' Hij gniffelde en liep de keuken weer in.

'Ik wil haar niet in huis hebben.'

'Te laat.' Sam stond achter haar in de hal. 'Ze is hier met mij.'

'Nee!'

Seb dook naast haar op. 'Ik maak alleen een paar sandwiches. Sam, neem jij Demi mee naar het zuidelijke terras, dan kom ik zo bij jullie.'

Hij was altijd zo verdomde redelijk en nu deed hij met die charme van hem alsof hij deed wat ze zei, maar op de een of andere manier deed hij dat ook weer niet. Victoria balde haar vuisten en hield ze strak langs haar lichaam. 'Je zorgt maar dat ze uit mijn huis en van mijn land verdwijnt.' Seb raakte haar schouder aan en ze draaide zich om alsof ze door een zweepslag was geraakt. 'Je zorgt nu dat ze opsodemietert.'

Ze zag dat hij Sam een blik toewierp en daarna pakte hij haar beide handen vast. 'Ik weet dat je van streek bent.'

Ze wilde zich losrukken, maar hij hield haar stevig vast en keek haar recht en zonder met zijn ogen te knipperen aan.

'Je zit nu eenmaal in deze situatie en dat zul je moeten accepteren. Maak er nou maar het beste van.' Hij liet haar los. 'Met al die woede maak je jezelf alleen maar belachelijk.' Hij draaide zich om en liep de keuken in.

Ze bleef trillend op haar benen staan. Was hij nu alweer bij haar weggelopen?

$\mathcal{N}$a de uitbarsting van gisteren was Demi verbijsterd dat ze in de keuken van Boscawen zat. Haar grootvaders vermoeden klopte inderdaad: er was niet veel veranderd, behalve de sfeer. Ze betwijfelde of hier evenveel spanning hing toen haar overgrootmoeder er de scepter zwaaide. Demi keek naar haar zwarte koffie. Ook al zag de keuken er nog zo fleurig uit, ze was doodsbang. Waarom wist ze niet, maar misschien kwam het gewoon door Victoria. Elke keer dat ze opkeek, brandde Victoria's beschuldigende blik zich in de hare. En toch viel het Demi op dat de keuken op een bepaalde manier een geweldige plek was. De geschrobde grenenhouten tafel waaraan ze zat, met haar mok stevig in haar handen geklemd alsof haar leven ervan afhing, bood enige afleiding. De architect in haar wilde de eigenschappen van de keuken bestuderen, van de reusachtige granieten latei boven het grote keukenfornuis tot de dubbele Belfast-gootsteen. Maar elke keer dat ze naar links keek, voelde ze een koude tocht om haar benen waardoor ze overal kippenvel kreeg. Ze trok haar neus op. Ze rook gember.

Sam dook in de deuropening op en bracht de geur van pas gemaaid gras mee. Victoria keek nors op en Demi keek weer naar haar koffie. Ze had zijn glimlach opgevangen en klampte zich eraan vast. Hier was iemand die haar echt graag mocht en het fijn vond dat ze er was.

'Mooi zo. Neem plaats, Sam.' Sebastian keek op van zijn computer. 'Victoria, ga zitten. Het helpt niet dat je als een panter rondjes om de tafel draait.'

Ze trok een stoel naar zich toe, recht tegenover Demi, zodat elke keer dat Demi opkeek, ze Victoria in beeld had. Dit was pure intimidatie, maar Demi liet zich er niet onder krijgen, hoe ver Victoria haar ook dreef. Niet dat Demi zich Victoria's kant van de zaak niet kon indenken.

'Ik heb in de afgelopen paar dagen bekeken hoe de zaken er hier voor staan en wat jullie er eventueel aan zouden kunnen doen.' Sebastian haalde een blocnote tevoorschijn. 'En ik heb het overlegd met Sam.'

'Sorry?' Victoria stond weer op. Ze gedroeg zich als een opgefokt duveltje-uit-een-doosje. 'Sorry, Sam, je bent een geweldige tuinman, maar wat heeft hij hiermee te maken, Seb? Het is al erg genoeg dat we Demelza's mening moeten vragen.'

Demi omklemde de mok tot haar knokkels wit zagen. Het kwam door de manier waarop Victoria haar naam uitspuugde; zo klonk Demelza als een smerige ziekte. Demi slaakte een kreet.

Victoria draaide zich naar haar toe. 'Wat heb jij?'

'Noem me Demi, alsjeblieft.'

'Demi? Wat, ben je soms zo klein of zo'n watje dat je maar een halfwat bent?'

'Tori.' Sebastians stem klonk beheerst maar er zat een dreigende ondertoon in.

'Demi is geen naam. Demélza is een naam, de naam van een dorp. Als je moeder je nou Demetra had genoemd, wat volgelinge van de Griekse godin Demeter betekent, die de scepter zwaaide over oogst en vruchtbaarheid...' Haar mond vertrok zich in iets wat op een glimlachje leek. 'Dat zou op een perverse manier nog heel amusant zijn geweest.'

'Ga zitten, Tori,' snauwde Sebastian. 'Je bent echt onuitstaanbaar.'

Ze keek eerst hem en daarna Demi boos aan, maar ging wel zitten.

'Voor elke optie is samenwerking nodig dus ik verwacht van iedereen dat hij zich gedraagt als de volwassene die we allemaal zijn.' Sebastian keek naar Victoria, die nijdig fronste.

'Optie één is verkopen. Het landgoed wordt dan op een bepaald moment te koop aangeboden en het beste moment is volgend voorjaar. Maar we zouden nu al onze voelsprieten kunnen uitsteken.'

'Nee!' beet Victoria hem toe. 'Ik heb jaren gewacht om dit huis terug te krijgen en ik ga het niet verkopen.'

Sebastian negeerde haar. 'Ik heb met alle grote makelaars gebeld en een ruwe richtprijs zou vijfenhalf miljoen zijn. Het kan meer opbrengen als het landgoed in stukken wordt opgedeeld en het poorthuis, het koetshuis en de verschillende boerderijen apart worden verkocht.'

Demi keek naar Victoria. De vrouw ziedde van woede. Demi verwachtte dat ze elk moment kon ontploffen.

'In dat geval komt de geschatte opbrengst een miljoen hoger uit. Uiteraard is daar een lange adem voor nodig, want de markt voor grote landgoederen fluctueert enorm.'

Hij zweeg even alsof hij een volgende uitbarsting van Victoria verwachtte.

'Ze hadden het idee dat er vanuit de commerciële hoek meer interesse zou zijn dan uit de private hoek. Eén makelaar zei dat Boscawen een schitterend luxehotel kon worden, omdat het genoeg land heeft voor een golfbaan, een spa en luxe vakantiehuizen.'

Demi leunde in haar stoel naar achteren. Ze had het huis niet mogen bekijken, maar van het weinige dat zij ervan had gezien, zou het een prachtig boetiekhotel kunnen worden. Maar daar was wel een flinke opknapbeurt voor nodig. Het was allemaal goed en wel om in de vorm van het meubilair iets van het verleden in stand te houden, maar zoals het nu was, met die donkere verf en slechte verlichting, zou niemand z'n geld spenderen om hier te verblijven. Tijdens haar eerste stage had ze met een architect samengewerkt die iets soortgelijks met een huis in de Cotswolds moest doen, en toen was Demi gaan beseffen hoezeer ze hield van de dubbelrol buiten/binnenhuisarchitectuur. Als ze haar droombaan mocht kiezen, zou dat 'm worden.

'Dus optie twee zou zijn om dit project zelf aan te pakken.'

'Wat?' Victoria ging weer staan. De kookwekker ging af en ze liep naar de oven om er een bakplaat uit te halen. De geur van warme gember vulde de ruimte. Demi's maag draaide zich om. Victoria had alle soorten koekjes kunnen bakken, waarom moesten het nou uitgerekend gemberkoekjes zijn? Het was alsof ze wist dat Demi er een hekel aan had.

'Jij wilt de tuin ontwikkelen en in oude staat herstellen, dat kunnen we in het proces meenemen.' Sebastian glimlachte naar Victoria terwijl ze de koekjes op een rooster schoof om af te laten koelen. 'Je was nooit geïnteresseerd in het huis zelf, het ging je altijd om de tuin en het bos.'

'Allemaal goed en wel, maar we hebben het geld niet.' Ze keek nijdig naar Demi. 'Zelfs als ik had gekregen wat aan Demi is geschonken, dan zou het nog niet genoeg zijn. Je hebt het wel over een enorme investering.'

'Inderdaad. Daarom moeten jullie partners worden, maar daarnaast is er ook nog een substantiële investering van een bank nodig, tenzij jullie er andere partners bij betrekken.'

'De gemeente gaat er vast niet in mee.'

'Ik denk dat u zich daarin vergist.' Sam zei het zachtjes en iedereen draaide zich naar hem toe. 'We hebben hier banen nodig, en hard ook. Dit project zou aardig wat werk kunnen opleveren, vooral als u ook nog cider gaat produceren en de hele procedure zo groen en biologisch mogelijk maakt.'

'Cider?' vroeg Sebastian.

'Ja. Moet je horen, momenteel zijn er vijf boomgaarden op het landgoed. Die zijn weliswaar oud, maar ze produceren goed, hoewel er een hoop aan gedaan moet worden. Er is in jaren niet naar omgekeken, op een paar appels jattende buurtbewoners na.' Sam keek hen allemaal om de beurt aan en Demi kreeg in de gaten dat hij er heel veel van wist.

'Dit jaar is de oogst misschien groot genoeg om een begin te maken met de productie.'

Victoria hield zich vast aan de rugleuning van de stoel. 'Wat weet jij in hemelsnaam van cider?'

'Van cider? Nou, het gaat om de appelvariëteiten die je gebruikt en de kunst van het mengen, maar eerlijk gezegd weet ik er niet zo veel van als ik zou willen.' Hij haalde diep adem. 'Ik ben in een wijnstreek opgegroeid en heb in wijngaarden gewerkt.' Hij wendde zijn blik van Victoria af, wilde haar niet in de ogen kijken.

'Dat stond anders niet op je cv.' Victoria zweeg even. 'Sterker nog, je cv was opvallend kort, afgezien van zeilen en surfen.'

'Ik dacht dat ik in een surf- of botenwinkel zou gaan werken, tot ik hoorde dat u op zoek was naar een tuinman.'

Victoria kneep haar ogen samen.

'Ik vind het heerlijk om op het land te werken.' Sam haalde zijn schouders op.

'Dus je hebt wat ervaring?' vroeg Sebastian.

'Ja. Ik ken alle stappen die nodig zijn om wijn te maken. Ik ben in Margaret River opgegroeid.' Hij wierp een snelle blik op Sebastian en Victoria, maar keek niet naar Demi. Ze vroeg zich af welke andere verrassingen hij nog in petto had. Hij had tegen haar niets over wijnbouw gezegd, maar ze wist wel dat hij heel erg geïnteresseerd was in cider. Natuurlijk paste dat bij de zorgvuldige procedure die hij voor zijn vlierbloesemchampagne volgde.

Sebastian leunde naar voren. 'Hoe kun je er een winstgevende zaak van maken?'

'Ik heb een businessplan uitgewerkt.'

Victoria trok een wenkbrauw op.

'En ik denk dat er binnen drie jaar winst gemaakt kan worden. Er is een enorme vraag naar lokale producten en als je daar ook nog een hotel en cottageverhuur bij doet, zullen er alleen maar meer mensen op afkomen. Die willen een stukje van Boscawen, nou ja, van Cornwall, mee terug nemen naar huis en daardoor zal het zich via mond-tot-mondreclame verder verspreiden.'

'Ben je al zover met je plannen dat ik ernaar kan kijken?' Sebastian maakte een paar aantekeningen.

'Ja, het zit in mijn computer.'

'Er is geen bank die daarin wil investeren.' Victoria pakte een koekje en beet erin.

'Dat weet je niet, omdat je het niet hebt uitgezocht, en je hebt ook geen investeerders benaderd.' Sebastian keek naar Demi en ze kromp ineen. 'Jij hebt nog helemaal niets gezegd.'

'Zij zegt toch nee. Zij wil alleen het geld en maken dat ze wegkomt. Zij heeft geen band met Boscawen.' Victoria veegde de kruimels van haar vingers in de gootsteen.

'Hallo zeg, ik ben hier en je weet helemaal niets van me. Hou op te doen alsof ik niet besta of me als een kind te behandelen. Echt, als je er nog iets van wilt maken, zul je je anders moeten opstellen.' Demi stond op en liep de keuken uit naar de hal. Het werd verdomme tijd dat ze ophield met aardig zijn en proberen Victoria's gevoelens te respecteren. Die vrouw had geen gevoel, en als je zag hoe ze het huis had ingericht, had ze ook geen smaak, behalve wat bloemen betrof. In elke kamer waar Demi was geweest stonden schitterende bloemstukken.

De bibliotheek was vast haar vaders werkkamer geweest, en ook al had ze geen herinneringen aan hem, hier kon ze hem voelen. Langs de muren stonden boekenkasten en overal prijkten zilveren fotolijstjes. Geen enkele foto van Demi, natuurlijk, maar wel een enorme hoeveelheid foto's van Victoria en zijn neef. Aan de verste muur hing een prachtig modern oliedoek van een landschap in Cornwall. Ze liep ernaartoe. De kleuren waren heel levendig en de penseelvoering was dik aangezet maar energiek. Met snelle streken waren velden en een landtong geschilderd. Ze glimlachte toen ze de dikke laag verf aanraakte.

Ze liep de werkkamer uit, langs de eetkamer naar de trap om naar boven te gaan, waar ze nog niet was geweest nadat ze de vorige week was teruggefloten.

Niet dat ze klaagde dat ze bij Sam logeerde. Maar dit was ook haar huis. En wat was er toch met Boscawen, dat ze het gevoel had dat ze hier eerder was geweest? Dat kon gewoon niet. In haar jeugd hadden andere mensen in dit huis gewoond en ze geloofde niet in reïncarnatie, maar ze wist zeker dat ze het kende, en ze wist ook hoe bang ze toen was geweest.

Boven aan de trap keek ze naar de hal beneden en ze wenste dat die verlost zou worden van de duisternis. Als ze haar ogen halfdicht deed, zag ze hem voor zich als hij helemaal gerenoveerd was en kon ze de waardering van de gasten horen terwijl die bij de voordeur werden verwelkomd. De voordeur die ze zo goed kende; wat natuurlijk helemaal niet kon.

Ze opende de deur van de eerste de beste slaapkamer die ze tegenkwam en was opgetogen over het feit dat die zo ruim was. Als alle kamers zo groot waren, hoefde het huis alleen maar geschilderd en gestoffeerd te worden. De meubels waren in prima staat, maar wel aan nieuwe bekleding toe. Het was alsof ze zo van een veiling kwamen en alleen door een zorgzame plumeau waren aangeraakt.

Het uitzicht over de akkers en bossen was betoverend, maar pas toen ze boven bij de dienstbodekamers was aanbeland, zag ze de zee. In de verte liep het dichtbeboste terrein steil af naar de rivier, waar het wemelde van de jachten voordat hij uitmondde in wat Falmouth Bay moest zijn.

Demi bleef staan kijken en kwam weer een beetje tot bedaren. Ondanks de afstand zag ze de weerspiegeling van de zon op het water. Ze vroeg zich af of ze zich dit verbeeldde omdat de boten zo klein leken, maar hoe langer ze naar het water staarde, hoe dichterbij het leek te komen.

'Demi.'

Ze maakte een sprongetje.

Sam raakte haar schouder aan. 'Ik wilde je niet laten schrikken, alleen even kijken of alles goed was.'

'Bedankt.'

'Mooi uitzicht.' Hij glimlachte.

'Ik had geen idee dat Boscawen zo dicht bij het water lag, omdat je het gevoel krijgt ingesloten te worden door het omringende land.' Ze draaide zich om en keek onderzoekend de kleine kamer rond waarin ze stond. 'Weet jij of het huis op de monumentenlijst staat?'

'Ik denk het niet.'

Ze knikte terwijl ze wegdwaalde. Op deze verdieping kon ze zien wanneer het gebouw was uitgebreid en de officiële gevel was aangebracht. Een volgende trap leidde naar nog enkele kamers en hier zag ze sporen van brandschade, verschroeide balken en schroeiplekken. Ze vroeg zich af wanneer dat was gebeurd, maar de constructie leek stevig en de reparaties waren niet van recente datum.

Een paar traptreden leidden naar een deur die op het dak uitkwam. Vanhier kon ze kilometers ver zien. Het terrein liep af naar het water en ze zag de vele glooiingen in het landschap. Het was adembenemend. Als ze hier zou gaan wonen, zou dat boven in het huis zijn, ver weg van de bossen. De bossen, die toen ze ernaar omlaag keek er bijna uitzagen als dikke pollen mos, behalve aan de rand ervan, waar naaldbomen waren binnengedrongen. Wat woonde er in die bossen? Elfen of iets griezeligers?

'Wauw, ik ben hier nog nooit geweest. Spectaculair.' Sam draaide zich naast haar rond. 'Wat een schitterend uitzicht over het bos.' Hij liep naar de rand van het dak en tuurde over de balustrade. 'Je kunt duidelijk de afgrenzing zien tussen de dwergeiken en de vlierbomen.' Hij wees en Demi ging aarzelend naast hem staan. Ze had nooit last gehad van hoogtevrees, maar dat was nu wel anders. De wereld leek te wiebelen en de bomen werden een vage vlek.

'De bossen werden ooit gekapt voor de tin- en kopermijnen, maar dat is verleden tijd.' Hij wachtte even. 'Wist je dat deze tot de oudst overgebleven bossen van het Verenigd Koninkrijk behoren? De Tregans zijn er heel lang de hoeders van geweest, met uitzondering van een jaar of dertig. Met dit uitzicht begrijp ik wel waarom het zo veel voor mevrouw Lake betekent.' Hij draaide zich naar haar om en stak een hand uit. 'Gaat het wel met je?'

Demi wendde zich af. Alles voelde verkeerd, zwom om haar heen. Het hele idee dat ze hier eerder was geweest, drong zich aan haar op. Ze viel wankelend tegen de balustrade.

'Wat doe je in godsnaam?' Sam greep haar vast en trok haar terug, hield haar tegen zijn borst. Het geluid van zijn racende hart bonsde in haar oren. Ze zat gevangen. Ze worstelde. 'Rustig maar.' Hij sloot zijn armen steviger om haar heen. Ze spartelde nog heviger tegen. Ze kon er totaal geen wijs meer uit. 'Wat gebeurt hier in hemelsnaam?' Victoria's stem doorboorde de mist van angst in Demi's hersens. 'Ik denk hoogtevrees,' zei Sam zachtjes. Hij maakte zijn greep losser maar niet zo los dat ze zich kon bevrijden.

'Geen mens zou een dak op mogen lopen zonder zeker te weten dat hij geen hoogtevrees heeft.' Victoria lachte en liep naar de rand waar de balustrade tot dertig centimeter hoogte afliep. Demi's maag draaide zich om bij het idee alleen al.

'Mijn broer en ik speelden hier vroeger altijd.'

Sam zweeg en sloeg Victoria nauwlettend gade.

'Was u hecht met hem?'

'Ja, heel erg. Hij was maar tien maanden jonger dan ik, dus we waren bijna een tweeling.' Ze glimlachte en voor het eerst zag Demi dat ze ook zachte gelaatstrekken had, en dat die mooi werden in plaats van hard.

'Dan was u er zeker kapot van toen hij doodging.' Sam stond volkomen bewegingloos, was helemaal gefocust op Victoria. Demi kalmeerde in Sams armen en genoot van de sensatie. Toen ze dat besefte, rechtte ze haar rug.

'Ja, dat was ik ook, maar eerlijk gezegd had mijn vader ons al lang voor die tijd uit elkaar gedreven.' Ze keek naar de zee. 'Wie is de koning van het land – dat gevoel drong zich op deze plek altijd directer aan ons op.' Ze wendde zich naar hen toe. 'Demi...' Ze wachtte even om er zeker van te zijn dat Demi in de gaten had dat ze haar noemde zoals ze graag wilde. 'Je krijgt weer wat kleur. Sam, je kunt haar nu wel loslaten, dan kan ze ademen. Ik merk altijd dat ademhalen helpt.'

18

*D*emi zat in de schaduw van het poorthuis ruwe schetsen te maken van haar ideeën voor Boscawen. Een auto kwam tot stilstand en Sebastian stapte uit. Hij zwaaide naar haar en ze legde haar schetsboek neer. Eerder was ze begonnen aan een paar moodboards voor de zit- en eetkamer. Gisteren had ze er na hun eerste gesprek een voor de bibliotheek geschetst, waarin ze een soort bar had geplaatst en het terras ervoor had vergroot, waardoor je er ook kon zitten.

'Ik wilde je nog even spreken voordat ik naar Londen ga.' Hij ging op de stoel naast haar zitten en keek naar de tekening. 'Goed zeg, hartstikke goed.'

'Dank je wel.'

Hij woelde met een hand door zijn haar. 'Wat vind jij van dit zakelijke avontuur waar jullie je misschien in gaan storten?'

Demi trok een wenkbrauw op.

'In alle ernst. Ik wil weten wat je ervan denkt. Het is mij te gemakkelijk als Tori jou en alles om haar heen platwalst.'

'Weet ze eigenlijk wel dat er ook nog andere mensen zijn? Nu ik haar vaker meemaak, verbaast het me niet dat mijn vader een verhouding had.'

Hij gniffelde. 'De zaken liggen veel gecompliceerder dan je beseft: Tori is nooit gemakkelijk geweest, maar jaren geleden was ze een stuk liever.' Hij keek in de verte.

'Waardoor is ze veranderd?'

'Ik zou ernaar kunnen raden, maar daar blijft het dan ook bij.'
Ze schudde haar hoofd. 'Dus je vertelt het me liever niet.'
'Laat ik zeggen dat Tori minder hard is dan ze lijkt. Ze moest wel zo worden.'
Ze fronste haar wenkbrauwen. Victoria leek anders behoorlijk zeker van zichzelf en Demi kon zich niet voorstellen dat dat ooit anders was geweest. De vrouw was geboren met een zilveren lepel in de mond, zoals de uitdrukking was. Ze kwam uit een welgestelde familie, was in alle opzichten bevoorrecht geweest en was uiteindelijk met een rijke man getrouwd. Het had haar aan niets ontbroken. Dat was precies het tegenovergestelde van wat Demi had gekend. Niet dat ze het slecht hadden gehad, maar het hield ook niet over en ze zat met een enorme studieschuld.

Ze keek naar haar schets. Daaraan was te zien dat ze ook begreep wat zich achter de muren bevond. Zelfs tijdens haar korte rondgang was het haar opgevallen dat de elektrische bedrading en leidingen gemoderniseerd waren, en had ze een idee gekregen van welke muren draagmuren waren en welke niet. Bij de aanleg van de nieuwe badkamers en modernisering van de oude was slim met de ruimte omgegaan. Ze was onder de indruk geweest en vroeg zich af welke architect dat had bedacht.

'Ik vertrek nu voor een dag of wat naar Londen om wat gunsten te incasseren en aan Sams businessplan te werken. Dus je hoeft nu geen antwoord te geven, Demi. Je hebt nog niet genoeg informatie om een afgewogen besluit te nemen, ik vraag me alleen af of je gevoelens al een bepaalde kant op gaan?'

'Vraag je me nou in alle ernst of ik bereid ben een partnerschap aan te gaan met mijn vaders weduwe, die me uit de grond van haar hart haat?'

'Ja.' Hij vertrok zijn mond in een glimlachje.

De schets op haar schoot vertelde één verhaal, maar de stem in haar hoofd vertelde iets heel anders. 'Dat weet ik niet.'

'Dat snap ik wel.'

'Ik zou het geweldig vinden om het huis in een hotel om te toveren. In zo'n project zou ik mijn tanden wel willen zetten.' Demi haalde diep adem. 'Maar ik heb geen zin om mijn tijd te verdoen met een vrouw die me haat. Ik kan ook het geld aanpakken, mijn eigen project kopen en daaraan werken.'

'Kan ik me voorstellen.' Hij glimlachte. 'Je lijkt in veel opzichten op je vader.'

'Hoezo?'

'Voordat hij een beslissing nam, bekeek hij de zaak altijd van alle kanten en hij nam nooit overhaast een besluit.'

Ze dacht daarover na, draaide met het potlood in haar vingers. 'Waarom heeft hij me in de steek gelaten?'

Sebastian keek in de verte. 'Dat heeft hij niet gedaan, dat was je moeders keus.'

'Dat heb je al eerder gezegd, maar dat slaat nergens op.'

Hij keek naar de pilaren van de poort en niet naar Demi. 'Er was een ongeluk gebeurd en Morwenna nam een besluit waar Charles niets aan kon veranderen. Hij stond machteloos.'

'En hij wilde niet bij zijn vrouw weg?'

'Ik weet zeker dat dat ermee te maken had. Ik geloof dat het de moeilijkste beslissing was die hij ooit heeft genomen, maar Charles had het gevoel dat de geloften die hij had gedaan heilig waren en...'

'Ha, zo heilig dat hij met mijn moeder naar bed ging,' zei Demi, hem onderbrekend.

'Klopt. Mensen zijn niet erg consistent, wel?'

Demi dacht aan Matt. Op het eerste gezicht leek er met hem niets aan de hand, maar daaronder bleek het een heel ander verhaal te zijn. 'Nee, dat zijn ze zeker niet.'

'Blijf met een open blik naar je vader kijken, Demi, en naar het project.'

Ze perste haar lippen op elkaar. Hij vroeg wel veel.

'Vertrouw me maar.' Hij glimlachte en de rimpeltjes om zijn ogen werden scherper.

Ze sloot haar ogen even. Hem vertrouwen. Ze kon niemand vertrouwen, behalve haar grootvader misschien. Ze moest dit alles met hem bespreken.

'Wacht in elk geval totdat ik een voorstel in elkaar heb gedraaid.' Ze legde haar werk op de tafel. 'Oké.'

Ze liep met hem mee naar de auto.

'Wat gebeurt er als ik niet meedoe?'

Hij leunde tegen de Jaguar. 'Dan moet Tori verkopen.'

'Weet jij waarom Boscawen zo veel voor haar betekent?'

'Nee, niet echt, en geloof me, ik wou dat ik het wist.' Hij stapte in zijn auto.

Ze liep naar het open raam. 'Nog één ding.'

'Ja?'

'Als we ermee doorgaan...' Ze beet op haar lip. '... wil ik graag wat geld opzij kunnen zetten en niet alles in Boscawen stoppen.'

Hij opende de deur en stapte weer uit. 'Oké. Mag ik vragen waarom?'

'Mijn grootvader zit nu in een verzorgingshuis; ik wil hem daar als het even kan weghalen en iemand inhuren die hem kan verzorgen.'

'Fijn te horen dat hij er nog is.'

'Ken je hem dan?' Ze fronste haar wenkbrauwen.

'Niet echt, maar we hebben elkaar een paar keer ontmoet.' Hij glimlachte. 'Een aardige vent, en ik zal je verzoek meenemen in de calculaties.' Hij stapte weer in de auto. 'Misschien kan een deel van het koetshuis voor hem worden verbouwd.'

Demi knikte. 'Dat zou ideaal zijn.' Ze glimlachte. 'En dan nog één ding.' Ze leunde door het open raampje. 'Mijn moeders levensverzekering heeft nog steeds niet uitgekeerd en ik zit zonder baan. Is het misschien mogelijk een kleine lening af te sluiten met het landgoed als onderpand? Het hoeft niet veel te zijn, maar ik wil niet steeds van mijn grootvader hoeven lenen en het is absurd om een uitkering aan te vragen.' Ze haalde haar schouders op.

'Uiteraard. Ik zal er meteen naar kijken.' Hij startte de motor.

Ze zwaaide naar hem toen hij wegreed, haastte zich weer naar haar schetsboek en krabbelde een paar gedachten neer die ze verder moest uitwerken. Maar voor ze verder kon, moest ze eerst een blik op het koetshuis en de stallen werpen.

Demi stond op het punt de telefoon te pakken om haar opa te bellen, maar deed dat toch niet. Zo te zien gingen de papieren die voor haar lagen over Boscawen. Ze hoorde niet rond te snuffelen, maar toen ze ernaar keek, kwam het in haar op dat Sam helemaal geen tuinman was. Dit waren geen plannen van een amateur. De kostenramingen en afschrijvingen waren van iemand die eerder een bedrijf had gerund, of hij was economisch geschoold of hij had zijn MBA gehaald. Hij wist bovendien ongelooflijk veel van teelaarde, ook van de chemische samenstelling ervan. Wat had hij laatst ook alweer gezegd, dat hij tussen de wijngaarden was opgegroeid? Hij had er niet veel over kwijt gewild en klaarblijkelijk had Victoria hem in een opwelling aangenomen. Zoals ze naar hem keek, zou het Demi niets verbazen als ze dat had gedaan omdat hij zo'n lekker ding was. En dat was Sam Stuart absoluut, maar wat was hij nog meer?

Als zij met Victoria een partnerschap aanging en ze op Sam moest vertrouwen, had ze er toch zeker recht op om meer over hem te weten te komen? Ze schoof met de papieren en zag een envelop uit Australië die geadresseerd was aan A.S.T. Stuart. Wat betekenden de A en de T? En waarom gebruikte hij zijn tweede naam? Ze hoorde geen water meer stromen in de douche, schoof de papieren snel weer op hun plek en besloot het hem te vragen.

Toen pakte ze de telefoon en belde het verzorgingshuis. Ze hadden haar gezegd dat het beter was om een paar dagen niet op bezoek te komen, omdat haar grootvader een akelige verkoudheid had opgelopen. Ze hoopte dat hij nu aan de beterende hand was. Elke keer dat ze op bezoek kwam klaarde zijn gezicht op, en dat gaf haar de hoop dat niet alles in de wereld slecht was. Niet dat ze dat niet wist, maar momenteel sloeg de weegschaal meer uit naar de negatieve dan naar de positieve kant. Aan de positieve kant had ze haar grootvader. Aan de negatieve Victoria en Matt met zijn sms'jes en e-mails waarmee hij haar steeds vaker bestookte. Het neutrale midden werd bevolkt door Sebastian en Sam. Demi kwam er maar niet achter wat Sebastians motieven waren. Hij leek dat loyale-vriendgedoe nogal ver door te drijven.

Natuurlijk kende ze andere aardige mensen. Haar vriendinnen van school en de universiteit, maar die stonden nu zo ver van haar af. Gelukkig was er internet in het poorthuis, anders zou ze volkomen van de wereld zijn afgesloten.

'Als u het doorkiesnummer weet, toets dat dan nu in,' dreunde de automatische stem. Ze toetste het kamernummer in. De telefoon ging over, daarna klonken er allerlei geluiden en toen eindelijk: 'Hé, hallo?' Hij klonk een beetje weggemoffeld.

'Hoi, met Demi.'

'Ah, Demi, liefje. Ik kan maar niet overweg met die verdomde telefoon. Hoe gaat het met je?'

Ze liet zich op een stoel zakken en speelde met een potlood. 'Met mij? Oké, hoor.'

'Gewoon oké?'

'Ja, maar er zit verbetering in.'

'Dat hoor ik anders niet aan je stem.'

Ze lachte. 'Nou, wat u aan mijn stem hoort klopt en ik ben een vreselijke leugenaar.'

'Geeft niet, hoor.'

'Weet ik zo net nog niet.' Ze keek rond of Sam al uit de badkamer was. 'Ik denk dat het in je leven best handig is als je goed kunt liegen.'

'Waarom zou je willen liegen? Die vraag is veel interessanter.'

'Weet u zeker dat u geen psychologie hebt gestudeerd?' Ze glimlachte en dacht aan vroeger, aan de momenten dat haar grootvader haar met haar schoolwerk hielp. Pas nu snapte ze dat het niet zozeer om haar leerprestaties ging als wel om haar zelfvertrouwen.

'Ik mag graag denken dat als je ruim veertig jaar leraar bent geweest, je heel wat van dat vak meekrijgt.'

'Klopt.'

'Dus wat zit je dwars?'

'Mensen.' Ze leunde op de tafel.

'Niets veranderlijker dan dat. Dus waarom bezorgen ze je hartzeer?'

'Zover zou ik niet willen gaan, maar tot nu toe is deze erfenis van mijn vader behoorlijk ingewikkeld.'

'Dat zijn ze vaak.'

Ze zuchtte. 'In plaats van de boel gewoon te verkopen, denken ze erover om er een bedrijf van te maken, en het is belangrijk dat ik daaraan meedoe.'

'Ah. In bed stappen met de vijand.'

Demi fronste haar wenkbrauwen. Ze wilde helemaal met niemand van hen in bed stappen. Nou ja, dat was niet helemaal waar, zo moest ze toegeven toen ze Sam in enkel een handdoek naar zijn kamer zag lopen. 'Ja, in zekere zin wel.'

'Niemand kan je dwingen iets te doen wat je niet wilt.'

Demi ging rechtop zitten en dacht: maar ze kunnen je wel in de val laten lopen of je een rad voor ogen draaien.

'Je moet dat hoofdje van je even stilzetten, Demi,' zei haar grootvader. 'Ga wat door de tuin wandelen en denk intussen aan je oude grootvader. Misschien kun je me over een paar weken een keer meenemen of me er in elk geval over vertellen.'

'Dat zou leuk zijn. Ik bel morgen weer, en u moet in die tijd leren omgaan met de telefoon.'

'Doe ik.'

'Ik ben blij te horen dat het beter met u gaat. Is de verkoudheid over?'

'Bijna, nog een dag en dan is de kust veilig voor bezoek.'

'Mooi zo. Ik hou van u.' Toen Demi de telefoon neerlegde, liep Sam zijn kamer uit met de handdoek laag om zijn heupen.

'Sorry, ik heb de schone was buiten aan de lijn laten hangen. Ik heb verder niks om aan te trekken.'

Hij verdween door de keuken en Demi bewonderde het uitzicht. Wat Sam ook was, hij was de moeite van het bekijken waard, dus misschien had ze toch iets met Victoria gemeen. Demi lachte toen ze de schetsen opzocht die ze van de buitengebouwen had gemaakt. Dit kon echt een opwindend project worden, en hoewel ze zo haar twijfels had of het kon worden verwezenlijkt, wilde ze dat ergens maar wat graag.

Bij het zien van een dode boom vol grote zwarte vogels bleef Demi abrupt staan. In de schemering wandelden Sam en zij in een grote boog om Boscawen heen. Na gisteren had ze er geen behoefte aan om Victoria te zien.

Sam volgde haar blik. 'Enge beesten, hè?'

'Ja, zijn het kraaien?'

'Kauwen.'

Ik vraag me af of ze weten hoe ze overkomen, zoals ze nou net op die boom zijn gaan zitten.'

Hij grinnikte. 'Ik denk eigenlijk van wel, want dit is hun vaste hangplek.' Hij klom over een hekbalk en stak een hand naar haar uit. Hij ging haar voor door een veld dat aan de tuin grensde.

'Is dat eucalyptus?'

'Ja.' Hij glimlachte. 'Die doen me aan thuis denken.'

'Mis je thuis?'

'Een beetje, soms, maar de zee en de bomen helpen, en vooral de eucalyptus.' Hij haalde diep adem. 'Mis jij Londen?'

Ze bleef staan, dacht aan de energie, het lawaai en alle mensen. 'Ik had er niet aan gedacht, het is dat je het me nu vraagt, dus ik denk eigenlijk van niet.' Ze lachte terwijl ze onder de bomen verder liepen. Ze keek ernaar omhoog, genoot van de eucalyptusgeur om hen heen. 'Ik had ze hier niet verwacht.'

'Geïmporteerd. Victoria's overgrootmoeder was een fervent plantenverzamelaar en heeft twee grote reizen gemaakt om op plantenjacht te gaan. Ze heeft boomzaden en zaden van veel andere planten mee terug genomen, inclusief de agapanthus. Mevrouw Lake heeft haar tuinaantekeningen en plantenlijsten nog.'

'Je klinkt jaloers.' Demi keek hem aandachtig aan.

'Ik zou ze dolgraag willen bekijken, maar ze zit erbovenop.' Hij fronste zijn wenkbrauwen. 'Ik vermoed dat ze voor haar een soort talisman zijn.'

'Ze wil de tuin in oude glorie herstellen.'

'Ja, en daarin heeft ze best een punt, maar tuinen ontwikkelen zich ook.' Hij keek om zich heen. 'Ik vind het al fascinerend om de planten te zien die het hebben overleefd, ook al zijn ze nog zo verwaarloosd.' Hij zweeg even. 'Als je nu de tuin verzorgt, is het alsof je het verleden aanraakt, kennis neemt van de mensen die vroeger in de tuin gewerkt hebben. Maar je moet naar de toekomst kijken, naar wat houdbaar en haalbaar is.'

Ze bleven staan bij een klaphek. Demi ging er als eerste doorheen. Ze zag dat er aan de overkant van het veld koeien graasden.

'Hoort dit ook bij Boscawen?'

'Ja, mevrouw Lake verpacht het land aan een boer. Ik geloof dat Sebastian hier de golfbaan had gepland.'

'O.' Demi keek naar het landelijke tafereel voor haar en vroeg zich af of een golfbaan wel zo'n goed idee was. Ze had gehoord dat er ergens in de buurt nog een was. Hoeveel golfbanen had een streek nodig? 'Trouwens, waarom noem je Victoria mevrouw Lake?'

Sam bleef staan en keek Demi aan. Hij hield zijn hoofd schuin, zoals ze inmiddels van hem gewend was als hij nadacht. Zijn blik dwaalde af naar de verte. Hij was met zijn gedachten heel ver weg en de koeien begonnen hen belangstellend aan te staren.

'Nou ja, ze is mijn baas.'

'Dat is zo, maar als we gaan samenwerken, word jij een soort partner.'

'Zo had ik het nog niet bekeken.' Hij glimlachte. Het pad slingerde het bos in. Ze aarzelde, maar bedacht dat haar in gezelschap van Sam niet veel kon overkomen. Het pad tussen de vlierbomen werd breder en ze ging naast hem lopen. Niets kwam haar bekend voor.

Ze wees naar een open plek met prikkeldraad eromheen in de verte. 'Wat is dat?' De plek was dichtbegroeid met varens, maar er liep een duidelijk pad naartoe.

'Dat is Men an Skawenn.'

'En dat betekent?'

Hij nam haar bij de hand en dook onder een paar lage takken door, omzeilde het prikkeldraad en bracht haar bij een grote steen met een gat in het midden. 'Dit is Men an Skawenn. Een oeroude steen die naar verluidt kinderen geneest die door het gat heen gaan en,' hij wachtte even en keek haar met een grote grijns op zijn gezicht aan, 'die vruchtbaarheid garandeert voor pasgetrouwde stellen als ze zich door het gat weten te wurmen... naakt.'

Ze lachte.

'Ja, lach er maar om, maar ook al heeft Victoria het hier afgesloten, er komen hier nog regelmatig stelletjes.'

'Lieve hemel, heb je ze dan gezien?'

'Waar zie je me voor aan, een gluurder?'

Ze schudde haar hoofd. 'Dat gat ziet er niet erg groot uit.' Ze deed alsof ze Sams schouder mat en daarna het gat. 'Ik betwijfel of jij het zou redden.'

'Is dat een uitdaging?'

Ze onderdrukte een glimlach. 'Nou, je zei dat het in je nakie moest, dus misschien wel.'

'En wat krijg ik dan?'

'Applaus.'

'Ga jij er dan niet doorheen?' Hij trok een wenkbrauw op.

'Absoluut niet.' Ze keek naar haar boezem. 'Ik zou blijven steken en met die vernedering zou ik niet kunnen leven.' Ze liep er dichter naartoe en raakte het graniet aan, verwachtte bijna een soort schok te krijgen, maar ze kreeg enkel kippenvel. Sam bewoog zich dichter naar haar toe.

'Nou, als je met me trouwt, kunnen we olijfolie meenemen en ons er misschien samen doorheen wurmen.'

Ze tilde haar hoofd met een ruk op en zette grote ogen op. 'Het is tenslotte traditie, en de nieuwe eigenaar van Boscawen zou tradities in ere moeten houden.' Zijn ogen dansten van de pret en ze grijnsde. Dit was heel wat minder extreem dan veel dingen die Matt haar had gevraagd. En ze zou toch niet met Sam trouwen, en ze zou ook niet lang meer eigenaar van Boscawen zijn.

Victoria keek naar Adam, die naast haar lag, met zijn armen onder zijn hoofd en een glimlach op zijn gezicht. Maakte hij zich ergens vrolijk over of was het gewoon de voldane glimlach van na de seks? Misschien beide, dacht ze terwijl ze zich uitrekte. De seks was goed geweest en dat was hoog tijd ook, maar het had haar niet bevredigd. Ze had weliswaar een orgasme gehad, maar was lang niet zo lekker klaargekomen als anders. Ze glipte het bed uit en keek naar de tuin beneden. Daar liepen twee mensen met hun hoofden dicht naar elkaar toe: Demi en Sam.

'Kom je weer in bed?' Adam schopte de dekens weg en Victoria zag dat hij alweer klaar was om in actie te komen. Helaas was zij dat niet. Zij was met haar gedachten ergens anders.

'Nee.' Ze pakte haar kamerjas en trok hem aan.

'Je bent er al sinds ik hier ben met je hoofd niet bij.' Hij stond op en liep naar haar toe.

'Sorry.'

'Je hoeft je niet te verontschuldigen. Ik maak me alleen zorgen.' Hij streelde haar hand.

Ze keek op. 'Fijn dat je het begrijpt, dank je.'

'Graag gedaan, ik wil alleen maar helpen, en ik zie zo dat je overal en nergens zit met je gedachten.'

'Valt het zo op?' Ze trok een wenkbrauw op.

'Meestal niet, maar nu wel, ja.' Hij trok zijn broek aan en pakte haar hand. 'Laten we wat gaan drinken. Dan kun je beslissen of je wilt praten over wat je dwarszit of dat je gewoon weer met me wilt neuken, of allebei.'

Ze lachte. 'Soms ben je veel volwassener dan ik had gedacht.'

'Dat weet ik. Het is schandelijk dat je me alleen maar om mijn lichaam wilt.' Hij kuste haar hals. 'Nou, vertel je me nog wat jullie met Boscawen van plan zijn? Ga je me de deal van mijn leven toeschuiven of gooi je het op een akkoordje met Charles' dochter?'

Ze wendde zich naar hem toe terwijl ze door het huis naar de keuken liepen. 'Wat vind jij dat ik moet doen?'

'Wil je dat echt weten?'

Ze knikte en liet zijn hand los.

'Ook al zou ik nog zo graag de verkoop op me nemen, ik denk dat het plan dat je me hebt geschetst heel veelbelovend is.' Hij deed de koelkast open en haalde er een fles champagne uit. 'Als je het verkoopt, ben ik bang dat je uit de streek vertrekt en bij mij weggaat. Niet best.' Hij verwijderde de folie. 'Aan de andere kant zou ik een aanzienlijke commissie kunnen opstrijken en me dit kunnen veroorloven.' Hij stak de champagne omhoog, draaide de muselet los en draaide de fles langzaam rond tot de kurk losschoot. 'God, wat is dat toch een heerlijk geluid.'

Victoria lachte. Zij had hem moeten leren hoe je fatsoenlijk en zonder te morsen een champagnefles openmaakte en nu leek het alsof hij nooit iets anders deed. Ze gaf hem de glazen. 'Wat wilde je zeggen?'

'O ja, als je Boscawen houdt, heeft dat als voordeel dat jij nog steeds je huis hebt, dat je in de buurt blijft en dat hier banen worden gecreëerd.' Hij schonk de glazen vol. 'Verkoop heeft als voordeel, zoals ik al zei, dat ik eraan verdien en dat jij meer tijd met mij zou kunnen doorbrengen.' Hij gaf haar een vol glas. 'Plus dat je in de buurt iets anders zou kunnen kopen.' Hij hief zijn glas. 'Op welke beslissing je ook neemt.'

Ze tikte tegen zijn glas. 'Zou je graag willen dat ik het verkoop?'

'Dat heb ik niet gezegd.' Hij grinnikte. 'Maar voor mij zou het niet onvoordelig zijn.'

Ze lachte en nam hem bij de hand. 'Pak de fles, dan gaan we weer naar bed.'

19

$\mathcal{E}$r moesten driehonderd bomen worden geplant. Het was een vlaag van waanzin geweest en nu moest Victoria op de blaren zitten. Sam hield een schop vast en Demi had een meetlint. Ze waren de boomgaard aan het indelen en leken de boel onder controle te hebben. Victoria moest iets omhanden hebben. Alles stond in de wacht en dan was het goed om je lijf aan het werk te zetten. Het had haar overgrootmoeder geholpen om met haar verdriet om te gaan. Ze had zo ontroerend met Victoria gepraat over haar verlies, had haar verteld dat de pijn alleen werd verzacht als ze in de tuin werkte die zij en Arthur hadden gecreëerd.

Niet dat Victoria verdriet had, integendeel juist. Op haar zestigste was ze eindelijk een vrije vrouw. Het betekende dat ze nog twintig jaar voor de boeg had. Dan kon ze van een klif af springen waarbij ze... niets achterliet. Wat zou haar erfgoed zijn? Toen Charles Boscawen eenmaal had teruggekocht, had ze gedacht dat een in oude glorie herstelde tuin haar erfgoed zou worden, maar nu was haar dat afgenomen.

Wat had ze nou helemaal kunnen doen? Niets, om precies te zijn. Geen Olympische Spelen, geen Oxford, geen kinderen. Ze greep de kruiwagen vast en reed naar de dichtstbijzijnde pot. Hevig puffend hees ze hem erop en duwde hem naar de eerste plek. Sam stak goedkeurend zijn duimen op.

Het duurde niet lang of Victoria's rug deed pijn en er verschenen ruwe plekken op haar handen, maar met z'n drieën hadden ze nu een deel van de boomgaard voorbereid. Morgen zou het serieuze werk beginnen, want dan zouden ze de bomen echt gaan planten. Ze leunde tegen de heg, ademde de zoete geur van de wilde kamperfoelie in en bleef uit buurt van de brandnetels. Dit was lonend werk, ook al zou de boel aan iemand anders worden verkocht. Boomgaarden hadden een doel, en dat was precies wat zij nodig had.

Demi bukte zich om uit de kraan bij de schuur wat water te drinken. Er zat een veeg aarde op haar gezicht en Victoria herkende in haar de jonge Charles. Hij had ook van die sproeten op zijn neus. Een steek schuldgevoel knaagde aan Victoria's geweten. Ze kon het gevoel niet van zich afzetten dat hij dit had gedaan vanwege Adam, en toch was hij geen rancuneuze man geweest. Tot aan zijn dood toe had hij met geen woord gerept over het feit dat ze kinderloos waren gebleven. Hij had haar nooit onder de neus gewreven wie degene in hun huwelijk was geweest die nou werkelijk had gefaald. Natuurlijk had ze Charles' kind er niet voor nodig om dat te snappen. Ze had met meer potente mannen gevreeën dan waar de meeste vrouwen van konden dromen, maar dat had haar geen zwangerschap opgeleverd.

Ze trok haar mond in een brede glimlach toen ze terugdacht aan haar vele minnaars. Adam schoot door haar heen. Hoewel de seks gisteravond goed was geweest, had ze er minder van genoten dan anders. Ze wilde er niet bij stilstaan, vooral niet toen ze zag dat Sam zijn shirt uittrok en de slang van Demi overnam om water over zijn hoofd en bovenlijf te laten lopen. Wist hij eigenlijk wel welk effect hij op vrouwen had? Ze zag dat Demi haar best deed niet te staren, wat jammerlijk mislukte. Er was iets aantrekkelijks aan hem, en dat zat 'm niet alleen in zijn schitterende lijf.

Hij draaide zich om en ving haar blik. Ze gaf geen krimp. Een langzaam glimlachje trok over zijn gezicht. Dat glimlachje had ze eerder gezien, maar ze kon het niet plaatsen. Ze moest niet vergeten haar visoliepillen te nemen, want haar geheugen liet haar de laatste tijd vaker in de steek dan haar lief was.

'Bedankt voor uw hulp, mevrouw Lake.' Hij schudde zijn hoofd en het water sproeide alle kanten op. Victoria draaide zich om en liep terug naar het huis. Zij hoorde niet bij hen.

Het was 19 juli en de grote dag was aangebroken. Victoria wilde niet aan de zenuwachtige vlinders in haar buik toegeven. Het betekende niets, maakte ze zichzelf wijs, ze deed het enkel voor de lol. Ze deed een stapje achteruit en keek naar de bloeiende agapanthus. In het zachte licht van de tent leek de blauwe kleur wel te pulseren. Ze schikte wat aan de vier bloemkoppen en haalde er een die nog vol knoppen zat naar voren. Een zijdelingse blik bevestigde dat die van haar het mooist waren. Nou ja, dat vond zij in elk geval, en ze hoopte dat de jury dat ook zou vinden. Geen van de andere agapanthussen waren zo blauw, hoewel één lichte variant een grotere bloemkop had. Ze perste haar lippen op elkaar. Dit zou haar geen snars moeten kunnen schelen, maar dat deed het wel. Ten slotte was ze na jaren afwezigheid weer thuis en maakte ze opnieuw deel uit van de gemeenschap waarin ze was opgegroeid. De vorige zomer was de tuin er te chaotisch aan toe geweest om er zelfs maar aan te denken mee te doen aan de zomershow van de Constantine Garden Society.

Rijen tafels stonden vol met allerlei verschillende categorieën. De bijdragen van de schoolkinderen waren fantastisch, vond ze, die hadden dierenfiguren van groenten gemaakt. Ze benijdde de juryleden niet die in die categorie een keuze moesten maken.

'Victoria, wat leuk om jou hier te zien.' Een vrouw die ze vaag herkende kwam naar haar toe.

'Hoe gaat het met je?' Wanhopig probeerde ze zich te herinneren waar ze de vrouw van kende; een hele catalogus aan namen, gezichten en huizen racete door Victoria's hoofd. Maar terwijl ze de tent uit liep kon ze er niet op komen. De jurering zou zo beginnen en de show zou pas om twee uur vanmiddag worden geopend.

'Nou, ik ben net oma geworden en ik kan je niet vertellen hoe blij ik ben.'

Victoria plakte een geforceerde glimlach op. 'Gefeliciteerd.'

'We zijn in de wolken.' De vrouw liep met haar mee naar buiten. Victoria had gehoopt dat met het vertrek uit de tent ook het gesprek zou eindigen, maar ze had vandaag geen geluk. De vrouw zwaaide naar een man. 'De juryleden komen nu bij elkaar. We zijn zo blij dat Sam van Boscawen daar ook bij zit.'

Was Sam nou van Boscawen of van haar? Zij had hem in dienst genomen, maar waar lag zijn loyaliteit? Hoe dan ook, in haar categorie zou hij zich van stemming moeten onthouden, anders zou ze gediskwalificeerd worden, en dan was deze hele toestand verspilde moeite geweest. Natuurlijk was het andere probleem dat Sam nogal neerkeek op – nou ja, niet echt neerkeek – maar een hekel had aan agapanthussen. Hij vond het maar onkruid en vertelde haar te pas en te onpas dat ze in Australië overal groeiden. Hij vond er niets bijzonders aan. Ze waren het erover eens geworden dat ze het niet eens waren. Het was een beetje zoals zijn obsessie met rozen. Hij leek niet te begrijpen dat die door de frisse lucht in Cornwall gevoelig waren voor meeldauw en zwarte vlekken. Het was hard werken en meestal met weinig succes. Hij was vastbesloten haar te bewijzen dat ze ongelijk had. 'Ja, hij is een goeie vent. Als je me nu wilt verontschuldigen, ik moet vóór de middag nog een paar dingen doen.' Ze glimlachte. 'Dan zien we elkaar straks weer, oké?'

'Natuurlijk.' De vrouw knikte en droop af. Victoria slaakte een lange zucht. Misschien was dit toch niet zo'n goed idee geweest. Het leek zo fijn om terug te keren naar de dingen die ze vroeger ook had gedaan. Nu had ze echter het gevoel dat het tijd- en energieverspilling was. Maar als ze het dit jaar niet deed, zou er misschien geen volgende kans meer zijn om te winnen terwijl Boscawen in het bezit was van een Tregan.

Ze ging opzij toen de Constantine Silver Band met zijn instrumenten aankwam. Als kind was dit een van de hoogtepunten van de zomer geweest, met hapjes, drankjes, tombola's, muziek en bloemen. Misschien kon je gewoon niet meer terug in de tijd, en vandaag zou dat haar ongetwijfeld heel duidelijk worden.

'Victoria, zo blij je te zien.' Jane Penrose, eigenaar van een van de andere grote huizen, kwam naast haar staan. Ze was achter in de zeventig maar dat was haar niet aan te zien, want ze was nog overal bij betrokken. Dat had Victoria altijd zo leuk aan haar gevonden.

'Jane, wat heerlijk om je weer eens te zien.'

'Ik weet dat ik je heb geschreven, maar ik wilde nogmaals zeggen hoe erg ik het vond toen ik het hoorde van Charles.'

'Dank je wel.'

'Op jouw leeftijd weduwe worden is zo vervelend.' Ze schudde haar hoofd terwijl ze verder liepen en luisterden naar de band die ging inspelen. 'Dan zijn er nog maar weinig mannen over.' Ze knipoogde. 'Hoewel ik weet dat jij dat probleem nooit hebt gehad.' Ze lachte. 'Adams tante regelt voor mij de wisseldagen in de cottages.'

'Ah.' Victoria was een beetje ontdaan door Janes opgewekte openhartigheid.

'Ik ben blij dat je dit jaar meedoet.' Ze wees met een hoofdbeweging naar de tent. 'Ik ben altijd jaloers geweest op jouw agapanthussen. Maar wij hebben vast andere teelaarde, want ondanks een uitgekiende diefstal in de tijd dat er andere mensen op Boscawen woonden, zijn ze nooit zo blauw geworden, Boscawen Blauw, zoals ik het placht te noemen.'

Victoria lachte. Ze moest eraan terugdenken dat ze er wel eens bij geweest was als haar grootmoeder plantenstekjes die ze mooi vond achteroverdrukte. Tuinieren was soms een concurrerende wereld.

'Ik weet niet zeker of het iets voor je is, maar de boekenclub is heel leuk.' Ze legde een hand op Victoria's arm. 'Je zou ook eens moeten komen, en tennis je nog steeds?'

Victoria knikte.

'Mooi zo. Mocht je Boscawen toch niet verkopen, en ik hoop dat je dat inderdaad niet doet, dan kunnen we altijd een extra speler gebruiken.' Ze boog zich dichter naar Victoria toe. 'Het is fijn om weer een Tregan in het zadel te hebben.' Jane keek naar Sam, die verderop bij de juryleden stond die op het punt stonden de tent binnen te gaan. 'Het is fijn om de teugels weer in handen te hebben.'

'Zie je straks.' Een klein kind wilde tennisballen naar de kokosnoten gooien en trok Jane weg. Geen enkel kind zou hetzelfde van Victoria vragen en geen enkele Tregan zou ooit meer de teugels in handen hebben. Ze moest gewoon zorgen dat ze dit jaar de eerste prijs won. Misschien kreeg ze die kans nooit meer.

'Ik spreek je later, Sophie.' Demi keek op haar horloge. 'Mijn opa is vast al klaar met zijn fysiotherapie en ik moet gaan.'

'Oké. Maar echt, als Matt je blijft stalken, zou je de politie moeten inschakelen of het nummer op je telefoon moeten blokkeren.'

'Ik zal het overwegen.'

'Mis je.'

'Ik jou ook.' Demi zuchtte. Ze kon niet naar de politie gaan voor dat gedoe met Matt. Die vernedering was haar te veel. Ze liep het gebouw in en zag dat haar grootvader met zijn looprek op weg was naar de deur. 'Hallo.'

Ze gaf hem een kus en ze gingen op de dichtstbijzijnde bank zitten. Hij zag er moe uit.

'Morgen is de grote dag,' zei hij.

Ze knikte. 'Ik weet het, en deze week is omgevlogen.'

'Wat heb je besloten?' Hij keek haar aan. 'Of heb je nog geen besluit genomen?'

'Ik geloof dat ik het heel graag wil doen, maar...'

'Victoria Lake?'

'Ja.' Ze glimlachte naar hem.

'Je zou het echt met haar moeten uitpraten. Jou valt niets te verwijten.'

'Dat weet ik wel, maar ik weet er verder zo weinig van.' Ze vouwde haar handen in haar schoot samen en bedacht dat haar grootvader vandaag wat helderder leek. 'Wat is er tussen mam en Charles gebeurd? Ik heb echt het gevoel dat ik iets over het hoofd zie.'

Hij schudde zijn hoofd. 'Tegen de tijd dat we uit Kaapstad terugkwamen – we hadden daar een paar oude vrienden bezocht – was je alweer uit het ziekenhuis en waren zij uit elkaar.' Hij keek in de verte. 'Nadat ze jou bijna was kwijtgeraakt, is je moeder nooit meer dezelfde geweest. Zo veel weet ik wel.'

'Denkt u dat ze uit elkaar zijn gegaan doordat ik bijna doodging?'

Hij greep zijn looprek vast en trok zich op. 'Ik denk beter als ik beweeg. Laten we een stukje gaan lopen.'

Ze slenterde naast hem de tuin door. Het was warm. Iedereen zei tegen haar dat het in Cornwall anders nooit zo lang achter elkaar zo zonnig was.

'Kunt u zich nu we wandelen meer herinneren?'

'Je oma zei dat het je moeders schuld was, geloof ik.'

'Haar schuld?' Demi bleef staan. 'Dat slaat nergens op. Er is geen sprake van schuld bij een gescheurde blindedarm of een allergische reactie op antibiotica.'

'Ah, maar ze was niet bij je.' Hij liep door en zei tegen de tuinman: 'Je mag de planten overdag geen water geven.'

'Waar was ze dan als ze niet bij mij was? U zei dat het in de paasvakantie was.'

'Ze was bij Charles.'

Demi fronste haar wenkbrauwen: 'Maar waar was ik dan?'

'Het is niet goed voor de planten, Wenna, als je ze midden op de dag water geeft. Dat heb ik je al eerder gezegd.'

Demi legde haar hand op zijn arm. 'Opa, ik ben Wenna niet, ik ben Demi.'

Hij knipperde met zijn ogen en ze zag dat hij zijn blik op haar scherpstelde. 'Noemde ik je Wenna?' Hij zuchtte. 'Mijn gedachten dwaalden zeker af. Je moeder luisterde nooit naar mijn raad.'

'Waar was ik toen het misging met mijn blindedarm?'

Hij begon zijn bril schoon te maken. 'Ik wilde dat ik me dat kon herinneren. Je moet weten dat we in Kaapstad waren. Ik weet nog dat ik daar agapanthussen zag die me deden denken aan die in de tuin van Boscawen, maar...' Hij draaide zich naar haar toe en vervolgde: 'Ik weet dat ik het me zou moeten herinneren, maar het lukt niet.' Ze gaf hem een knuffel. 'Geeft niet, hoor. Misschien schiet het u later weer te binnen.'

Hij glimlachte. 'Zou kunnen. Meestal gebeurt dat ook, maar doorgaans alleen als ik om drie uur 's ochtends wakker lig.' Hij pakte haar hand. 'Ik zal een blocnote naast mijn bed leggen, voor het geval dat.'

'Dank u wel.' Ze keek op haar horloge. Ze zou met Peta koffie gaan drinken, dus ze moest opschieten. 'Maakt u zich over mij maar geen zorgen. Maar voor ik ga, is er al een nieuwe datum bekend voor de operatie?'

'Nog niet, maar ze konden pas iets plannen na die hardnekkige verkoudheid.'

'Hopelijk is dat gauw.'

Hij knikte en terwijl hij met iemand anders begon te praten haastte zij zich weg naar haar afspraak met Peta. Ze wilde dat hij zich meer kon herinneren. Een andere manier om erachter te komen was er niet.

De eetkamer was vormelijk en verwaarloosd. Demi keek of het er ook stoffig was en of er spinnenwebben waren, maar dat was niet zo. Vermoeid, dat was het juiste woord. Maar de mahoniehouten tafel glansde en vormde een schril contrast met de rest. De muren zagen eruit alsof iemand een laag jagersgroen over het reliëfbehang had gekalkt. Ze tuurde ernaar en dacht de contouren van bamboe te zien. Ze had soortgelijke stijlen gezien, in oude tijdschriften op de zolder van haar grootvader. Nadat de meubels waren verhuisd, hadden zij en een buurman hele jaargangen tijdschriften van de bovenverdieping weggehaald. Ze had zich afgevraagd waarom ze daar om te beginnen lagen. Ze vermoedde dat het iets te maken had met haar oma. Haar opa was er in elk geval niet in geïnteresseerd geweest. Als Demi er tijd voor had gehad, zou ze er urenlang in hebben gelezen en ideeën uit het verleden hebben verzameld. In plaats daarvan waren ze echter allemaal in de papierbak verdwenen.

Sebastian zat een beetje ingezakt aan het hoofd van de tafel met nette stapels papier en enkele mappen voor zijn neus. Schaduwen onder zijn ogen benadrukten nog eens extra zijn vermoeide uiterlijk. 'Victoria, ga alsjeblieft zitten, wil je.' Hij keek haar aan en ze hield op met ijsberen tussen de twee ramen.

'Goed dan.' Ze ging aan het uiteinde van de tafel zitten, zo ver mogelijk bij hen vandaan. Sam glimlachte naar Demi.

'Ik heb in de afgelopen paar dagen Sams businessplan en het idee om van Boscawen een luxeresort te maken voorgelegd aan verschillende mensen, inclusief investeerders.' Sebastian keek hen beurtelings aan. 'Helaas liepen ze niet erg warm voor het idee. Om verschillende redenen, maar vooral doordat ze, ondanks de snel groeiende belangstelling voor Cornwall, geen groeipotentieel zagen als de toegang tot de rivier niet kan worden geëxploiteerd, en aangezien het bos beschermd is, is dat geen optie.'

'Kom nou maar ter zake, Sebastian.' Victoria had haar ineengeklemde handen op tafel gelegd. 'We zijn weer terug bij af.'

'Niet helemaal. Ik ben om de tafel gaan zitten met een andere vriend die in vergelijkbare projecten heeft geïnvesteerd en hij kwam met een afgeslankt voorstel.' Sebastian schoof de mappen hun kant op en Sam stond op om een ervan aan Victoria te geven.

Demi keek ernaar en vroeg zich af wat ze er werkelijk van vond. Ze had met Sam het grootste deel van het landgoed verkend en ze waren begonnen met de aanplant van de appelbomen – een slopend karwei, maar het gaf ook veel voldoening – en zij en Victoria waren erin geslaagd elkaar niet in de haren te vliegen door simpelweg geen woord met elkaar te wisselen.

'Op de eerste paar bladzijden treffen jullie de voor de hand liggende feiten aan. De cijfers staan nog niet vast, aangezien het testament nog niet bekrachtigd is en doordat Victoria het op alle fronten aanvecht.' Sebastian keek op van de grafieken die voor hem lagen en glimlachte. 'Maar als Victoria en Demi hun krachten bundelen, is er genoeg kapitaal om de buitengebouwen tot vakantiehuizen om te bouwen en ook om de ciderproductie op te starten. Sam heeft me verteld dat er misschien overheidsgeld beschikbaar is om ook de boomgaarden nieuw leven in te blazen.' Sebastian keek hen om de beurt aan en zijn blik bleef op Victoria rusten. 'Als er nog een investeerder gevonden kan worden, kan het huis tot een exclusieve B&B worden omgetoverd en kan het werk aan het herstel van de tuin doorgaan, evenals de restauratie van de kade, waardoor gasten toegang hebben tot de rivier en de zee. Misschien kunnen we in navolging van andere vakantieoorden zelfs een zeilboot aanschaffen.'

'Wat bedoel je met "krachten bundelen"?' Victoria's gezicht was uitdrukkingsloos.

'Ik bedoel dat we de financiële reserves van zowel jou als Demi inzetten voor de investering die nodig is voor het gebouw, de aanschaf van apparatuur en voor personeel. Vervolgens combineren we de inkomsten van die investering om daarvan de lopende kosten, salarissen en een basisinkomen voor jullie te betalen.'

Demi wilde het liefst nee roepen. Waarom zou ze Victoria op welke manier dan ook helpen? Er had zelfs nog geen bedankje af gekund voor haar hulp bij het planten van de bomen, die ze om te beginnen niet had moeten aanschaffen.

Victoria keek aandachtig naar de 'kleine muis', zoals ze Demelza in gedachten noemde. Het was duidelijk dat het idee haar helemaal niet aanstond, en na een snelle blik op het voorstel wist Victoria dat het niet zou gaan lukken als er niet meer geld zou komen, en dat betekende dat het landgoed verpand moest worden.

'Sebastian, zelfs ik snap dat we nog steeds geld te kort komen, zelfs in het onwaarschijnlijke geval dat we inderdaad gaan samenwerken, en dat is werkelijk nog maar de vraag. In het beste geval komen we de winter door, en dan hebben we nog niets verdiend, want we kunnen pas volgend jaar gasten ontvangen.'

'Ja, er is inderdaad nog een geldschieter nodig.'

Ze zuchtte. 'Je zei net duidelijk dat niemand bereid was om te investeren.'

'Ik heb gezegd dat dat gold voor de mensen die ik heb gesproken, maar ik heb niet gezegd dat er helemaal niemand is.'

Ze leunde naar voren en legde haar hand boven op de papieren.

'Hou op met die spelletjes van je.'

'Ik speel geen spelletje. Ik wilde jullie enkel de situatie schetsen voordat ik het volgende voorstel op tafel leg.'

'Schiet op dan.'

Sebastian deelde nog een vel papier uit. 'Dit is mijn oplossing.'

Victoria wachtte tot Sam haar het laatste voorstel had aangereikt. Demi had nog geen woord gezegd. Begreep ze de voorstellen die haar waren voorgelegd eigenlijk wel? Nee, dat was niet eerlijk van Victoria. Charles was een van de knapste businesskoppen geweest die er waren en ze had van Sebastian gehoord dat Demi's moeder een voorvechtster voor daklozen was geweest, de drijvende kracht achter een van de topliefdadigheidsinstellingen. Het kon niet anders dan dat ze een goed stel hersens had.

'Zoals jullie uit het overzicht kunnen opmaken, heb ik iemand gevonden die bereid is om twee miljoen te investeren, het minimum dat nodig is.

'Lieve god, dat ben jij!' Victoria keek Sebastian aan. In hemelsnaam, wat dacht hij wel niet?

'Ja, ik word jullie partner, evenals Sam, zoals je kunt zien.'

'Waarom?' Victoria staarde hem over de lange tafel aan en probeerde wijs te worden uit zijn gezichtsuitdrukking, maar hij liet niets blijken.

'Jullie hebben natuurlijk tijd nodig om hierover na te denken.' Hij wendde zich tot Demi. 'Ik heb dit al tot in detail met Sam doorgenomen.'

Victoria keek snel de cijfers door. Met de extra fondsen kon het binnen het afgeslankte model inderdaad gerealiseerd worden. Maar wilde zij partner worden van Sebastian en, erger nog, van Demi? Sam was natuurlijk een andere kwestie. Tegen hem als partner had ze geen enkel bezwaar. Maar de vraag bleef nog open wat Sam zou inbrengen, want dat zou geen geld zijn.

'Het is nu juli; als het landgoed begin volgende zomer vol in bedrijf moet zijn, moeten we heel snel een besluit nemen zodat we de benodigde vergunningen kunnen aanvragen en aannemers kunnen zoeken die aan de slag kunnen. Natuurlijk volgt de ciderproductie een totaal ander tijdpad.' Sebastian wendde zich tot Sam.

'We krijgen waarschijnlijk een goede oogst dit jaar, maar niet genoeg om het in ons eentje te rooien. Ik heb echter met andere boomgaardeigenaren langs de Helford gepraat en we kunnen hun appels opkopen, waaronder de Manaccan Primrose en Tommy Knight. De extra variëteiten maken de cider alleen maar beter.'

'Heb je hierover al mensen benaderd?'

Sam knikte. 'Als we op commerciële schaal boerencider gaan produceren, hebben we meer fruit nodig en moet ik bovendien van de plaatselijke restaurants en pubs weten of zij onze cider willen afnemen.'

'Ik hoef vandaag nog geen antwoorden. Ik wil dat iedereen het voorstel bestudeert, dan komen we eind van de week weer bij elkaar.' Sebastian stond op en verzamelde zijn papieren.

Victoria leunde naar achteren. Ze had bij haar beoordeling van Sam duidelijk iets over het hoofd gezien. Hij was geen simpele tuinman, en er was iets wat hij niet aan haar maar wel aan Sebastian had verteld. Zoals hij daar zat zag hij eruit als zo'n überknappe surfer. Ze sloot haar ogen en probeerde zich hem voor te stellen terwijl hij iets anders deed dan in de tuin werken of met bootjes knoeien; het klopte gewoon niet. Was ze soms zo kortzichtig geworden? Ja, dat kon niet anders. Ze draaide zich naar Demi toe. Uit welk hout was zij gesneden? Wat was haar gedrevenheid? Victoria moest dat zien uit te vinden, en snel ook als ze Boscawen wilde redden en nog een soort erfgoed wilde nalaten

20

*D*emi reed met Sams fourwheeldrive het parkeerterrein van het verzorgingshuis op. Aan de voorkant was een bewoner bezig de verwelkte bloemen uit de bloemenmanden te plukken. Toen ze haar grootvader niet buiten zag zitten, liep ze naar zijn kamer. Die keek uit over de grote tuinen. De kamer was niet groot, maar ze hadden hem gezellig gemaakt. Hij zat in een stoel bij het raam met *Pride and Prejudice* in zijn handen.

'Hallo, liefje van me. Ik had je niet verwacht.'

Ze liep vlug naar hem toe en omhelsde hem. Er dreigden tranen, wat idioot was. Ze had geen reden om te huilen, maar de spanning had zich opgebouwd. Alle anderen wilden dolgraag verder en een deel van haar wilde dat ook. Ze zou het heerlijk vinden om de renovatie van het huis en de verbouwing van de buitengebouwen te ontwerpen, maar ze wilde zich niet aan Victoria binden.

'Zet een kop thee voor ons en vertel me het nieuws.' Hij legde zijn boek op de zijtafel.

'Hoe gaat het met u?' vroeg ze.

'Goed hoor. Drie november krijg ik een nieuwe heup en als dat is gebeurd en ik alle fysiotherapie heb gehad, dans ik weer rond.' Hij lachte.

Ze zette de mok voor zijn neus. 'Daar ben ik blij om.'

'Ik ook.' Hij pakte haar hand. 'Maar jouw wereld staat nog steeds op z'n kop, tenzij er iets is veranderd.'

'Klopt.'

'Nog geen beslissing?'

'De plannen zijn gisteren formeel gepresenteerd.' Ze schudde haar hoofd. 'Het ene moment weet ik zeker dat ik er verder mee wil en het volgende wil ik zo hard ik kan van Boscawen wegrennen.'

'Verbaast me niets.'

'Waarom niet?' Ze fronste haar wenkbrauwen. Hij was zo met Boscawen verbonden dat ze een andere reactie had verwacht.

'Ik zou denken dat dat wel duidelijk was: Victoria Lake.'

'Wat ik van haar meemaak, is ze geen aardige tante, maar...' Demi zuchtte. 'Ik kan ook weer niet geloven dat ze werkelijk is wat ze lijkt.'

'Dat gaat maar voor heel weinig mensen op.' Hij nam een slokje thee en keek naar de tuin. 'Niemand is dat, zelfs niet iemand die zo rechtdoorzee was als je moeder.'

Ze miste haar zo erg. Op dit moment had Demi niets liever gewild dan samen met haar sloten thee drinken en praten over wat ze moest doen. 'Weet u ook hoe mijn ouders elkaar hebben leren kennen?'

'Via het werk, geloof ik.'

Ze liet die informatie tot zich doordringen. Het paste bij Charles' liefdadigheidswerk. O, ze wilde dat ze zich hem kon herinneren. Het was alsof haar leven pas na haar blindedarmontsteking was begonnen. Sinds haar zevende jaar was Demi's geheugen zo scherp als wat – sterker nog, het was bijna fotografisch als het om veel details ging – maar van voor die tijd wist ze niets meer. Ze had gedacht dat de foto's in het fotoalbum herinneringen zouden oproepen, maar dat was niet gebeurd.

'Ik probeer het allemaal in elkaar te passen, maar dat lukt niet.'

Hij raakte haar hand even aan. 'Aan mij heb je ook niet veel.'

'Dat is niet zo.' Ze zuchtte. 'Waarom heeft mam gezegd dat Charles dood was?'

'Ik wilde dat je oma er nog was. Zij had het vast geweten.'

'Dat wilde ik ook wel.' Demi slaakte een zucht. Het feit dat haar moeder haar had wijsgemaakt dat haar vader dood was, paste niet in het beeld van de moeder die ze kende. Was ze soms bang geweest voor

Victoria? Dat kon Demi best begrijpen, maar daar bleef het dan ook bij. 'Ik heb zo'n raar gevoel als ik op Boscawen ben.'

Hij keek op van zijn thee. 'O ja?'

'Het is bijna een déjà vu, maar ook weer niet. Eerder gevoelens dan beelden.'

'Wat voor gevoelens?'

Demi woelde met een hand door haar haar. 'Vooral angst.'

'Ik begrijp het.'

'Ik niet. Waarom ben ik doodsbang op Boscawen? Ik kan daar onmogelijk eerder zijn geweest.' Ze keek haar grootvader nauwlettend aan. Hij was heel stil. 'Toch?' Ze ging staan.

Hij fronste zijn voorhoofd. 'Ik geloof het niet.'

'Waarom herinner ik het me nou niet?' Ze zonk neer op de rand van het bed.

'Je had geluk dat je die darmperforatie hebt overleefd. We zijn bijna om die reden teruggevlogen, want het was kantje boord.'

'Verder nog iets?'

Hij sloot zijn ogen en wreef over zijn voorhoofd. 'Ah.' Hij deed zijn ogen open en pakte de blocnote van zijn nachtkastje. 'Je moeder logeerde in een hotel, het St Petroc.'

'Het St Petroc?' Dat was het hotel dat ze had gezien toen ze hier net was aangekomen. *Cakejes.*

'Ja. Dat weet ik zeker. Het was heel chic. Charles vond het mooi en we dronken daar dan altijd thee met je.' Hij glimlachte. 'En als zij samen uitgingen en wij niet op konden passen, schakelden ze de kinderopvang in het hotel in.'

'Was ik bij de opvang toen ik ziek werd?'

'Dat denk ik eigenlijk niet. Maar meer weet ik niet.'

'Verder niets?' Ze fronste haar voorhoofd.

'Gaat het wel met je, liefje?'

'Het enige wat ik heb zijn fragmenten. Alles lijkt me steeds te ontglippen.'

'Nou, na je ziekte liet je moeder je geen moment meer alleen.'

'Dat verklaart een hoop, maar was ik dan verdwaald of zo?' Ze haalde diep adem, keek aandachtig naar haar grootvader en vroeg zich af of hij haar nog meer kon vertellen. Hij zag er zo moe uit. 'Dat weet ik niet. Je oma had er misschien meer van geweten.' 'Dank u wel dat u me alles hebt verteld wat u weet.' Ze stond op en gaf hem een kus op zijn voorhoofd.

'Je bent met dit gesprek vast niets opgeschoten. Volgens mij weet je nu nog steeds niet wat je moet doen.'

'Nee, maar het heeft me in andere opzichten geholpen. Als u nog iets te binnen schiet, bel me dan.'

'Natuurlijk. Wat ik wel weet, is dat je oma dacht dat je moeder nooit heeft kunnen verwerken dat ze je die dag bijna was kwijtgeraakt. Misschien gaf ze je vader de schuld van wat er met je was gebeurd, hoewel ik niet precies weet waarom. En ik denk dat ze het zichzelf heel erg aanrekende.'

'Ik vraag het me af.'

Een bel ging.

'Dat is de lunch.' Hij duwde zichzelf uit zijn stoel. 'Wil je met me meelopen?'

Ze knikte en keek toe hoe hij naar zijn looprek hobbelde. De nieuwe heup kon niet snel genoeg komen.

'Neem nou geen koffie met cafeïne, je stressniveau zit al tot het plafond.' Peta ging naast haar aan het cafétafeltje zitten.

'Hoe weet je dat nou?' Demi kneep haar ogen samen en deed haar best te ontdekken waar Peta dat vandaan haalde.

'Ik zou kunnen zeggen dat je aura zwart was, maar het zit 'm meer in je opgetrokken schouders. Dus vergeet de koffie en ga voor kamillethee of verse munt.'

'Dat lijkt me wel wat.' Demi stond in de startblokken om naar de bar te gaan om te bestellen. 'Wat wil jij?'

'Een dubbele espresso.'

Demi glimlachte. 'Taart?'

Peta knikte. Nadat ze de verleidelijke uitstalling had bestudeerd, besloot Demi dat Peta wel toe was aan wat chocola bij de koffie, maar zelf zou ze niets nemen. Ze had hard geploeterd om de nieuwe bomen in de grond te zetten, maar evengoed leek ze dikker te zijn geworden, en dat vond ze maar niets. Ze had al welvingen genoeg.

Nadat ze had besteld, keek ze de serre rond waarin ze zaten. Buiten viel een zachte regen, maar het was nog wel licht. In de verte kon ze enkele kunstenaarsateliers zien liggen. Dit was een vrolijke plek en ze was blij dat Peta had voorgesteld om hier af te spreken.

'Dus waardoor ben je zo gestrest?' Demi kwam terug en Peta keek van haar telefoon op.

'Vanwege de toekomst van Boscawen en ook doordat een paar mensen afhankelijk zijn van mijn keus.'

Peta keek Demi geconcentreerd aan. 'Oké, laten we hen even vergeten. Wat wil jíj?'

'Dat weet ik niet.'

'Oké. Wat weet je dan wél?'

Demi haalde haar schouders op. 'Dat je taart er verrukkelijk uitziet.'

'Klopt, waarom heb je zelf dan niets genomen?' vroeg Peta.

'Ik probeer braaf te zijn.'

'Waarom?' Peta draaide haar hoofd een beetje, keek haar afkeurend aan en pakte haar kopje.

'Als ik niet oppas, word ik dikker dan ik nu al ben.'

'Word wakker, mens, je bent niet dik.' Peta keek over de rand van haar kopje. 'Je bent simpelweg oogverblindend.'

Demi glimlachte. 'En jij bent aardig.'

'Soms wel.' Peta grinnikte. 'Maar meestal niet.' Ze sneed een stuk taart af en gaf het aan Demi. 'Nou, als je dat ophebt, ga je me vertellen hoe het vandaag met je opa was.'

Demi fronste haar wenkbrauwen ondanks de zalige chocola die zich over haar smaakpapillen verspreidde. 'Er is eindelijk een operatiedatum bekend.'

'Schitterend.' Ze pakte haar vork. 'Vertel me eens wat meer over wat hij jou heeft verteld. Want dat zit je dwars.'

Demi vroeg maar niet hoe Peta dat wist. 'Oké, wijsneus, kun jij me vertellen waarom ik het gevoel heb dat ik eerder op Boscawen ben geweest en wat er vlak voor mijn blindedarmperforatie is gebeurd?'

Peta legde haar vork weer neer. 'Nee, dat kan ik niet, maar je was bang. Ik snap alleen niet waarom.'

Demi slikte iets weg en er schoten willekeurige beelden door haar hoofd. Ogen, grasklokjes, reuzen...

Peta raakte haar arm aan. 'Hé, je gedachten gaan alle kanten op, kom eens terug.'

'Welke kant gaan ze dan op?'

'Ik weet het niet zeker, maar...' Peta tuurde uit het raam naar de regen. 'Er was pijn en angst.'

'Ik moet weten waarom.'

Peta zuchtte. 'Er zijn misschien simpele en goede redenen waarom je het je niet kunt herinneren.'

'En het feit dat ik het me niet kan herinneren, is dat dan de reden waarom jij het niet kunt "zien"?'

'Zou kunnen, maar misschien ook niet.' Peta haalde haar schouders op. 'Ik heb geen controle over dat verdomde gedoe. Als dat wel zo was, zou ik beroemd zijn.'

'Je wilt helemaal niet beroemd zijn.' Demi stal nog een hapje taart.

'Hoe weet jij dat nou?'

Demi grijnsde. 'Je bent heus niet de enige die bij mensen naar binnen kan kijken.'

'Voor die opmerking ga ik nog een stuk taart voor je halen.'

Ze stak haar handen omhoog. 'Ik hoef niet.'

'O jawel. Je pikt steeds een stukje van mij!'

Demi lachte, maar toen Peta naar de bar liep, keerde ze in gedachten terug naar het gat in haar herinneringen.

'Zo, hier is je taart. Eet op en hou op je zorgen te maken over het verleden. Vertel me over je toekomst en hoe het is om bij Sam te wonen.'

Demi knipperde met haar ogen. Ze kon Peta soms amper volgen, maar het was fijn om hier een vriendin te hebben met wie ze kon praten, ook al was het iemand die haar volstopte met taart. Ze genoot van de pure chocola, dacht aan Sam en vroeg zich af hoe ze die vraag moest beantwoorden.

21

*Z*onlicht stroomde door de voorruit. Demi zag dat het glazuur van de taarten op haar schoot begon te smelten. Ze had ze gisteren gebakken, toen Sam had gezegd dat hij had beloofd daarvoor te zullen zorgen en hij twee pakken taartmix had uitgepakt. Hij had beweerd dat ze dat nou eenmaal van een kerel verwachtten. Ze had gelachen en was meteen aan de slag gegaan. Ze was vergeten hoe erg ze het miste om te bakken. Haar moeder en zij hadden dat bijna elke zaterdag met z'n tweetjes gedaan. Demi vroeg zich af of Morwenna van haar grootvaders moeder had leren koken en bakken. Dat zou ze hem moeten vragen.

Sam parkeerde de fourwheeldrive en maakte haar portier open. Hij pakte een taart van haar over en zij hield heel voorzichtig de andere vast terwijl ze van de stoel af gleed. Normaal had je twee handen nodig om uit te stappen, dus het viel niet mee met een chocoladetaart in de hand.

'Mooi zo. Ik loop mee om de taart af te leveren en kom dan terug om de andere spullen te halen.'

Demi keek bedenkelijk. Ze was nog niet zo zeker van die regatta waar Sam naartoe wilde. Maar de lucht was strakblauw en ze had niets beters te doen. Op de heuveltop keek ze omlaag naar een terrein vol vlaggetjes. Het was er een drukte van belang. Waar waren al die mensen vandaan gekomen?

'Kom mee.' Sam loodste haar door de menigte naar een lange tafel onder een witte koepeltent. Die stond al helemaal vol gebak in alle soorten en maten.

'Hallo, dames. Het wordt warm dit jaar.' Hij gaf de walnotentaart aan hen en Demi deed vlug hetzelfde met haar chocoladetaart. Haar taarten zagen er niet slecht uit, maar er waren prachtexemplaren bij waar die van haar niet aan konden tippen.

'Zelf gebakken, zeker?' Een van de vrouwen keek Sam glimlachend aan.

'Nou, dit jaar heb ik een beetje hulp gehad, Jane.' Hij knipoogde en maakte een hoofdbeweging naar Demi. Om de een of andere onbekende reden werd ze vuurrood. Hij had het alleen maar over bakken gehad. Ze was veel te gevoelig.

'O, dikke pret, durf ik te wedden. Heb jij de kom uitgelikt?' Jane grinnikte.

'Hoe raad je het zo?'

'Deed ik vroeger ook altijd.' Ze wendde zich tot Demi. 'Ben jij ook nieuw hier, net als Sam?'

Demi slikte. 'Ja, maar ik kom niet uit Australië.'

'Ah, nou ja, nu kom je van Boscawen, dus hoor je net als Sam hier thuis. Welkom en geniet van de regatta.' Tegen Sam zei ze: 'Doe jij ook mee met de wedstrijd?'

'Als je dat maar weet. Heeft James een beetje getraind?' Hij leunde tegen de tafel.

'Ja, maar alleen door zijn hand naar zijn mond te brengen!'

'Mooi. Zie je straks.'

Sam nam Demi bij de hand en samen liepen ze langs de koepeltenten waar van alles en nog wat te doen was, van 'ransel de rat' tot een tombola. 'Het gaat zo beginnen. Ik stel voor dat je hier op de muur in de schaduw gaat zitten totdat ik terug ben met je hoed en de tassen.'

Ze knikte, gefascineerd door alle drukte. Het terrein gonsde van de vrolijke mensen. Ze glimlachte, zag een kind op de kade waar de luidspreker een activiteit in goede banen leidde. De kreek erachter glinsterde in de zon en veel boten waren versierd met vlaggetjes en zaten vol met mensen in verschillende kostuums. Het was een gekkenhuis. Een vrouw met een ooglapje voor en een gestreepte strapless top kwam haar merkwaardig bekend voor. Het was Peta. Ze hing aan de arm van een net zo uitgedoste man. Zou Sam zo als piraat de heuvel af komen? Hij zou een mooi exemplaar zijn.

'Waar zit je met je hoofd?' vroeg Sam.

Demi maakte een sprongetje. 'Bij de piraten.' Ze wees naar Peta.

'Aye, aye, maatje van me.' Hij zette haar hoed op haar hoofd. 'Kom mee, dan gaan we naar de boot.'

'Boot?'

'Ja joh. Je gaat een schitterende racedag beleven.'

'Ik, racen? Ben je gek geworden?'

Hij grinnikte. 'Je gaat me toch niet vertellen dat je bang bent, hè?'

'Oké, dan vertel ik het je niet.' Ze haalde diep adem. 'Ik ben alleen ooit één keer op een veerpont op de Theems geweest.'

'Vandaag zal dat allemaal veranderen. Het is geen race zoals jij die kent of je voorstelt.' Hij wachtte even. 'Vertrouw me maar.'

Ze deed een paar passen achteruit.

Hij stak een hand uit. 'Het wordt hartstikke leuk, echt.'

Ze keek naar hem en toen naar de boot. Die leek onschuldig genoeg en iedereen in de buurt vermaakte zich kostelijk. Haar telefoon piepte toen er een sms'je binnenkwam. Ze kromp ineen. Dat was vast van Matt, die haar smeekte om bij hem terug te komen. Ze haalde diep adem, pakte Sams hand vast en klom aan boord. De boot begon te wiebelen en ze viel neer op een bank.

'Zie je wel, je krijgt het al te pakken.' Hij keek op een vel papier. 'We hoeven pas over een uur aan de bak, dus laten we eerst maar wat te drinken gaan halen.'

'Dat eet ik niet.' Demi sloeg haar armen over elkaar. Ze had gefascineerd zitten kijken hoe de vrouw de oesterschelpen openwrikte, de oesters losmaakte en daarna aan de wachtende mensen gaf.

'Helford-oesters zijn de beste die er zijn en je moet ze in elk geval een keer geproefd hebben.' Sam had een oester in zijn hand en stak hem naar haar uit. 'Ik zal je voordoen hoe het moet.' Hij boog zijn hoofd achterover, wipte de oester in zijn mond, sloot zijn ogen en kauwde. Demi zag aan zijn gezicht hoe lekker hij het vond. Onwillekeurig keek ze een andere kant op.

Hij raakte haar wang aan. 'Het is lekker. Maar hij smaakt wel lekkerder met een frisse Picpoul de Pinet of beter nog, een Clare Valley Riesling.'

'Maar al te waar,' zei de vrouw.

'Ik dacht dat je geen oesters mocht eten als er geen R in de maand zit?' Demi keek naar de glanzende klodder in de schelp. Hij leefde nog. Ze kon toch niet iets levends naar binnen werken?

De vrouw glimlachte. 'Dat is inderdaad meestal zo, maar wij kennen onze oesters.'

Sam betaalde haar voor nog een oester. 'Nu ben jij aan de beurt, en goed onthouden, het is voor het goede doel.'

Demi trok haar neus op. Ze dacht niet dat ze het kon. Peta kwam naar hen toe. 'Als je het eng vindt, sla hem dan in één keer achterover. Niet iedereen is er zo dol op als onze Sam hier.'

'Maar dan mis je de zoetzilte smaak.' Sam draaide zich naar Peta om.

'Hij heeft gelijk,' zei de vrouw van de oesters. 'Maar als het je eerste is, is het niet verkeerd om daarmee te beginnen.'

'Waag het erop.' Peta duwde Sams hand met de oester verder naar Demi toe.

'Ik zie jou er anders niet een eten.'

Peta grinnikte. 'Ik heb er al drie op en ik heb net chocoladetaart gehad. Dat is niet lekker na elkaar.'

'Oké.' Demi nam de schelp van Sam aan, voelde de richeltjes op de rug. Ze bracht hem naar haar mond en rook de zee, fris en pittig. Ze deed na wat Sam had gedaan en bracht de schelp naar haar mond. Op dat moment merkte ze dat zich een menigte had verzameld die stond toe te kijken. Het leek bijna alsof ze weddenschappen hadden afgesloten of ze het wel of niet zou doen. Haar blik ontmoette die van Sam. Zijn ogen dansten van de pret. Het was een uitdaging.

Stilletjes telde ze af. Een, twee, drie... Ze liet hem in haar mond glijden. Koud. Pittig. Zoet. Hij schoof van haar tong haar keel in. Ze opende haar ogen toen de menigte in gejuich uitbrak.

'Dat viel toch best mee?' zei Sam glimlachend.

'Ja.' Demi had dolgraag dat glas wijn gehad dat hij had genoemd. Daarmee zou ze misschien in de verleiding komen om er nog een te proberen.

'Goed gedaan. Voor alles is een eerste keer.' Peta lachte. 'En nu is het tijd voor je eerste race. Sam, ik heb de boot meegenomen.'

Demi lachte. Nou, als ze een oester kon eten en ervan kon genieten, dan was dat racepartijtje een makkie. Ze keek naar de finish van de ouder-kindroeiwedstrijd en zei: 'Jij eerst.'

Victoria deed de slaapkamerdeur achter zich dicht en liep naar beneden. Ze hoorde Seb in de keuken aan de telefoon; met zijn donkere stem was hij iets in orde aan het maken. Alles hing af van Demelza's beslissing. Ze kon alleen maar hopen dat ze iets van Charles' gevoel voor zaken had, maar als je naar zijn laatste paar investeringen keek, was dat wellicht niet iets waar ze op zat te wachten.

Het was vandaag minder mooi weer dan gisteren. Wat late mistflarden hingen nog in de lucht. Meer dan anders rook ze de zee. Grond knerpte onder haar voeten toen ze naar het langwerpige bloembed liep. De agapanthussen waren op hun mooist. Ongelooflijk dat al die planten van een paar zaadjes stamden die haar overgrootmoeder uit Zuid-Afrika had meegenomen. Victoria glimlachte. Edith had er niet genoeg van gekregen om haar te vertellen over de maand dat ze daar waren geweest terwijl ze moesten wachten tot het schip gerepareerd was. Ze had de tijd gebruikt om het planten- en dierenleven te verkennen en had deze intens blauwe agapanthussen ontdekt. Ze moest en zou ze hebben, dus had ze de eigenaar gesmeekt of ze een paar zaden mocht meenemen, en de man had daarin toegestemd.

Tien jaar lang had haar overgrootmoeder die planten moeten koesteren voordat ze tot bloei waren gekomen, en hun helderblauwe bloemkoppen waren samen met de eucalyptus de opvallendste uitkomst van hun reizen. Toen ze als achttienjarige bruid in Boscawen was komen wonen, was het vooral een agrarisch bedrijf met een paar rozen geweest, en natuurlijk de boomgaarden.

Victoria keek achter zich. Een waterig licht bescheen de granieten gevel van het huis, waardoor het zachter oogde. Het pand moest er ongeveer hebben uitgezien zoals nu, tot aan de vlierbomen aan toe, hoewel de boom die het dichtst bij de hoek van het huis stond, niet dezelfde was als die van toen. Dit was een loot van de boom die Edith in haar dagboek had getekend.

'Mevrouw Lake.' Sam liep naar haar toe.

'Noem me alsjeblieft Victoria, Sam. Als we partners worden, is mevrouw Lake wel heel formeel.' Ze keek hem glimlachend aan. Hij had een handvol rozen bij zich, verschillende soorten. Te oordelen naar de kleuren en bloemen had hij ze achter uit de snijbloementuin geplukt.

'Toen ik de netten over de kooien vastmaakte, zag ik dat deze tussen de frambozenstruiken groeiden, en de proserpinaca dreigde het pad te overwoekeren.'

'Bedankt.'

Ze richtte zich weer op de agapanthussen. Er stonden al ruim honderd bloemknoppen in bloei en morgen zouden er nog meer opengaan. Het stak nog steeds dat ze tijdens de Constantine-show had verloren van de Tregarne Farm, maar hopelijk zou ze volgend jaar winnen. Ze zuchtte.

'Het is een plaatje dit jaar.' Sam glimlachte.

'Ja. Ze zijn heel bijzonder.'

'Ik geef toe dat ze prachtig van kleur zijn.' Hij bukte zich en trok een grashalm uit het bloembed.

'Echt?' Ze kende ze al haar hele leven en voor haar waren ze hét teken van de zomer. Het was verleidelijk om zich in het verleden te verliezen, toen alles duidelijker was en je je alleen maar het hoofd hoefde te breken over of je ging zeilen, ging zwemmen of allebei.

'Ja. Maar dat is het dan ook wel.'

Victoria zuchtte. Volgend jaar zou ze hier misschien niet meer zijn. Die gedachte joeg haar de stuipen op het lijf. Als ze Boscawen niet meer had, wat had ze dan nog over? 'Zal ik die bloemen aanpakken?' Ze stak haar hand uit.

'U hebt geen handschoenen aan en de proserpinaca is wel heel doornig.'

'Het gaat wel.' Ze keek hem glimlachend aan. De pijn van de doorns kon ze wel verdragen. Het verlies van Boscawen niet.

'Als u het zegt.' Maar desondanks liet hij ze gewoon in zijn handschoen gewikkeld zitten en gaf ze aan haar.

'Bedankt. Ik zie je zo in de eetkamer.' Victoria liep door, bleef weer staan en draaide zich naar hem om. 'Heeft ze iets tegen jou gezegd?'

'Nee.'

Nou, we weten het gauw genoeg.' Ze bracht de rozen naar haar gezicht en ademde de geur in. Ze moest maar gewoon hopen, dat was nog het ergst van alles.

Gelach. Wanneer had ze voor het laatst gelachen? Adam was leuk, maar niet grappig. Victoria had Demi en Sam zien lachen toen ze hen gisteravond met z'n tweetjes samenzweerderig de oprijlaan af zag lopen. Ze waren nog geen geliefden, maar Victoria herkende de signalen. Die waren er allemaal. Ze wilde hun bijna toeroepen dat ze een beetje moesten voortmaken. Ergerlijk was het, die seksuele spanning tussen hen beiden, vooral nu haar plannen met Adam waren opgeschort omdat Sebastian hier zo'n beetje woonde. Dat bedierf alles. Als hij er niet was geweest had Adam bij haar kunnen intrekken. Dat kon natuurlijk nog steeds. Het zou om te beginnen een beetje ongemakkelijk zijn, maar het feit dat Sebastian bereid was om geld in Boscawen te steken, betekende nog niet dat hij het recht had om in het huis te wonen. Ze kon hem er echter nu nog niet uit gooien.

Victoria sloot even haar ogen en genoot van de geur van de lelies die ze gisteren in huis had neergezet. Vandaag zou ze Demi's antwoord te horen krijgen. Alles hing daarvan af en dus had Victoria haar best gedaan om zo veel mogelijk uit haar buurt te blijven. Ze wist dat Demi een bloedhekel aan haar had. Nou, dat was wederzijds. Hoe kon ze nou partners worden met het levende bewijs van Charles' ontrouw en vruchtbaarheid? Ze had geen idee, behalve dat ze alles voor Boscawen overhad. Haar hele opvoeding was daarop gericht geweest, maar ze had tot nu toe nooit de kans gekregen om er ook echt iets mee te doen.

'Tori, ik heb je overal gezocht.' Sebastian omklemde een blocnote. Ze liep naar hem toe. Vandaag zag hij er uitgerust uit en zijn ogen fonkelden met zijn glimlach mee. Met zijn grijze slapen en zijn grijs dooraderde haar zag hij er niet ouder uit, alleen maar nog knapper. Zijn ogen straalden intelligentie, zorgzaamheid en sensualiteit uit. Waar had hij al die jaren zijn hartstocht verstopt?

'Ik heb een plan B en C uitgewerkt voor het geval Demi niet meedoet.'

Victoria trok een wenkbrauw op. 'Ik dacht dat je wilde dat ik de boel zou verkopen?'

'Alleen als jij daar gelukkig van wordt.'

'Gelukkig? Wat een interessant concept, jij bent vast de enige die zich ooit zorgen heeft gemaakt of ik wel echt gelukkig zou worden.'

'Misschien wel.'

Ze schoof zo dicht naar hem toe dat ze de zwarte vlekjes in zijn irissen kon zien. Er was voor de lucht nog amper ruimte om tussen hen in te stromen, maar hij week geen duimbreed. 'Wat wil jij, Sebastian John Andrew Roberts?'

'Nog steeds hetzelfde.' Zijn adem liefkoosde haar wang.

'Je hebt het nooit genomen toen het je werd aangeboden.'

'Toen was het niet aan mij om het te aanvaarden.'

Ze lachte. 'Ik kan me niet voorstellen dat je het nu wel wilt.'

Hij boog zich nog dichter naar haar toe. 'Wil je erachter komen?'

'Hmm, ik zou zomaar in de verleiding kunnen komen, maar...'

Victoria ademde zijn frisse geur in en merkte de diepe lijnen om zijn ogen op, die intelligente ogen. 'Maar het is beter om nooit terug te gaan.'

'Zijn we dan ooit vooruitgegaan of waren we alleen maar opgeschort?'

Er klonk een discreet kuchje. Sam stond in de deuropening. 'Mevrouw Lake, we zijn in de eetkamer.'

'Dank je wel, Sam, en nogmaals, noem me alsjeblieft Victoria.' Ze deed een stap bij Sebastian vandaan. De gedachte om weer in zijn armen te vallen was verleidelijk, maar dat lag achter hen en ze moesten allemaal vooruitkijken, met een heldere blik en zonder emotionele banden.

Demi stond bij het boograam. Een van de schuiframen stond open en de geur van rozen dreef op de bries naar binnen. Pal onder het raam waren zoemende bijen druk bezig in een bed met lavendel. Haar gesprekjes met Peta lagen haar nog vers in het geheugen. Haar vaders erfenis was haar zomaar toegevallen en ze moest de gok wagen: of ze zou het in haar zak steken en een wereldreis gaan maken of ze zou haar best doen om er hier een leven mee op te bouwen. Ze had tot nu toe zo'n beschermd leven gehad. Ze was niet kwetsbaar of dom, dus ze moest het met beide handen aangrijpen en iets van haar leven maken.

Het businessplan zat goed in elkaar, het gaf Sam de gelegenheid zichzelf te bewijzen, en dit was voor Demi een goede reden om mee te doen, meer dan wat ook. Hij leek deze kans dolgraag te willen aangrijpen om hier iets van de grond te krijgen. Ze had zo'n idee dat er ook nog iets anders meespeelde, maar daar wilde hij niets over zeggen. Misschien was hij in Margaret River een kans misgelopen of had hij iets verloren. In een bepaald opzicht was Sam een open boek, maar ze wist dat er meer onder dat oppervlak verborgen zat. Hij had het zelden over thuis of over zijn familie, alleen dat hij familie had. Sterker nog, hij vertelde nooit iets over zichzelf, alleen dat hij zo dol was op

Cornwall en varen, en dat hij iets met cider wilde opstarten. Ze hoorde hem tegen Victoria en Sebastian praten.

Er ging een rilling over haar rug toen ze zich omdraaide en haar blik op een portret van haar vader viel. Toen ze eerder in deze kamer was geweest, was het haar niet opgevallen. Hij glimlachte niet echt, maar hij had vriendelijke ogen. Hij was degene die haar in deze positie had gebracht, een positie waarin zij de macht had. Haar keus was van invloed op eenieder van hen. Dat vond ze verschrikkelijk. Ze vond het al moeilijk als ze moest kiezen tussen een cappuccino en een latte.

Ze ging in de vensterbank zitten en deed haar ogen dicht. Wat zou ze op dit moment graag met haar moeder praten. Hoe zou zij het vinden dat Demi hier was en, belangrijker nog, dat Demi in Boscawen ging investeren? Het kwam allemaal neer op wat zijzelf wilde. Ze keek naar haar vaders portret. Volgens iedereen had hij precies geweten wat hij in zijn leven wilde en was hij ervoor gegaan. Elke beslissing die ze sinds haar tienertijd had genomen had ze met haar moeder besproken. En nu moest ze het helemaal alleen doen.

Ze draaide zich om, keek naar buiten en zag een van de langwerpige bloembedden. Nu was het een zee van diepblauwe agapanthussen. Elke ochtend leken er meer bij te komen. De kleur stak verbijsterend fel af tegen de oranje crocosmia. In de weken dat ze hier was geweest, was het zo fantastisch om te zien hoe de tuin tot leven was gekomen. Zou ze hier nog zijn om het volgende stadium mee te maken? Wilde ze dat eigenlijk wel?

Als ze investeerde, kon ze haar vaders erfenis verliezen. Maar wat maakte dat nou uit? Ze had toch nog nooit geld gehad? Nee. Het zou haar een kans geven om haar ontwerptalenten te gebruiken en als ze er niet meer tegen kon, kon ze er altijd nog uit stappen. Misschien zonder haar geld, maar nee, ze hoefde hier niet voor altijd vast te zitten.

22

*H*et was alsof er een kind aan tafel zat. Victoria had de neiging om een kussen te gaan halen zodat Demi niet zo klein leek. Hoewel ze met haar verstand best wist dat Demelza Charles' kind was en oud genoeg om van Victoria zelf te zijn, vond ze het toch moeilijk te accepteren. Charles was zo rechtdoorzee geweest, zo moralistisch, zo'n verdomde zendeling, waarom was hij dan een verhouding begonnen? En toch... Nou ja, Victoria wist wel waarom. Lichamelijk was ze er altijd voor hem geweest, maar was dat in intellectueel of emotioneel opzicht ook zo geweest? Het feit dat ze onvruchtbaar was, had een wig gedreven in een smalle scheur die was ontstaan toen hij het na hun bruiloft had vertikt de traditie te volgen van Men an Skawenn. Hij was bang geweest dat hij klem zou komen te zitten en naakt op een veld betrapt zou worden. Victoria glimlachte. Zij was er als eerste doorheen geglipt, probleemloos, net als Edith en Gladys dat hadden gedaan. Victoria had haar moeder gevraagd of zij het ook had gedaan. Ze had er nooit antwoord op gegeven, maar had wel gebloosd. Dat sprak boekdelen.

Zelfs Perry en zijn vrouw hadden zich eraan overgegeven. Niet dat ze lang genoeg getrouwd waren geweest om een gezin te stichten. Zo nu en dan bedacht Victoria dat ze moest zien uit te vinden wat er van haar schoonzus was geworden. Maar eigenlijk wilde ze dat niet weten, want als ze eerlijk was, had ze haar afschuwelijk behandeld. Dat was iets wat nog altijd aan haar geweten knaagde, zelfs nog na al die jaren.

Victoria was woedend op haar geworden omdat ze de vlierboom had gesnoeid zonder zijn toestemming te vragen en daardoor haar geliefde broer had gedood. Al die extra vruchtbaarheidshormonen die in haar waren gepompt hadden haar hoofd compleet op hol gebracht. Eigenlijk had het haar niets verbaasd toen het TE KOOP-bord werd neergezet.

'Mooi, we zijn compleet.' Sebastian legde een stapel papieren en nog meer plannen op tafel. 'Ik ga even de thee halen en dan kunnen we beginnen.'

'Ik help je even.' Sam sprong op. Victoria merkte dat Sam zenuwachtig was. Hij had veel werk gestoken in zijn aandeel in het plan en Victoria vroeg zich af waarom hij haar dat niet eerder had voorgelegd. Natuurlijk had ze hem die kans nooit gegeven. Als ze met dit plan doorgingen, zou Sam, zo had ze van Sebastian begrepen, bijna een gelijkwaardige partner worden, hoewel ze niet wist hoe, want het enige wat hij inbracht was wat ervaring met een wijngaard in Australië.

Ze fronste haar voorhoofd en keek naar Demelza, die lijkbleek zag. Victoria keek om zich heen op zoek naar de geest die ze gezien moest hebben, maar afgezien van hen beiden was de kamer leeg. Een vlieg glipte door het open raam naar binnen. Hij vloog over de tafel en draalde boven de stapels papier aan het uiteinde, vloog toen verder en maakte bij Demi een tussenlanding.

Victoria en Demi keken elkaar recht aan. Demi hield haar blik deze keer zonder ineen te krimpen vast. De vlieg zoemde tussen hen in voordat hij door het raam de tuin weer in vloog. Wat had ze in Demi's ogen gezien? Was het angst of daagde ze haar uit?

Een volgeladen dienblad werd op tafel neergezet. Victoria draaide zich om. Sebastian had er heel veel werk van gemaakt. Hij had niet alleen thee gezet, maar er waren ook sandwiches en hij had zelfs taart gevonden. Dacht hij soms dat dit een lange vergadering zou worden?

Sam schonk thee in en ze glimlachte. Ze hield ervan als mannen haar bedienden, vooral als ze jong en knap waren. En hij wist dat ook.

Ze grijnsde. Misschien kon Adam vanavond langskomen. Ze moest hem bellen.

'Goed dan. Ik heb nog ergens wat geld weten te regelen en de plannen een beetje aangepast.' Sebastian deelde de papieren uit en Victoria zette het gevoel van zich af dat ze een examen moest afleggen. Zij werd hier niet getest. Ze had alles gedaan wat in haar macht lag om Boscawen te redden. Adam had haar verteld dat het gerucht ging dat het te koop gezet zou worden en dat verschillende mensen al belangstelling hadden getoond. Ze had wel zo'n idee wie dat konden zijn.

'Zoals jullie aan de cijfers onderaan kunnen zien, hebben we een aanbod gekregen van nog eens twee miljoen in cash van iemand die anoniem wil blijven, maar die wil dat Sam als partner voor hen optreedt.'

'Wie is dat in godsnaam?' vroeg Victoria. 'Hoe kunnen we samenwerken met iemand die zo veel risico's neemt terwijl we niet weten wie het is?'

'Jij en Demi blijven de grootste aandeelhouders.' Seb zei tegen Demi: 'Je moet ons vandaag vertellen wat je gaat doen.'

'Ik weet het.' Demi vouwde haar handen op de tafel.

Goeie god, zag ze dan niet dat iedereen op haar zat te wachten? Victoria sloeg haar ogen ten hemel. Dit was zo typisch Charles. Hij moest altijd het laatste woord hebben, en in zekere zin had hij dat ook precies gehad toen hij doodging. Hij was boos geweest en had besloten om naar huis te racen en haar met Adam te betrappen. Hij hád ook het laatste woord gehad, maar anders dan hij had gepland. Ze zakte in haar stoel onderuit. Ze had liever een scheldkanonnade over zich heen gekregen. Niet dat dat vaak gebeurde, maar die klaarde wel de lucht. Grappig, zo had ze er nooit eerder over gedacht. Alleen na een enorme ruzie hadden ze de beste seks en de beste gesprekken gehad. Enkel dan had ze het gevoel gehad dat ze hem kende. Meestal hield hij zijn gedachten vóór zich.

'Tori?'

'Ja?' Ze keek op.

'Ik vroeg of je nog vragen hebt over de aangepaste cijfers die ik je heb gegeven.' Sebastian leek ietwat geërgerd, maar het was meer de toon waarop hij het zei die haar raakte. Waarom deed hij dit? Hij had geen enkele band met Boscawen. Haar vader had Sebastian en zijn familie altijd beneden zijn waardigheid gevonden. Dus toen Sebastian naar Afrika was vertrokken om huizen te bouwen, was haar vader een gestage campagne begonnen om te zorgen dat ze met Charles zou trouwen.

'Sorry. Ik was in gedachten verzonken.' Ze keek op en zag dat vermaledijde portret van Charles. Vanaf het moment dat hij met dat idee op de proppen was gekomen, had ze er een hekel aan gehad. Er kwam geen glimlach vanaf die muur, noch fronste hij zijn wenkbrauwen, hoewel ze wel een glinstering in zijn ogen bespeurde. Ja, hij lachte haar uit, dat was wel duidelijk. Had hij gewonnen? Waren ze in een strijd verwikkeld geweest en had ze dat niet in de gaten gehad? Hoe kon het dat ze niets van zijn verhouding had geweten? Had ze de signalen over het hoofd gezien? Ze perste haar lippen op elkaar en ging met haar vingers langs de cijfers. Wat er het meest bij haar inhakte was dat hij het kleine beetje passie dat hij had gehad aan iemand anders had gegeven.

Ze lachte. Hoe kon ze nu nog jaloers zijn?

'Alles goed?' vroeg Sebastian.

Victoria zag dat ze alle drie naar haar zaten te staren. Ze bracht haar gezicht weer in de plooi. 'Je hebt in de derde kolom een optelfout gemaakt. Daar moet 1.350.500 staan.'

Sebastian keek haar met gefronst voorhoofd aan. Hij kon er niet om lachen, maar zij opeens wel.

De cijfers op het vel papier dat voor haar lag zagen er prima uit. Hoe Victoria had kunnen zien dat er een verkeerde berekening stond, was Demi een raadsel. Iedereen keek naar Victoria en ze leek zichzelf volkomen in de hand te hebben; ze was bijna te kalm, als je bedacht wat ze voor Boscawen voelde. Demi sprong op en deed nog een raam open. Ze bleef staan en staarde naar de tuin. Ze zaten allemaal op haar antwoord te wachten, maar hadden haar er nog niet naar gevraagd. Zou ze het er maar gewoon uitflappen?

Toen ze zich omdraaide, zag ze dat iedereen haar aanstaarde. Ze kreeg een enorme aanvechting om de kamer uit te rennen. Demi veegde haar handen af aan haar rok en liep terug naar de tafel.

Sam ving haar blik. Hij leek te vragen of alles goed met haar was. Er stond voor hem zo veel op het spel. Ze schonk hem een glimlachje en ging zitten.

'Los van dat foutje, heeft iemand nog vragen?'

'De enige vraag die we allemaal hebben is: doet Demi wel of niet mee?' Victoria draaide zich naar haar toe. Haar gezicht was een beleefd masker. Demi knipperde met haar ogen, zocht of ze enige emotie zag, maar Victoria liet niets blijken. Kon ze met Victoria samenwerken? Met Sam en Sebastian zou dat geen probleem zijn, maar met Victoria wel.

'Nou, ja, dat willen we allemaal wel graag weten.' Sebastian glimlachte Demi bemoedigend toe.

'Ik...' Demi zweeg. Als ze hierin meeging, wilde ze de garantie dat ze een vinger in de pap zou krijgen, ook al was zij degene die het minst van Boscawen wist.

'Ja?' Victoria trok een wenkbrauw op.

Demi klemde haar handen om haar knieën, blij dat niemand ze kon zien. Haar nagels beten in het vlees.

'Ik...' Ze zweeg opnieuw. Hoe moest ze dit formuleren? 'Ik ben erin geïnteresseerd ermee door te gaan, maar ik heb zo mijn bedenkingen.'

'Wat voor bedenkingen?' Victoria boog zich dichter naar de tafel toe.

Jij. Demi legde langzaam haar handen op de tafel. 'Ik wil omschreven hebben wat mijn rol is. In dit voorstel vind ik nergens terug wat mijn rol is.'

'En wat zou die dan moeten zijn?' Victoria stak haar handen vragend omhoog, in een plotseling Italiaans gebaar.

'Ik ben architect en heb aan een vergelijkbaar project gewerkt als dit, dus ik wil de belangrijkste ontwerper zijn voor de...'

'Nee!' Victoria stond op.

'Blijf zitten.' Sebastians stem klonk kalm, maar er zat een waarschuwing in. Victoria draaide zich om en staarde hem boos aan. Hier was Demi bang voor, voor Victoria.

'Demi, het spijt me.' Sebastian stond op.

'Nou, dat is mijn voorwaarde.' Demi haalde diep adem. Hoe kon ze er ook maar een moment aan gedacht hebben ermee door te gaan? 'Dus dan houdt het op.' Ze stond op, haar benen trilden.

'Nee, Demi. Ik bedoelde dat het me spijt dat we jou niet om raad hebben gevraagd en niet hebben nagedacht over wat jij aan het project zou kunnen bijdragen,' zei Sebastian.

Ze bleef halverwege de deur staan en draaide zich om. 'Nee, dat doen de meeste mensen niet,' zei ze en ze liep weg.

'Ze is me wel een madammeke, zeg.' Victoria leunde achterover in haar stoel.

'Nee.' Sebastian legde zijn hoofd in zijn handen.

'Ze komt er wel overheen.' Maar zodra ze die woorden had gezegd, had Victoria er al spijt van. Ze gedroeg zich als een man, een man die een mooie vrouw had weggestuurd.

Sebastian keek haar aan. 'We hebben net een enorme fout gemaakt en jij zegt dat ze er wel overheen komt. Je moest haar van meet af aan al niet en ik heb alleen maar gedacht aan haar aandeel in het landgoed en het geld.'

Victoria opende haar mond maar Sebastian stak een hand op. 'We moeten allemaal onze excuses aanbieden.'

'Waarom?' Dat soort gedachten stond haar helemaal niet aan. Ze wilde veel liever de aanval opzoeken, maar er stond te veel op het spel. Ze keek naar de tuin. Wat had ze nog als ze dit niet meer had? Niets.

'Sorry, neem me niet kwalijk.' Sam stoof de deur uit. Kon hij haar op andere gedachten brengen? Hoe hadden ze dat nou kunnen weten? Ze had er nooit iets over gezegd.

Victoria stond op en liep naar het raam. De geur van lavendel vulde de lucht. Ze snoof hem op, in de hoop dat ze er kalmer door zou worden. Niets. Dan had ze niets. Ze hoefde geen geld, ze wilde Boscawen.

Ze liep weer naar de tafel. 'Seb, ik zal mijn excuses aanbieden.'

'Dat zou wel eens te laat kunnen zijn.'

Ze blies de opgekropte lucht in haar longen uit. 'Daar ben ik ook bang voor maar... ik zal het mezelf niet vergeven als ik het niet heb geprobeerd.' Ze onderdrukte het gevoel dat haar dreigde te overmannen. 'Zie je, zonder Boscawen kan ik met geen mogelijkheid meer een stempel op de wereld drukken, een blijvend stempel, bedoel ik.'

23

*D*emi liep door de voordeur naar buiten. Besluit genomen. Ze zou een fles champagne moeten opentrekken om het te vieren. Ze was vrij. En toch zuchtte ze.

'Demi!' riep Sam. Hij rende over de oprijlaan naar haar toe. Ze wist niet of ze moest wachten of gewoon doorlopen, maar dat zou lomp zijn en hij was aardig geweest. Ze bleef staan en toen hij bij haar was, zei hij: 'Sorry.'

'Waarvoor?'

'Omdat ik een stomkop ben en me alleen maar heb gefocust op mijn rol in de mogelijke herontwikkeling van Boscawen.'

Ze keek naar hem op en keek of hij het meende of gewoon maar wat zei om haar aan zijn kant te krijgen. Ze liep weer door en hij legde een hand op haar arm. 'Echt, vergeet alles en weet dat het me spijt.' Ze draaide zich naar hem toe. In zijn grote blauwe ogen hielden zich geen geheimen schuil. Hij was oprecht en hij keek naar háár, niet naar bepaalde lichaamsdelen van haar.

'Dank je.' Ze vertraagde haar pas. De zon filterde door de bomen en tekende patronen op de grond.

'Ik ben zo egocentrisch geweest.' Sam paste zijn tred aan die van haar aan. 'Je logeert bij me en ik heb je nooit gevraagd wat je deed, en als ik het al heb gevraagd, dan heb ik niet geluisterd. Weet je, vanaf het moment dat ik op Boscawen was, zag en voelde ik wat er allemaal mogelijk was. Ik had in de pub het een en ander gehoord over de cider die daar vroeger werd gemaakt, en dan niet van het gewone spul, maar echt voortreffelijke cider. Dat speelde door mijn hoofd en ik wilde mijn plannen aan zowel meneer als mevrouw Lake voorleggen, maar het lot greep in op een manier die ik niet had kunnen voorzien.' Hij haalde zijn schouders op.

'O.'

'Maar jij bent degene die een moeilijke tijd achter de rug heeft, met het verlies van je moeder en zo, en voordat je de kans kreeg iets over je vader te weten te komen, was die ook dood. Niemand in dit hele verhaal heeft aan jou gedacht en dat was, en is, verkeerd.' Hij keek haar ernstig aan. 'Ik verval in herhalingen, maar het spijt me echt heel erg.'

Demi vertrok een mondhoek. Met die glanzende ogen van hem leek hij nu net een kleine jongen, terwijl hij zijn best deed nog kleiner en berouwvoller te lijken.

'Dank je.'

Hij grijnsde. 'Dat is beter. Laten we Boscawen even vergeten en vertel me over Demelza Williams.'

Ze fronste haar voorhoofd.

'Groot issue?' Hij hield zijn hoofd schuin.

Ze moest even lachen. 'Klein van stuk.'

'Je bent echt gefrustreerd dat je zo klein bent, hè?' Hij bleef staan en bekeek haar van top tot teen. Ze kromp ineen. 'Ik vind je volmaakt.'

Demi verstrakte vanbinnen. 'Ja, net een kleine pop.' Er trok een sarcastische uitdrukking over haar gezicht.

'Nee, helemaal niet popperig, daarvoor ben je veel te authentiek.'

Ze wendde zich van hem af.

'Ik sla vandaag kennelijk de ene flater na de andere. Wat ik bedoel, is...'

'Moet je horen, Sam, ik weet dat je het goed bedoelt, maar het is beter dat we het niet over mijn uiterlijk hebben.' Ze zuchtte.

'Als je dat per se wilt.' Hij probeerde zijn gezicht in de plooi te houden, maar trok zijn mondhoek glimlachend omhoog. Ze keek een andere kant op.

'Dat wil ik per se.'

'Prima. Wat zijn je plannen nu je niet langer op Boscawen blijft?'

Ze lachte. 'Goeie vraag. Zo ver had ik nog niet gedacht. Zie je, ik was van plan te blijven, maar daar is nu geen sprake meer van.'

Ze waren bij het poorthuis aangekomen en ze haalde diep adem. De lucht rook helemaal naar de geurende klimroos die vlakbij uitbundig door een sierlijke kersenboom heen groeide. Wat ging ze doen? Ze draaide zich naar Sam toe. Hij keek haar met verdrietige ogen aan. Daarin zag ze dat hij zijn dromen moest laten varen, maar daar was zij niet verantwoordelijk voor, niet voor die van hem en ook niet voor die van iemand anders. Zij kon alleen haar eigen dromen dromen. Nu moest ze alleen nog uitvinden wat die waren.

'Stel dat ze nee zegt?' Victoria liep rondjes om de eetkamertafel en deed intussen haar best niet naar Charles' portret te kijken. Als ze nu iets in haar handen had gehad, zou ze het naar zijn hoofd gooien. Het was allemaal zijn schuld!

'Nou, dan moeten we proberen nog een of twee investeerders te vinden; als dat niet lukt en het testament is bekrachtigd, dan moet Boscawen verkocht worden.'

'Neeeeeeee.' Ze spuugde het woord uit, maar meteen erna wist Victoria dat dat inderdaad zou gaan gebeuren. En opnieuw zou ze machteloos moeten toezien. De raderen waren stevig in beweging gezet. Zelfs als ze erin zou slagen om het testament aan te vechten, dan was het te laat om Boscawen te redden, om die verrekte appelbomen die ze had gekocht te redden.

'Sorry, Tori.'

Ze draaide zich met een ruk om. Die woorden... Ze had ze zo vaak in haar leven gehoord. Ze zou ze tegen hem moeten zeggen, maar in plaats daarvan zei hij ze tegen haar.

'We kunnen er niets aan doen, hè?'

'Als we realistisch zijn niet, tenzij Demi van gedachten verandert.' Hij schoof de stoel naar achteren en stond op. Met een paar stappen was hij bij haar. 'Ik heb al mijn bronnen aangeboord. Ik zou zelf nog wel een miljoen weten te vinden, maar dat is niet genoeg.'

Ze stonden slechts een paar centimeter bij elkaar vandaan. Oude woorden echoden om hen heen, alleen stonden ze toen niet bij de eettafel, maar op de kade, op een zomeravond in de avondschemering die zojuist de dag had meegenomen. *Sorry, Tori, dat ik niet goed genoeg was.* Hij was nu ouder, maar vanbinnen zat nog altijd dezelfde man. Het gevoel dat hij had gefaald straalde van hem af.

Maar hij had niet gefaald, toen niet en nu niet. Hij had zijn best voor haar gedaan. Toen had ze haar plicht gedaan, maar wat was nu haar plicht? Boscawen, dat was altijd zo geweest. Ze keek in Sebastians ogen en heel even vielen de jaren weg. Bloed gonsde in haar oren. *Kom met me mee...* Fluisteringen uit het verleden bewogen zich tussen hen in en de roep van een meeuw klonk door de stille lucht.

Boscawen. Dat was haar plicht.

'Ik ga nu mijn verontschuldigingen aan Demelza aanbieden. En dan zien we wel waar we uitkomen.' Victoria deed een stap naar achteren en pakte haar theekop. Ze nam een slokje van de koude vloeistof. Met verlokkelijke sirenen uit het verleden kon ze geen toekomst creëren.

'Je kunt het proberen, maar we hebben allemaal een enorme fout gemaakt.'

'Klopt. Wie kon ook weten dat ze meer in haar mars had dan alleen maar een mooi gezichtje?' Zodra Victoria haar eigen woorden hoorde, wist ze dat zij had gedaan wat de mensen haar hadden aangedaan. Ze hadden haar afgedaan als handelswaar van stand. Demi was niet van stand, maar ze was een babypop, mooi, met blauwe ogen en blond haar. Waarom had Victoria aangenomen dat ze geen hersens of talent had? Waarom was ze in dezelfde rol vervallen die anderen zich bij haar hadden aangemeten?

Ze zette de kop neer en keek Seb aan. 'Stel nooit uit tot morgen wat je vandaag kunt doen. Ik ga nu naar haar toe, ik zal voor haar door het stof kruipen en kijken hoever ik kom.' Ze liep naar de deur. 'Had je niet gezegd dat ze momenteel geen woning heeft en om die reden bij Sam logeert?'

Hij knikte.

'Goed zo. Dat is een mooie start.'

Sebastian keek haar met toegeknepen ogen nauwlettend aan. Zijn gezicht verried niets. Die herinneringen van haar waren vast verdwaalde fantasieën geweest, die zich voordeden als een glinsterende luchtspiegeling op het oppervlak.

Ze deed haar koffer dicht. Nu moest ze het bed nog afhalen. Demi hoorde Sam rondscharrelen, maar besteedde er bewust geen aandacht aan. Ze had Peta gebeld en gevraagd of ze een paar dagen bij haar kon logeren. Het was essentieel dat ze afstand nam van Boscawen en wel zo snel mogelijk. Ze had bijna gezegd dat ze meedeed, al was het maar om Sam zijn kans te geven. Maar dat betekende dat ze Victoria ook zou helpen en dat wilde Demi per se niet.

De wekker gaf aan dat het drie uur was en Peta zou haar om vier uur komen ophalen. Ze kon het beddengoed nog voor Sam in de machine stoppen. Dat was wel het minste wat ze kon doen. Ze verstarde terwijl ze het wasgoed tot een bal in haar armen propte. De haartjes in haar nek gingen recht overeind staan. Victoria. Ze was hier. Een klop op de deur en Demi stond als aan de grond genageld. Wat moest ze doen? Wat had de vrouw haar in hemelsnaam te zeggen? Ze maakte een hand vrij en deed open. Victoria's haar zat in de war door de wind, waardoor ze minder leek op de boze draak die Demi in haar hoofd van haar had gemaakt.

'Demi, ik ben zo blij dat ik je nog tref. Sam zegt dat je weggaat.'

Demi keek met gefronste wenkbrauwen naar Sam, die hen van een afstandje gadesloeg. Had hij haar gebeld? Hij liep naar hen toe, zo te zien wist hij van de prins geen kwaad, maar Demi trapte er niet in. Waarom was Victoria hier?

'Geef mij dat maar.' Sam nam het beddengoed van haar over, waarmee hij Demi haar wapenschild afnam.

'Kunnen we een wandelingetje maken?' Victoria's stem verried niets. Geen smeekbede, simpelweg een beleefde vraag.

Demi keek met toegeknepen ogen op haar horloge. 'Snel dan.'

'Prachtig.' Victoria liep door de voordeur naar buiten, naar een pad tegenover het poorthuis waar Demi zich nog niet eerder had gewaagd. Dat liep oostwaarts het bos in. Demi liep langzaam en zag dat Victoria snel voor haar uit beende. De zon stond hoog aan de hemel, maar in de schaduw was het bijna donker. Demi huiverde en keek om zich heen. Een vogel schoot door het struikgewas en ze maakte een sprongetje. Deze wandeling was geen goed idee. Ze ging nog langzamer lopen en het gat tussen hen beiden werd steeds groter. Zonlicht ving het zilver van Victoria's zijdezachte haar. Ze leek wel een beetje op een fee, maar was toch dreigend, de koningin van dit domein. Alsof ze Demi's starende ogen in haar rug voelde, draaide ze zich om en zag hoe ver Demi was achtergebleven. Ze liep terug en keek naar Demi's teenslippers.

'Bepaald geen ideaal schoeisel voor een wandeling, maar we zijn er bijna.' Ze glimlachte, maar haar ogen deden dat niet. Victoria liep verder, maar nu veel langzamer. De bomen stonden hier minder dicht op elkaar en het pad klom omhoog, totdat ze op een open plek kwamen, een litteken in het landschap leek het wel. Toen Demi opkeek, zag ze verderop de rivier en Falmouth Bay. Ze draaide zich iets om en Boscawen kwam in het vizier. Victoria liep verder tot ze bij een grote steen kwamen. IJzige rillingen kropen langs Demi's ruggengraat. Die steen zag eruit alsof hij uit de steentijd kwam en leek op een reus. Ze keek om zich heen, zag de bomen langs de rand van de akkers. Ze wist heel zeker dat ze hier eerder was geweest.

'Als kind kwam ik hier vaak.' Victoria klauterde boven op de steen. Die leek te hoog om erop te klimmen, maar Demi wilde niet onder Victoria staan. Ze schopte haar slippers uit en zocht zich op blote voeten een weg. Vanaf de top leek het landschap onder hen te schommelen.

'Ik deed dan alsof dit alles ooit van mij zou zijn. Natuurlijk wist ik toen al dat dat nooit zou gebeuren.' Victoria ging zitten met haar gezicht naar de zee gericht. Demi bleef staan en draaide zich langzaam om, ze nam de verre lappendeken van omgeploegde akkers, oogsten, koeien en gebouwen in zich op. Er stond een stevige wind waardoor Demi's haar opwaaide. De rots voelde onder haar voeten tegelijk warm en koud aan. Hoe kon ze hier nou ooit eerder zijn geweest? Waarom noemde ze deze rots in gedachten de Kowres?

'Hoort dit nog steeds bij Boscawen?' Demi keek naar Victoria omlaag.

'Helaas niet. Charles heeft dit niet terug kunnen kopen.'

'Mogen we hier dan wel komen?'

Victoria lachte. 'Ja hoor, het staat op de monumentenlijst en is al jaren open voor het publiek. Niemand weet precies waar dit vroeger voor diende, maar het komt uit de steengroeven uit de buurt, waar al sinds de prehistorie mijnbouw plaatsvindt.' Ze zwaaide met haar hand naar het gebied achter haar.

'Heeft hij ook een naam?'

'De Kowres, de reuzin. Volgens een plaatselijke legende zou ze haar minnaar hebben afgewezen. Eerst veranderde haar hart in steen en toen de rest van haar. Ze kijkt voor eeuwig uit naar de plek waar hij woonde.'

Demi's mond werd heel droog. De Kowres, ogen, elfen... Haar hart ging sneller slaan en het koude zweet brak haar uit. Ze moest zich ergens anders op concentreren. Ze draaide zich een stukje verder en zag een schitterend georgiaans huis. Het was eerder een boerderij dan een voornaam landhuis, of misschien waren de twee langzamerhand met elkaar versmolten. Het was het dichtstbijzijnde gebouw in de buurt.

'Van wie is dat?'

Victoria zuchtte. 'Dat was vroeger het Weduwehuis van Boscawen. Het is verkocht om de successierechten te betalen toen mijn overgrootmoeder overleed.' Ze zuchtte nogmaals en Demi kneep haar ogen toe, probeerde te zien of er echt iets van tranen uit Victoria's ogen tevoorschijn kwam. 'Het was een schitterend huis, maar wat moet dat moet, en mijn vader had geen keus als hij de rest van het landgoed intact wilde houden.'

Ze wees naar een kade langs de rivier. 'Daar werden de stenen uit de steengroeve naartoe gebracht om verscheept te worden en...' Ze wees naar het westen. '... de andere kade nam het tin uit de tinmijnen voor zijn rekening. Nu zijn het slechts de overblijfselen van een verloren gegane wereld.'

Demi probeerde zich vanaf dit uitkijkpunt de bedrijvigheid voor te stellen. Dat was niet eenvoudig; nu leek het eerder op slaperig akkerland en een paradijs voor jachten.

'Waarom heb je me hiernaartoe gebracht?'

Victoria keek naar haar op. 'Om mijn excuses aan te bieden.'

Demi struikelde en Victoria sprong op om haar te helpen.

'Je gelooft me niet.'

'Nee.'

'Kan ik best begrijpen.' Victoria hielp haar van de steen af en ze begonnen over het pad terug te lopen.

'We zijn natuurlijke vijanden.' Victoria praatte zachtjes. 'Jij bent...' Demi kromp ineen en wachtte op de belediging. '... de dochter van mijn man. Ik kon geen kinderen krijgen.' Ze sloegen links af en liepen over een ander pad verder door het bos. 'Toen ik ontdekte dat je bestond, was dat niet mijn gelukkigste ogenblik.'

Demi slikte. 'Dat kan ik me voorstellen.'

Victoria ging als eerste door het klaphekje. Een bord waarschuwde dat ze nu op het privéterrein waren van Boscawen Estate, dat alle honden aan de lijn gehouden moesten worden en dat er niet van de bestaande paden mocht worden afgeweken. In de verte zag Demi een kring van bomen en prikkeldraad. Victoria raakte gespannen en zweeg totdat ze er voorbij waren. Was dit dezelfde plek als waar ze met Sam was geweest?

'Is dat...'

Victoria kapte Demi af. 'De vlierboomsteen of, in het Cornwalls, Men an Skawenn.' Ze ging sneller lopen, in stilte Demi vervloekend dat ze het had opgemerkt. Wat had haar in godsnaam bezield om dit pad te nemen? Ze hoopte dat het Cornwalls Demi zou afleiden. Victoria perste haar mond in een rechte streep. Charles had geweigerd, en nu ze erop terugkeek had hij gelijk gehad. Geen enkele bijzondere magie had haar kinderen kunnen schenken.

Ze kwamen het bos uit en in de verte kwam het huis in beeld. Victoria verstrakte bij het zien ervan. Ze moest zich vastklampen aan deze glimp van Boscawen, dat baadde in het zonlicht van de late middag. Als ze Demi niet kon overhalen om met hun plannen mee te doen, dan zou Boscawen volgend jaar om deze tijd opnieuw in het bezit zijn van iemand anders.

De hijgende en puffende geluiden achter haar maakten Victoria erop attent dat ze langzamer moest lopen. Als ze wilde winnen, moest ze van tactiek veranderen, en ze moest en zou winnen. Bij het hek bleef ze staan wachten tot Demi bij haar was.

'Ik was dol op dit uitzicht op Boscawen. Vanaf hier kun je nog net het puntje boven de bomen uit zien steken.' Ze keek hoe Demi's blik de lijnen van het gebouw volgde. Ze had Charles' ogen en ja, ze zag er een weerspiegeling in van zijn intelligentie. Charles was uitermate intelligent geweest, een van de dingen waardoor ze zich nog een beetje tot hem aangetrokken had gevoeld. Dat moest ze niet vergeten, en natuurlijk waren er tijden geweest dat hij haar aan het lachen had gemaakt. Dat was het mooiste geweest, die pret die ze samen hadden gehad, en het feit dat hij van haar had gehouden, oprecht van haar had gehouden. Haar adem stokte toen er een verschroeiende pijn door haar borst trok.

'Gaat het wel?'

Victoria knikte. Het was een beetje laat om last te krijgen van een gebroken hart. Ze lachte halfhartig bij de gedachte. 'Dus zoals de zaken er nu voor staan, Demi, zien we hier een oud landhuis dat van ons tweeën is.' Victoria keek naar de reactie op haar gezicht, maar het enige wat ze zag was dat de ander op haar hoede was.

'We zitten opgezadeld met een geschenk en een last, en ik begrijp best dat jij het niet ziet als een geschenk.'

'Je hebt geen idee van wat ik zie.' Demi trok haar schouders naar achteren en Victoria gaf zichzelf inwendig een schop.

'Dat is zo.' Victoria lachte droogjes. 'Helemaal waar. Dat weet ik inderdaad niet. Maar ik weet wel dat we hier allebei maar mooi mee opgezadeld zitten.'

Demi's schouders ontspanden wat en Victoria vervolgde: 'Jij had een erfenis moeten krijgen zonder voorwaarden of banden. Je zou vrij moeten zijn om te vertrekken en uit te vliegen, weg van de vader die je in de steek heeft gelaten.'

Demi knipperde met haar ogen en Victoria zag dat ze een snaar had geraakt. 'En voor mij geldt dat mijn huis me is afgenomen, een huis dat al eerder van me was afgepakt, enkel omdat ik een vrouw ben.'

Demi draaide zich naar haar toe en Victoria zag dat de behoedzaamheid verdwenen was. 'Dus stel ik mezelf de vraag: wat kunnen we doen?' Ze haalde adem. 'We kunnen het verkopen, en dan raak ik Boscawen opnieuw kwijt en heb jij het geld om te gaan en staan waar je maar wilt. Of we kunnen samenwerken en iets moois maken van wat ons in de schoot is geworpen.'

Demi keek nogmaals naar het huis. Victoria probeerde te ontdekken wat ze ervan dacht, maar dat lukte niet. Demi leek niet meer boos, eerder berustend.

'Zoals ik het zie, heb jíj momenteel geen huis en ik straks ook niet meer.' Ze wendde zich van Boscawen af en bekeek Demi aandachtig. Het meisje·was werkelijk buitengewoon mooi. Elke gelaatstrek was volmaakt, van de porseleinblauwe ogen en Charles' blonde haar tot de welvingen waarvoor de meeste vrouwen een moord zouden doen, en dat allemaal in zakformaat. Maar ook zij kon maar al te gemakkelijk opzijgezet worden, net zoals Victoria was overkomen.

'Demi, ik weet niets meer van je dan dat je het bewijs bent van de ontrouw van mijn echtgenoot, wat geen goed begin is, maar het is het enige wat we hebben. Zullen we proberen opnieuw te beginnen en samen kijken naar de situatie waarin we ons nu werkelijk bevinden?'

De blauwe ogen stonden kil noch hartelijk. Victoria had geen idee wat Demi dacht, maar ze wist verder niets meer te zeggen. En toen herinnerde ze zich het weer. 'Ik moet je mijn excuses aanbieden.'

Demi's ogen vonkten belangstellend op, dus Victoria stamelde door: 'Ik heb je niet serieus genomen en ik, uitgerekend ik, had dat nooit mogen doen. Dat spijt me.'

'Hoezo uitgerekend jij?' Demi leunde tegen het hek.

'Mijn hele leven ben ik weggezet als "maar een vrouw", een broedmachine van stand.' Ze lachte verbitterd. 'Ik stel me zo voor dat jij net zo wordt behandeld omdat je zo mooi bent.'

Demi snoof. Geen aantrekkelijk gebaar, maar voor Victoria sprak het boekdelen. Ze mocht deze vrouw weliswaar niet, maar ze begrepen elkaar wel.

'Dus kunnen we nu gaan praten – echt praten – over de situatie waarin we zitten?'

Demi hield haar hoofd schuin. Dat deed Charles vroeger ook altijd en Victoria huiverde. Normaal gesproken deed Charles dit als hij nee ging zeggen en Victoria zette zich schrap.

'Misschien.'

24

*D*emi haalde een cv uit haar computertas en gaf dat aan Victoria. Inwendig stond ze te trillen op haar benen, maar ze herinnerde zich de woorden van haar moeder: niemand kan bij je naar binnen kijken. Alleen jij weet dat je bang bent. Met vaste stem zei ze: 'Voordat we ook maar beginnen met praten, denk ik dat je wat meer van me moet weten.'

Victoria nam het vel papier aan.

'Lees het en bel me dan.' Ze hield Victoria's blik even vast, draaide zich toen om en liep het poorthuis in. Haar koffers en Peta stonden te wachten.

'Coole gast. Zet 'm op, meid.' Peta glimlachte en wees naar Sam, die bij de ingang van de keuken stond.

Demi liep naar hem toe. 'Sam, bedankt dat ik bij je mocht logeren.'

Hij grijnsde schaapachtig. 'Hoor wie het zegt. Het is je eigen huis.'

'Dat kan wel zijn, maar dat gevoel heb ik geen moment gehad.'

'Wat moet ik nou, nu je me niet meer met de bomen komt helpen?'

'Dan moet je Victoria meer achter de broek zitten.' Ze lachte.

Sam deed een stap naar haar toe. 'Wat ga je doen?'

'Afgezien van een reis om de wereld maken en champagne drinken?'

Hij knikte.

'Nou, ik denk dat ik het kustpad afloop, mijn hoofd volkomen leegmaak en me wentel in de schoonheid.'

'Klinkt als het begin van een plan.' Hij stopte zijn handen in zijn zakken.

'Ze gaat vanavond met me uit en ik ben van plan om haar op het slechte pad te brengen,' zei Peta.

'Pas goed op haar.' Sam streek even met een vinger over Demi's wang. 'Ik zal je missen.' Hij kwam nog dichterbij. Demi hield haar adem in. Hij bukte zich en gaf haar een vluchtige kus. Ze bleef stokstijf staan om alle details in te drinken, zijn sterke handen en de pepermuntgeur die tussen zijn lippen en die van haar hing.

Peta pakte de twee koffers op. 'Ik breng deze vast naar de auto.'

Demi deed een stap achteruit en ontweek zijn blik. Ze keek naar de spieren in zijn armen, het witte T-shirt dat scherp afstak tegen zijn bruine huid. Dit alles was gemakkelijker dan de teleurgestelde blik die ze over zijn gezicht had zien trekken.

'Demi?'

'Ja?' Ze keek op – vergissing.

'Ik vind het jammer, maar je moet doen wat voor jou het beste is.'

'Eh, ja, en bedankt.' Ze vloog zo snel ze kon de deur uit naar de auto.

Bij het huis aangekomen bleef Victoria niet staan, maar liep ze door naar de kade. Er waaide een oostenwind over de rivier en met het afnemende tij ontstonden er kleine schuimkopjes op het oppervlak. Ze zwaaide naar de vissersboot die langsvoer met de gebruikelijke zwerm meeuwen in zijn kielzog. Ze glipte uit haar schoenen en stapte op het platte graniet; het oppervlak voelde koel aan onder haar voeten. Ze spande haar schouders en ontspande ze weer, niet precies wetend wat ze moest doen. Ze had geen idee wat ze van Demi moest denken. Ze had haar cv gelezen en vond het geen wonder dat ze furieus was dat ze haar zo hadden afgeserveerd. Haar kwalificaties waren indrukwekkend. Audrey had in het hotel gelogeerd waar Demi aan had meegewerkt en gezegd dat het er goddelijk was.

Maar Victoria voelde zich nog altijd slecht op haar gemak met dit merkwaardige bondgenootschap dat Seb in elkaar had getimmerd. Een project, als ze Boscawen tenminste zo kon gaan beschouwen, had één visie nodig, niet vier verschillende visies.

Het was overduidelijk waar Sams interesse lag. Hij wilde zijn geluk beproeven met de ciderproductie. Ze wist niet precies waarom, maar hij was een jonge man en dit was een geweldige kans om een start-up te maken, om iets unieks te creëren wat zijn weerslag had op het erfgoed van de streek.

Victoria liep een paar keer heen en weer. Niets was duidelijk. Ze kleedde zich tot haar bh en slip uit en dook in de rivier. Haar borst trok samen, perste de lucht uit haar longen. Naar lucht happend brak ze door het wateroppervlak. Met schokkende bewegingen sneed ze door het water totdat haar ledematen warm werden en het minder bijtend koud aanvoelde. Ze keek of hier boten voeren, maar op het ogenblik had ze dit gedeelte van de rivier voor zichzelf. Dat was het enige wat ze wilde, Boscawen voor zichzelf. Maar als ze verdomme niet bereid was om het te delen, had ze helemaal niets.

Toen ze bij de zuidelijke oever van de rivier was, stopte ze en keek achterom naar het bos. De wintereiken stonden op een kluitje, klonterden bijna samen. De zon ving de bladeren op de knoestige takken; hier wilde ze geen afstand van doen. Ze wilde de hoeder van dit bos zijn, de laatste Tregan die Boscawen in bezit had. En daarvoor zou ze moeten samenwerken met Charles' dochter...

De terugtocht door de rivier was zwaar, en meerdere malen sloegen de golven in haar gezicht; ze vulden haar mond en ogen met water. Het prikte, maar de pijn gaf haar energie en haar slagen werden steeds sterker tot de kade in zicht kwam. Eenmaal daar in de buurt ging ze over in een rustige schoolslag. Sebastian stond achter op de kade naar haar te kijken.

Vroeger, te veel jaren geleden, spraken ze hier altijd af. Dan zaten ze daar tot de avondhemel helemaal donker was en dronken ze samen een fles goedkope wijn die hij in de dorpswinkel had gekocht. Door de herinnering aan de zoete smaak van de wijn en het zout van de zee liep het water haar in de mond. Onschuld, hoop en dromen, wegge-spoeld met het tij, hadden hen beiden een andere kant op getrokken.

Toen ze op de kade klom, liep hij met een grote handdoek naar haar toe en sloeg die om haar rillende lijf. Hij hield haar vast en de ja-ren gleden weg. Zij was achttien en hij twintig.

Een twijg knapte en zijn handen vielen langs zijn zijden. Hij schop-te ergens tegenaan toen hij snel een stap achteruit deed. Victoria kreeg een fles wijn in het oog. 'Je denkt ook aan alles.'

'Eens een padvinder...' Hij haalde zijn schouders op terwijl zijn woorden wegstierven.

Ze wierp haar hoofd naar achteren en wreef lachend haar lichaam droog. Ze gooide haar natte bh en slip opzij, trok haar spijkerbroek aan en genoot van het gevoel dat Sebastian zijn ogen niet van haar li-chaam af kon houden. Koude rillingen van herinnerd verlangen lie-pen over haar huid toen zijn blik op haar borsten bleef rusten. Ze ging rechtop staan en keek hem recht aan terwijl ze haar armen in haar mouwen stak. Ze was weliswaar geen achttien meer, maar de tijd was haar gunstig gestemd geweest.

'Prachtig,' zei hij met schorre stem.

'Dank je.' Met haar koude vingers stuntelde ze met het dichtkno-pen van haar blouse, maar hij legde kalmerend een hand over die van haar en nam de taak over. Ze keek toe hoe hij handig het lastige klusje klaarde. Na afloop legde hij zijn vingers onder haar kin en tilde haar hoofd op.

'Je rilt,' fluisterde hij.

'Ik heb gezwommen, ik moet even op temperatuur komen,' loog ze. Zijn nabijheid deed haar meer dan haar lief was. Het voelde alsof iemand een oude geest uit de fles losliet. 'Maak die wijn eens open die je hebt meegenomen.'

Dat deed hij met minimale bewegingen, niets overbodigs, geen zwier, gewoon een taak die hij efficiënt uitvoerde. 'Ik hoop maar dat je het niet erg vindt dat ik de kelder heb geplunderd.'

Ze glimlachte. 'Helemaal niet, daar is hij voor, en als ik niet oppas gaat de kwaliteit van de wijn achteruit.' Ze draaide het glas rond, zag de warme kleur van de wijn. 'En dat zou jammer zijn.' Ze glimlachte hem over de rand van haar glas toe en rook aan het bouquet. 'Je hebt deze al wat eerder opengemaakt.'

'Hij moest ademen.'

'Als altijd weer vooruitgedacht.'

'Ja.' Hij kwam naast haar staan en legde een arm om haar schouders. Warmte trok door haar heen en het rillen stopte. Ze liepen samen naar de zijkant van de kade en gingen naast elkaar zitten. Aan de hemel zakte de zon lager en lager, maar het zou nog uren duren voor hij onderging.

'Weet je zeker dat je wilt lopen?' Peta leunde uit het autoraampje.

'Ja. Ik moet nadenken en dit is voor mij de beste manier.' Demi keek naar het pad naar de kust.

'Heb je je telefoon bij je en is hij opgeladen?'

Demi lachte en haalde hem uit haar tas. 'Ja, mijn telefoon is opgeladen. Lief van je dat je zo bezorgd bent, Peta, maar met mij is het prima. Ik moet alleen ruimte maken in mijn hoofd zodat ik kan nadenken.'

'Dat is best, maar doe er niet te lang over. Ik heb plannen voor vanavond, weet je nog?'

Demi fronste haar wenkbrauwen. Ze wilde alleen maar lopen, denken en dan slapen.

'En je gaat mooi mee.'

'Hoe laat moet ik er zijn?'

'Zeven uur. Je zorgt maar dat je niet te laat komt.'

Demi keek op haar horloge. Het was vijf uur.

'Je hebt gelijk. Geen sprake van dat je in die kleren en op die sandalen op tijd in Falmouth bent.' Ze bekeek Demi van top tot teen. 'Dus haal ik je om half zeven in Maenporth op.' Met knerpende banden verdween Peta in haar autootje en de rust daalde neer. Demi liep het pad naast de kerk op, maar draaide zich om en stapte door het hek het kerkhof op. Het was vredig op de begraafplaats, die veel groter was dan ze had verwacht voor zo'n afgelegen dorp. Op dit soort plekken was ze zich onwillekeurig altijd bewust van wat ze had verloren.

Ze keek naar de grafstenen zonder echt te lezen wat erop stond. Demi liet het gevoel van verlies over zich komen. Maar toen klonk haar moeders stem luid en duidelijk in haar hoofd; ze zei haar dat ze zich genoeg in haar verdriet had gewenteld en dat het tijd was om weer iets te gaan doen. Demi glimlachte en liet het kerkhof voor wat het was, prevelde alleen een stil gebed voor de zielen die daar begraven waren.

Vanaf de kerk kwam ze bij een paar traptreden. Daarna glooide de met hoge bomen begroeide heuvelrug omlaag naar het glanzende water dat in de stilte schitterde. Pas toen ze zich doof hield voor het geluid van haar hart, hoorde ze hoe de golven op de rotsen van de landtong sloegen. Ze ging linksaf en het pad slingerde zich onder het bladerdak van de bomen door. De lucht was koel en geurde naar eucalyptus, aarde en dennennaalden. Ze klom steeds hoger door deze magische grot van bomen, luisterend naar het geluid van haar voeten en dat van de golven onder haar.

Toen ze eenmaal uit de luwte van de bomen tevoorschijn kwam, waaide er een frisse bries. Ze huiverde. Haar kleren, zoals Peta al had opgemerkt, waren niet ideaal voor een wandeling, maar daar had ze zich niet druk om gemaakt. Ze had behoefte aan ruimte. Toen ze met Victoria op die steen had gezeten, de steen die ze als kind had gezien, had ze in de verte de zee kunnen zien. Die leek ver weg en ze had ernaar verlangd er dichterbij te komen. Nu sloeg ze haar ogen op en er was niets dan een lege blauwe, groene en grijze open ruimte, die slechts werd onderbroken door een zeilboot en een tanker. Die leegte was natuurlijk slechts een illusie. Ze draaide zich om, volgde met haar blik de contouren van de verschillende landtongen. Er was bijna iets sensueels aan de ronde mondingen voordat ze in de zee eronder weggleden.

Demi ging op weg naar Falmouth. Ze liet haar gedachten lukraak

alle kanten op dwalen in plaats van ze een bepaalde richting op te duwen. Als ze met een ontwerp worstelde, ging ze wandelen in Battersea
Park en daar had ze altijd het antwoord gevonden, als ze er maar niet
naar op zoek ging. Het had iets te maken met een beweging die zich
herhaalde en het wijde uitspansel boven haar.

Ze verzwikte haar enkel toen ze op een losse steen stapte. Ze moest
beter op het pad letten en niet alleen op het uitzicht, anders zou ze nog
een gekneusde enkel oplopen. Dat was wel het laatste waarop ze nu zat
te wachten, want Peta's appartement bevond zich op de bovenverdieping van een herenhuis. Op een rots beneden spreidde een aalscholver
zijn vleugels en wachtte tot de zon en de lucht ze zouden drogen. Het
deed haar denken aan het Batman-teken waarmee hij om hulp riep,
wat ze nu trouwens best kon gebruiken. Er ging zo veel in haar hoofd
om, het zat vol spookachtige gevoelens dat ze hier eerder was geweest
en de angst die ermee gepaard ging. Die dingen wedijverden met de
verwarring over hoe ze nu verder moest. Het was alsof ze op een dansvloer stond terwijl de dj steeds het ritme veranderde. En ze had ook
nog eens geen idee met wie ze danste. Ze keek weer naar de zee. Op een
rots in de buurt zat een groep zeemeeuwen naar de horizon te staren.
Wat zagen ze? Een school vissen onder het oppervlak? Of werden ze
gewoon gehypnotiseerd door de gestaag terugkerende golven?

Een grote zeilboot voer de Helford af en wendde de boeg voor de
landtong. Demi bleef staan om te kijken hoe ze de spinnaker hesen.
Ze kneep haar ogen toe, probeerde de mensen te onderscheiden,
maar ze waren net iets te ver weg om ze goed te kunnen zien. Een van
hen deed haar aan Sam denken. Sam. Ze wist zo weinig van hem. Dus
eerlijk gezegd verbaasde het haar niet dat hij niet had geweten dat ze
architect was. Ze waren er wel over begonnen, maar er nooit op doorgegaan. Wat wist ze nou helemaal van hem, behalve dat hij tuinman
was, van boten hield en uit Australië kwam?

Haar telefoon tingelde. Ze keek naar het bericht van Peta.

Doe er niet te lang over. De wandeling duurt langer dan je denkt. Px

Peta wist het op de een of andere manier. Demi lachte. Ze keek op haar horloge: het was al zes uur, ze kon maar beter voortmaken en niet langer naar boten staren of aan Sam denken. Maar ook al deed ze nog zo haar best, hij bleef tijdens de wandeling door haar gedachten spelen. In plaats van de glooiende akkers en de blauwe lucht zweefde zijn glimlach voortdurend voor haar geestesoog. Hij was te mooi om waar te zijn. Hij had een geweldig gevoel voor humor, hij was een gentleman, vriendelijk... dus waar zat het addertje onder het gras?

Haar telefoon tingelde weer. Ze vroeg zich af wat Peta nu weer van haar moest. Misschien moest ze uit de buurt blijven van stoere Australische mannen met kuiltjes in hun wangen.

Mis je, wil je en hoop dat je nu je tijd hebt gehad om na te denken, weet dat ik gelijk heb en dat we bij elkaar horen. We hadden het zo goed. Ik beeld me in dat we nog steeds samen zijn. X

Demi liet haar telefoon vallen. Haar vingers verkrampten en ze kreeg kippenvel. Ze raapte voorzichtig haar telefoon op en stopte hem in haar tas. Hoe eerder ze onder de douche stond om alle gedachten aan hem weg te spoelen, hoe beter.

25

Demi keek in de avondschemering uit over de rivier. Ze hoorde muziek. 'Gaan we echt met de boot over?'

'Ja, het is een belangrijke avond en een van de mooiste van de zomer, echt waar. Onze lift naar de overkant kan er nu elk moment aan komen.' Peta keek op haar telefoon. Ze waren laat en dat was Demi's schuld.

Demi keek naar de pub achter hen. Op dit moment zag die er rustig en uitnodigend uit. Het laatste wat ze wilde was eindigen in een wilde avond ver van haar bed.

'Je piept er niet tussenuit, hoor. Het is hoog tijd dat je wat pret gaat maken.' Peta klopte op haar arm. 'Onschuldige pret.'

Ze vond het onuitstaanbaar dat Peta dingen in de gaten had. Vanaf het moment dat Peta haar van het strand in Maenporth had opgehaald, had ze Demi met fluwelen handschoentjes aangepakt. Het enige wat ze had gezegd toen Demi haar over het sms'je had verteld was dat Matt een klootzak was en dat ze niet alle mannen over één kam mocht scheren. Peta zou wel gelijk hebben, zo veronderstelde ze, maar dat wilde nog niet zeggen dat ze daar ook echt in geloofde.

Vanaf de overkant kwam een motorboot aanvaren. 'Daar is onze lift.'

'Is dat de pont?' Demi tuurde in het wegstervende licht.

'Nee. Dat is mijn vriend, Fred.'

'Spring aan boord, dames, het feest is al in volle gang.' Hij keek hen grijnzend aan terwijl hij langs de ponton afmeerde.

Demi klauterde in de boot en hield zich stevig vast. Ze was helemaal niet gewend aan boten, laat staan aan zo'n klein rubberbootje.

'Daar zou ik niet gaan zitten, tenzij je een nat pak wilt halen.' Er klonk een onderdrukte lach in Freds stem door en Demi ontspande zich. Het was duidelijk dat hij wist wat hij deed.

'Bedankt.' Ze verschoof voorzichtig naar het midden van het bankje en Peta plofte naast haar neer.

'Fred, dit is Demi van Boscawen.'

Ze deed haar mond open om het te ontkennen, maar opnieuw had Peta voordat Demi er iets tegenin kon brengen haar besluit al aangevoeld.

'Cool. Een paar jaar geleden heb ik mijn vader daar geholpen met een klus. Schitterend oud huis.'

'Dank je.' Demi keek nijdig naar Peta, die haar schouders ophaalde en 'sorry' mimede. 'Wat voor klus was dat dan?'

'O, nieuwe badkamers, bedrading, verwarming, dat soort dingen. In feite hebben we het wat gemoderniseerd.' Hij manoeuvreerde om een paar jachten.

'Mooi, zeg. Weet je ook wie de architect was?'

'Ja, Mark Triggs. Geweldige kerel.'

'Hij heeft het schitterend gedaan.' Ze dacht aan hoe de badkamers waren ingebouwd, waarbij de proporties van de kamers intact waren gebleven zonder dat het historisch gevoel geweld werd aangedaan.

'Hij is goed. Hij weet een hoop van oude huizen af.'

Demi knikte en wendde zich van hem af, bekeek de boten waar ze langsvoeren. Ze vroeg zich af of het jacht dat ze die middag had zien uitvaren er ook bij was.

'Daar zijn we dan, dames.' Naarmate ze dichter bij een ponton aan de overkant kwamen, was het steeds lawaaiiger geworden. 'Het is nog steeds vloed, dus ik kan jullie tot een uur of twee terugvaren, maar daarna zul je een bed aan deze kant van de rivier moeten zien te vinden.'

'Kijk niet zo hoopvol.' Peta klopte op zijn arm terwijl ze uit de boot stapte, waardoor Demi naar Fred toe overhelde. Hij hield haar tegen en hielp haar de ponton op. Ze keek naar de kleurige lichtjes en de massa's mensen. Hier had ze vanavond helemaal geen zin in, maar toen ze de ponton onder Freds gewicht voelde kantelen, wist ze dat ze hier vastzat totdat Peta zover was om terug te gaan.

'Het lijkt allemaal wat intimiderend, maar echt, het wordt hartstikke leuk. Kom mee, dan stel ik je aan iedereen voor.' Fred wees naar de ladder die naar een stenen terras leidde. Demi gluurde naar haar jurk. Ze had beter een spijkerbroek aan kunnen trekken.

Victoria stak haar handen in de lucht om de spieren in haar rug en schouders te ontspannen. Het zwemmen was goed geweest, maar ze gaf niet genoeg aandacht aan haar lichaam. Ze was te veel bezig met andere dingen en besteedde er te weinig tijd aan om ervoor te zorgen dat ze nog altijd optimaal kon functioneren.

Op dit moment wilde ze dat Adam er was. Ze pakte haar telefoon. Het was nog niet heel laat en misschien was hij thuis. Verlangde ze zo erg naar seks dat ze ervoor naar Falmouth wilde rijden? Haar vingers bleven boven de toetsen hangen. Toen dacht ze aan zijn rommelige flat en hoe teleurstellend hun laatste vrijpartij was geweest. Die keer had ze naar zijn muurposter van *In de ban van de ring* liggen kijken. Iemand van zesentwintig hoorde toch zeker geen filmposters meer aan de muur te hebben? Ze was er compleet op afgeknapt en had niet van zijn naakte lijf kunnen genieten.

Ze stuurde hem een sms'je. Sebastian zou morgen rond de middag naar Londen vertrekken en zij had om tien uur met Demi afgesproken. Na die ontmoeting zou ze zeker ergens behoefte aan hebben. Adam was haar beloning of troost.

Kom om één uur naar Boscawen. Ik trakteer op een lunch. V

Ze glimlachte toen ze op verzenden drukte en kleedde zich uit. Morgen zou ze tenminste enige bevrediging krijgen en tot dan zou ze moeten wachten. Soms maakte de voorpret het een stuk leuker.

Peta trok Demi de bomvolle dansvloer op. Lijven kronkelden, meestal op de maat van de muziek. De jongsten leken een jaar of tien, de oudsten rond de zeventig. Het was waanzin en ze was absoluut niet in de stemming om los te gaan. Ze had vanavond zo veel mensen ontmoet dat haar hoofd ervan tolde. Fred had niet gelogen. Hij kende iedereen: zijn broer stond achter de bar en zijn moeder stond op dit moment op de dansvloer, zo te zien een beetje tipsy, op een paar centimeter afstand van Demi. Peta pompte met haar handen in de lucht op de beat van de muziek en Demi deed alsof. Ze had het best naar haar zin, maar ze had er genoeg van. Gelukkig was het nummer afgelopen en ze glipten door de massa naar de bar. Binnen steeg de temperatuur tot dramatische hoogte en de schmink op het gezicht van de barmedewerkers smolt weg. De groene vogelverschrikker was echt een griezel nu de schmink van zijn gezicht af droop.

Iemand gaf Peta een fles wijn en wat glazen en ze slingerden zich een weg naar de terrassen. Hoewel het daar ook warm was, was het er niet zo bloedheet als binnen, ook al waren er zeker een paar honderd mensen. Ze keek naar het terras onder hen, waar meer mensen langs de ponton aanmeerden.

Met handgebaren liet ze Peta weten dat ze naar de waterkant toe wilde. Peta vulde haar glas en babbelde verder met iemand die Demi bekend voorkwam. Toen Demi bij de onderste tree was aanbeland, herinnerde ze zich dat hij een van de dartsspelers was, van die keer dat ze hier nog maar net was. Wat was de tijd toch snel gegaan.

Het was vloed en het wateroppervlak weerspiegelde een lappendeken van heldere kleuren. De muziek, hoewel nog steeds hard, klonk gedempt, en in de meeste cottages in het dorp brandde licht. Aan de overkant van de rivier was de Helford Passage zichtbaar en Demi dacht opnieuw aan haar besluit. Haar huis lag aan de overkant van de rivier en deze hele streek kon een deel van haar leven worden. Wat zou haar moeder ervan hebben gevonden? Demi nam een slokje wijn. Wat zou het fijn zijn geweest als ze die vraag aan een van haar ouders had kunnen stellen.

'Ontsnappingspoging?'

Ze maakte een sprongetje. 'Sam.' Ze fronste haar wenkbrauwen. 'Ja. Ik heb je binnen niet gezien.'

'We waren met het dartsteam in een pub verderop langs de weg en we zijn net klaar, dus dachten we dat we hier ook wel konden feestvieren.' Hij leunde tegen de palmboom die op het terras stond.

'Een wilde bende hier.'

Hij knikte. 'Vorig jaar heb ik het voor het eerst meegemaakt. Ik geloof dat ik bijna de hele volgende dag heb geslapen.'

Ze keek naar zijn hand: hij had een pintglas vast, maar er zat geen bier in.

'Water. Ik heb vorig jaar mijn lesje wel geleerd en ik ben straks de stuurman.'

'Ah, dus ik zie jou nog geen malle capriolen maken.' Ze maakte een hoofdbeweging naar een vrouw die in haar eentje aan het eind van het terras aan het dansen was.

'Dit jaar niet. Misschien volgend jaar.' Met obsceen gemak wiegde hij met zijn heupen en Demi slikte. Hij stak zijn handen uitnodigend naar haar uit, maar ze lachte alleen maar.

'Dus, blijf je op Boscawen?' Demi bekeek hem van onder een lok haar die uit het knotje achter op haar hoofd was losgeraakt.

'Ah, goeie vraag.'

'Mis je Australië niet?'

'Best wel. Ik mis mijn familie, maar Cornwall is...' Hij zweeg en keek omhoog naar de heldere hemel vol sterren. 'Cornwall is voor mij bestemd.'

'Dus zelfs als je niet met je ciderbusiness kunt doorgaan, blijf je toch hier?'

'Ja. Wat ga jij doen? Een wereldreis maken?'

Ze glimlachte. 'Niet echt, of moet ik zeggen: niet de behoefte om dat meteen te doen.'

'Snap ik wel.' Hij keek naar de mensenmassa's. 'Ik wilde alleen zeggen dat het me heel erg spijt.'

Ze glimlachte. 'Het geeft niet.'

'Ja, het geeft wel. Mijn zus zou me vermoorden.'

'Nou, daar ga ik natuurlijk niet over.' Ze nipte van haar wijn.

'Dus je bent architect.'

Demi knikte. Niet dat ze het idee had dat ze er een was. Misschien zou ze nadat ze aan Boscawen had gewerkt, als ze al haar talent in de strijd kon werpen, het idee krijgen dat die titel bij haar paste. Op dit moment vond ze het grote woorden voor een klein persoontje.

'Hebben mensen je altijd min of meer afgeserveerd omdat je zo mooi bent?'

Ze knikte. 'Van dat mooi zijn weet ik niet echt, maar wel omdat ik een blondje ben.' Demi zweeg en keek omlaag naar haar borsten. En ook daardoor, dacht ze, maar dat zei ze niet. Ze glimlachte meesmuilend. 'Ze deden me af als iemand zonder hersens of ze zagen me als een object.' Ze grimaste. Het kwam door de wijn. Ze had het er niet zo moeten uitflappen.

'Oei.'

'Ha, daar ben je.' Peta kwam bij hen staan. 'Met Sam, dus ik had me geen zorgen hoeven maken.' Peta glimlachte.

Het was duidelijk dat haar 'helderziendheid' niet werkte als ze aangeschoten was. Demi borg die kennis op om daar later nog eens op terug te komen.

'Heeft ze je al verteld dat ze blijft?' Peta leunde tegen Sam aan en staarde hem wazig aan.

Sam keek naar Demi en zei: 'Nee, nog niet.'

'Nou, ze blijft. We mogen haar houden.'

'Peta, daar ben je dus,' riep een lange man vanaf het terras boven hen. 'Je bent me nog een dans schuldig.'

'Kom eraan.' Peta liep onvast de trap op, zwaaide op de beat van de muziek en viel in de armen van de man. Demi hoopte maar dàt ze het niet zo bont zou maken dat ze straks niet meer naar huis konden komen.

'Daar heb je helemaal niets over gezegd.' Sam zei het zo zachtjes dat Demi hem bijna niet hoorde.

'Dat heb ik ook niet.' Demi beet op haar lip. 'Peta loopt op de zaken vooruit.'

'Dus het klopt niet?' Hij hield zijn hoofd schuin.

'Op dit moment, zo uitkijkend over de Helford, kan ik me niet voorstellen waarom ik niet zou willen blijven en me niet thuis zou voelen op deze plek, maar morgen, in het kille daglicht, ziet het er misschien anders uit. En dan heb ik het nog niet over Victoria.'

'Ah. Ik begrijp het.'

'Ik wilde dat ík het begreep.' Ze slaakte een diepe zucht. Sam wist precies wat hij wilde en daar was ze jaloers op. Ze deed even haar ogen dicht. Wat ze op dit ogenblik wilde was zo simpel als wat. 'Zin om te dansen?'

Hij glimlachte. 'Ja.' Hij nam haar bij de hand en leidde haar tussen de menigte door naar de dansvloer, voor zover je daarvan kon spreken.

26

Vandaag moest de knoop worden doorgehakt. Ze had deze ochtend met Victoria afgesproken, maar op weg naar Boscawen had ze nog tijd om bij haar grootvader op bezoek te gaan. Het was zo vroeg dat hij nog aan het ontbijt zat. Demi zag dat er twee vrouwen bij hem aan tafel zaten.

'Goeiemorgen, liefje. Wat een heerlijke verrassing.' Hij glimlachte. 'Meredith en Alice, dit is mijn kleindochter, Demi.'

'Goedemorgen, schatje,' zei Alice. 'Je bent zo vroeg, dan is het vast belangrijk.' Ze stond op. 'Kom mee, Meredith, dan kunnen zij even babbelen.'

'O, maar ik vond het nou juist zo leuk om een nieuw iemand te ontmoeten,' zei Meredith een beetje gepikeerd.

'Dat is nu gebeurd. Dus, kom mee.' Alice troonde haar mee.

Demi ging zitten en wierp haar grootvader een blik toe.

'Zussen. Meredith is niet meer altijd bij de tijd, maar Alice is nog vlijmscherp. Is vroeger bankier geweest.'

'Fijn om te zien dat u vriendschappen sluit.'

Hij lachte. 'Vriendschappen, hmm. Als weduwnaar lijk ik voornamelijk vrouwen aan te trekken.'

Ze glimlachte.

'Maar voor mij is er altijd maar één vrouw geweest.'

'Dat weet ik.' Demi zag een schone kop op tafel staan en schonk zichzelf thee in.

'D-day vandaag?'

Ze knikte.

'Je hebt een besluit genomen.'

'Ik waag het erop.' Ze schonk melk bij haar thee. 'Ik weet dat het waanzin is, maar ik zie echt voor me hoe Boscawen verbouwd kan worden en het wordt een opwindend project.'

'Heerlijk als je zo vrolijk kijkt.'

'Echt?'

'Ja.' Hij nipte van zijn thee. 'Het betekent ook dat je in de buurt blijft.'

Ze stak een hand naar hem uit. 'Zo is het.'

'Weet je zeker dat je met haar wilt samenwerken?'

'Nee, helemaal niet, maar Sebastian en Sam doen ook mee en met hen wil ik wel samenwerken.'

Hij keek haar goedkeurend aan. 'Ik ben zo trots op je. Je overgrootmoeder zou opgetogen zijn geweest.'

'Denkt u?'

'Zonder meer. De familie Williams was altijd met Boscawen verbonden, totdat ik het patroon doorbrak en het onderwijs in ging.' Hij pakte haar hand. 'En nu is het van jou.'

Demi lachte. 'Van mij en Victoria Lake.'

'Nou ja, je kunt niet alles hebben,' grinnikte hij. 'O, en er is me iets te binnen geschoten.'

'Ja?'

'De dag voordat jij vermist raakte, was er een kind ontvoerd. Dat was hier in Cornwall. Je moeder dacht eerst dat jij dat kind was.'

'Waarom dacht ze dat?' zei Demi peinzend.

'Vanwege Charles' geld. Het meisje was het oogappeltje van een heel rijke man en ik denk dat die situatie zo erg leek op die van jou dat het haar de stuipen op het lijf joeg.'

'Dat snap ik wel, denk ik.' Ze woelde met een hand door haar haar. 'Maar ik was toch niet ontvoerd, hè?'

'Nee.' Hij schudde zijn hoofd. 'Dat weet ik zeker. Dat zou ik nog wel geweten hebben.' Hij stak een hand naar haar uit. 'Daar staat iemand die eruitziet als een taxichauffeur de zaal rond te kijken. Komt die voor jou?'

'Ja.' Ze sprong op en omhelsde hem. 'Ik hou van u.'

'En ik van jou. Je moet trouw blijven aan jezelf.'

'Doe ik.' Demi stoof weg, zich afvragend of er soms meer aan de hand was geweest dan alleen een gescheurde blindedarm en of er een verband was met haar herinneringen aan Boscawen. Misschien kon ze de ziekenhuisgegevens opvragen. Maar eerst moest ze iets opwindends doen.

Deze ochtend zou er over het lot van Boscawen beslist worden, welk besluit Charles' dochter ook zou nemen. Alles lag in handen van het bastaardkind. Waar zou Demi om vragen? Of belangrijker nog, wat was Victoria bereid op te geven om Boscawen te behouden? Ze lachte. Ze had alles al gegeven, dus wat maakte het nog uit als ze haar ziel nogmaals zou verkopen?

'Tori!' riep Sebastian vanuit de hal. 'Demi is er.'

'Ik kom eraan.' Na nog een laatste blik in de spiegel glimlachte ze en liep de trap af. Ze zou alles doen wat nodig was om Boscawen te behouden.

Ze zwierde langs hen de gang in, op weg naar de keuken. 'Goedemorgen. Zin in een kop koffie?' zei ze met haar charmantste stem, waarmee ze Charles' vele cliënten en investeerders altijd om haar vinger wist te winden. Nu ze erop terugkeek, had ze net zo hard gewerkt als hij om zijn fortuin te vergaren of, beter gezegd, om dat nog groter te maken dan het al was. Ze lachte meesmuilend. Ze had zelfs met enkelen van hen het bed gedeeld om een deal rond te krijgen. Niet dat dat nou zo'n straf was geweest – integendeel, ze had het heerlijk gevonden, en Charles had het nooit geweten. Alleen de laatste tijd was ze onvoorzichtig geworden, met dit als gevolg. Zijn dochter, in haar keuken.

'Heb ik het goed onthouden dat je je koffie zwart drinkt?' Victoria pakte drie mokken uit de keukenkast en genoot van de verbaasde blik op Demi's gezicht. Ondanks de spanning die er tijdens het voorlezen van het testament had geheerst, was het haar opgevallen dat Demi om zwarte koffie had gevraagd.

'Ja, graag.'

'Sebastian, ik neem aan dat jij er ook nog een wilt voordat je vertrekt?' Ze keek naar hem en zag dat hij haar aandachtig aankeek. Hij kende haar maar al te goed. Hij had het charmeoffensief in de gaten, in tegenstelling tot Demi.

'Doe mij maar met melk.'

'Dat wist ik nog.' Onbeschaamde rotzak, dacht ze. Ze wist heus wel hoe hij zijn koffie dronk en dat hij zijn roereieren het liefst droog had. Er was maar één ding dat ze niet wist, omdat ze nooit met elkaar hadden gevreeën. Ze waren er heel vaak dichtbij geweest, maar stom genoeg was het er nooit van gekomen. Dat was destijds belangrijk voor hen geweest, althans, meer voor hem dan voor haar. Ze schudde haar hoofd, zette de gedachten opzij aan hun jonge, met elkaar verstrengelde lichamen. Ze mocht zich nu niet laten afleiden.

Sebastian ging naast haar staan. 'Gedraag je een beetje,' fluisterde hij.

Ze zette grote ogen op en sloeg haar wimpers neer. 'Natuurlijk.'

'Zit er nog een kop in voor mij?' Sam liep door de achterdeur naar binnen.

'Uiteraard.' Victoria pakte een mok. Zij en Seb zouden zo'n goed stel zijn geweest.

'Ik wilde je alleen laten weten dat ik gisteravond Tristan Trevillion van Pengarrock heb gesproken.'

'En?' Ze gaf hem zijn koffie. Ze had Tristans vader Petroc gekend, zo'n knappe man.

'Ze hebben drie boomgaarden en produceren zelf niet genoeg. Dus we mogen hun oogst opkopen, en hij had het erover dat er in Trevenen nog meer appels te krijgen zijn. Alles bij elkaar is de opbrengst dit jaar genoeg om een mooi begin te maken met een exclusieve cider uit de Helfordstreek.'

'Een beetje voorbarig.' Victoria keek naar Demi.

'Zou kunnen, maar hoe dan ook moet er iets gebeuren met deze oogst en de toekomstige opbrengsten.' Sam nam de mok koffie van haar aan. 'Ik heb ook gezorgd dat er volgend jaar bijen komen.'

'Bijen?' vroeg Demi.

Hij boog zijn hoofd. 'Om de beste bestuiving te garanderen.'

'O, ik dacht dat ze dat allemaal zelf regelden.'

Sam lachte.

'Er komt meer bij kijken als het om de bloemetje en bijtjes gaat, en Sam weet duidelijk waarover hij het heeft.' Victoria wierp hem een zijdelingse blik toe. Ze had haar tuinman beslist heel erg onderschat. De uitdrukking op zijn gezicht deed haar ergens aan denken, maar het duurde te kort om er de vinger op te kunnen leggen. Ze pakte haar mok en die van Demi. 'Goed dan, Demi, vooruit met de geit. Zullen we op het oostelijke terras gaan zitten?'

Demi liep zwijgend achter haar aan en Victoria fronste haar wenkbrauwen. Ze liepen via de openslaande deuren van de zitkamer naar buiten. De zon werd nog gefilterd door de zeemist die die ochtend om acht uur was komen opzetten, dus het was wel warm en licht, maar niet heel heet. Er stond nog altijd een oostenwind. De rivier zou met het aflopend tij onrustig zijn. Ze dacht terug aan gisteravond, toen ze had gezwommen, en wat er daarna was gebeurd, de kameraadschappelijke stilte tot zonsondergang. Sebastian liet zich op dit moment echter niet in de kaart kijken.

Victoria gebaarde naar een rieten stoel en schudde het kussen van die van haar op. Ze had ze vanochtend buiten gezet, in de hoop dat ze het gesprek hier konden voeren, zodat ze ongeacht de uitkomst van de schitterende tuin kon genieten. De muur, die dit gedeelte afscheidde van de verzonken tuin in Italiaanse stijl, was overdekt met hortensia's. De verzonken tuin was niet veel meer dan een herinnering uit het verleden. Er stonden nog een paar wintervaste planten, maar dat was het dan wel. Hij stond op de to-dolijst.

'Bedankt voor de koffie.' Demi keek over de rand van haar mok over de oprijlaan naar de verte. Ze verplaatste haar blik. 'Hoe heet die wingerdachtige plant verderop?'

'De witte?'

Demi knikte.

'Dat is een clematis.' Victoria wachtte even. 'Weet je veel van tuinieren?'

'Niet heel veel. Wij hadden geen tuin, dus wat ik weet heb ik geleerd uit de parken in Londen.' Demi zette haar mok neer. 'Mijn grootvader is, of was, moet ik zeggen, een fervent tuinierder.'

'Was?'

'Hij zit nu in een verzorgingshuis, dus voor hem is tuinieren er niet meer bij, maar het was een passie van hem. Hij nam me mee naar de parken en wees me planten aan en…' Demi zweeg even en keek om zich heen. '… de aanplant, als dat het juiste woord is.'

'O ja, zeker. Gaat het niet goed met hem?'

'Hij is vierentachtig en heeft een nieuwe heup nodig. Het werd een hele toer voor hem om voor zichzelf te zorgen. Mijn oma is acht jaar geleden overleden.'

'Zijn jullie hecht met elkaar?'

'Ja.' Demi zuchtte.

'Waar is dat tehuis?'

'In Falmouth.'

'Niet ver hiervandaan.' Victoria nipte van haar koffie en keek Demi aandachtig aan.

'Nee.'

Victoria borg die informatie op. Dit was iets wat Demi aan deze plek bond, of ze zich dat nu realiseerde of niet. Demi's grootvader kon wel eens goed van pas komen. 'Ik heb je cv met belangstelling gelezen. Je bent een getalenteerde jonge vrouw.'

Demi keek haar met toegeknepen ogen aan. Misschien liep ze nu te hard van stapel. 'Wat je met Milton House hebt gedaan lijkt heel erg op het werk dat hier moet gebeuren.' Victoria wierp een blik op Boscawens stevige oostelijke muur achter haar.

'Dank je voor het compliment. Ik weet dat ik het aankan, ook al heb ik nog bijna niets kunnen laten zien.'

Victoria leunde achterover en bekeek Demi met een nieuwe blik. Ze moest dit heel voorzichtig spelen. Er was iets veranderd in het muisje en Victoria wist niet precies wat – behalve dat ze misschien besefte dat ze een troefkaart in handen had.

Demi haalde diep adem. Ze wist wat ze wilde en het enige wat ze hoefde te doen was dat kenbaar maken. 'Ik wil heel graag mijn geld en mijn aandeel in het huis en deze nieuwe samenwerking steken.' Ze wachtte even en zag dat Victoria zich ontspande. 'Maar alleen op voorwaarde dat ik de volledige controle en het laatste woord krijg over het huis en de verbouwing van de bijgebouwen.'

Victoria hapte naar adem.

'Zoals ik al heb gezegd, weet ik niets van tuinen en boomgaarden.' Met trillende hand pakte ze haar mok. Ze had het gezegd en wachtte nu tot Victoria nee zou zeggen. Victoria was zo geobsedeerd door Boscawen dat ze de controle nooit uit handen zou geven.

'Ik geloof niet dat dat gaat lukken,' stamelde Victoria. 'Je hebt geen ervaring.'

Demi haalde diep adem. Dit antwoord had ze verwacht. 'Je zei net dat je mijn cv indrukwekkend vond.'

'Maar je hebt het project niet in je eentje gedaan, je werkte met een ervaren architect en je was slechts deel van een team.'

'Dat is zo.'

'Dus ik kan onmogelijk toestaan,' Victoria sloeg haar handen in haar schoot ineen terwijl ze naar het huis keek, 'dat je de volledige zeggenschap over het huis en de bijgebouwen krijgt. Je kent de geschiedenis niet. Je kunt fouten maken.' Victoria rechtte haar rug. 'Bovendien hoeft er aan het huis niet zo veel gedaan te worden. Het is vorig jaar nog opnieuw geschilderd en je vader heeft de elektriciteit en leidingen laten moderniseren.' Victoria glimlachte, maar Demi keek in haar ogen en zag slechts onbuigzame vastbeslotenheid. Nou, zij kon dit spel ook spelen; ze moest wel, omwille van zichzelf. Het was ondenkbaar dat ze bleef zonder haar rechten op te eisen.

Demi zette haar mok pijnlijk nauwgezet op tafel. 'Ik dacht al dat je er zo over zou denken.'

'Ik ben blij dat je je in mijn standpunt kunt verplaatsen. Dus jou wordt om advies gevraagd bij de voortgang van het huis en de gebouwen, maar het laatste woord rust bij mij en de architect die we in het verleden ook hebben ingehuurd, Mark Triggs. Hij is heel goed en doet niet anders dan bijzondere landgoederen, dus hij weet wat de gemeente wel en niet goedkeurt. Jij weet tenslotte niets van Cornwall.'

Demi slikte. Ze had nagedacht over de ruimtelijke ordening en wist dat ze daar moeite mee zou hebben, maar ze ging er niet mee door als ze de leiding niet kreeg. Ze liet zich niet nogmaals koeioneren.

'Het kan heel goed zijn dat we de lokale expertise van meneer Triggs nodig hebben – en ik sta open voor elke andere architect die zijn steentje wil bijdragen – maar je vergist je als je denkt dat ik meedoe zonder dat ik de leiding krijg.' Demi stond op.

Victoria opende haar mond, maar Demi wist dat als ze nu niet vertrok, dat een zwaktebod zou zijn. 'Denk erover na, Victoria. Ik doe mee met Boscawen als ik de volledige zeggenschap krijg over het huis en de gebouwen, anders geef ik mijn advocaat opdracht om mijn deel van Boscawen te verkopen.' Demi liep naar de openslaande deuren.

Ze hoorde dat Victoria haar stoel wegschoof. 'Dat kun je niet maken!'

Ze draaide zich om en keek Victoria aan. 'Ja hoor, dat kan ik wel en ik doe het ook.' Toen maakte ze zich zo snel als haar trillende benen het toelieten uit de voeten. Ze rende naar de keuken, griste haar tas mee en holde praktisch de deur uit. Ze had voet bij stuk gehouden, maar als Victoria haar zou zien trillen als een riet, zou dat elke indruk dat ze sterk was tenietdoen. En dat was precies wat er zou gebeuren als ze niet heel snel uit het zicht verdween.

Victoria liep handenwringend over het terras heen en weer. Charles' dochter was net bij haar weggelopen en ze zou Boscawen opnieuw kwijtraken. Ze onderdrukte de aanvechting om te gaan gillen. Dat had toch geen zin.

Ze woelde met haar vingers door haar haar. Wat kon ze doen? Er kon geen sprake van zijn dat ze Demi de vrije hand gaf met het huis. Hoe smaakvol het hotel waar Demi aan had meegewerkt ook was, het zou wat Victoria betrof zomaar kunnen dat Demi enkel de supervisie over wat losse eindjes had gehad. Ze wilde niet dat Boscawen eruit kwam te zien als zo'n kitscherig voorbeeld van wat de mensen dachten dat een statig landgoed hoorde te zijn.

'Wat is er in godsnaam gebeurd?' Sebastian stond op de rand van het terras.

'Ze trekt zich terug.'

'Wat? Sam vertelde me net dat ze meedeed. Dat heeft ze hem gisteravond nog gezegd.'

'Nou, dat is veranderd, ze is net weggelopen en gaat verkopen.' Victoria stortte op de dichtstbijzijnde stoel neer.

Sebastian ging tegenover haar zitten. 'Vertel me wat ze heeft gezegd.'

'Om kort te gaan wil ze de totale controle over het huis en de gebouwen.'

'Ja.'

'Ik heb nee gezegd.'

Sebastian lachte, een bulderende, donkere lach.

'Dat is niet grappig.'

'Ja, dat is het wel.'

'Ga weg, Seb. Ik heb geen zin in je verknipte gevoel voor humor.'

'Ik ga al, maar ik denk toch dat je die nodig zult hebben. Je bent zo'n controlfreak dat je iemand anders nog niet eens de kleur verf laat uitkiezen.' Hij grinnikte. 'Je leert het ook nooit, Tori. Je voert nog steeds gevechten van jaren geleden. Je hebt geen idee wat je werkelijk wilt.'

'Sodemieter op.' Victoria ging staan.

'Tori, misschien is nu het moment aangebroken om los te laten en te gaan leven. Word volwassen en laat je vaders dromen gaan.' Ze keek hem nijdig aan en liep de tuin in, Sebastian op het terras achterlatend.

Maar zijn stem klonk nog na in haar hoofd toen ze naar het vlierbomenbos liep. Kwam het inderdaad doordat ze niet kon loslaten? Of doordat ze boos was op Charles? Ze schopte tegen een steen op het pad en keek hoe die het struikgewas in schoot. Ze raakte een tak aan om de boom te danken dat hij hier was en voor de rol die hij speelde in de geschiedenis van het huis. Kon ze Demi de zeggenschap toevertrouwen over de verbouwing van het huis? Ze waren toch al van plan om het huis als hotel om te bouwen of er een luxe B&B van te maken. Het zou er wemelen van de vreemde mensen, dus waarom de renovatie dan ook niet door een vreemde laten doen? Onder het lopen schoof Victoria haar handen in haar zakken en ze besefte dat ze dit niet echt goed had doordacht. In zekere zin raakte ze het huis toch al kwijt doordat het een commerciële bestemming zou krijgen. Ze zou niet langer midden in de nacht halfnaakt naar beneden kunnen glippen voor een kop muntthee. Ze zou niet meer met Adam op de eetkamertafel kunnen neuken. Ze glimlachte en keek op haar horloge. De auto die ze hoorde was vast van Sebastian die vertrok, en Adam zou hier over een half uur zijn.

Ze kwam bij een gat tussen de bomen en het zonlicht ving de pollen in de lucht, creëerde een wazige cirkel. Een lichte windvlaag deed de bladeren ritselen en stof dwarrelde rond. De elfen waren aan het dansen en ze verlangde ernaar met ze mee te doen. Waren ze bang voor wat er van hun bos zou worden? Misschien zouden ze naar het eikenbos moeten verhuizen, dat was immers beschermd. Wie zou het vlierbomenbos beschermen? Niemand. Victoria bleef staan en draaide zich om. Er zat niets anders op dan Demi de leiding over het huis te geven. Wat er voor Victoria werkelijk toe deed waren niet de bakstenen en metselspecie van Boscawen, maar het land, de bomen en de planten. De dingen die op Boscawen groeiden hadden haar nodig. Het land was haar geboorterecht, niet het huis. Dit kon ze aan.

27

*T*ussen de bomen door glinsterde het water haar toe. Demi had zich niet gerealiseerd dat de rivier zo dicht bij het huis was. De keren dat ze op Boscawen was geweest, had ze, afgezien van de keer dat ze op de bovenste verdieping was geweest, geen idee gehad dat ze zo vlak bij de zee waren; alleen de zeemeeuwen die nu en dan krijsend overvlogen wezen daarop. De bossen stonden zo dicht om het huis heen dat het moeilijk te geloven was dat de rivier slechts op een afstand van een korte wandeling tussen de eikenbomen door stroomde. Demi keek naar de verwaarloosde granieten kade en stelde zich voor dat hij in de tijd dat hij gebouwd werd groter was geweest, met wat zo te zien een vrij groot botenhuis moest zijn geweest.

Ze ging op een granieten steen op de kaderand zitten. Haar lijf zat nog vol adrenaline, ze voelde de na-effecten nog, en ze was een beetje misselijk. Het water onder haar was helder en ze zag kleine vissen wegschieten. De lichte bries liefkoosde haar huid en ze boog haar hoofd naar achteren, koesterde haar gezicht in de warmte van de zon. Ze wilde de schoonheid van deze plek delen. Natuurlijk had haar moeder geweten hoe mooi het hier was. Ze was in de buurt opgegroeid, had misschien zelfs met Charles op de rivier gevaren.

Ze deed haar ogen open. Had haar vader gezeild? Ze wist zo weinig van hem, behalve dat hij klaarblijkelijk van twee vrouwen hield en heel veel aan de liefdadigheid schonk. Ze had met de gedachte gespeeld dat hij eerder uit schuldgevoel dan uit goedheid zo veel weggaf.

Ze moest via Sebastian meer over hem te weten zien te komen. Op de een of andere manier dacht ze niet dat Victoria veel goeds over Charles te vertellen had, want het was zijn schuld dat Victoria haar huis ging verliezen.

Of, preciezer gezegd, was het soms Demi's schuld? Ze had geen onredelijke eis gesteld. Aan het schilderij in haar vaders werkkamer kon ze zien dat hij oog had voor kleur, en dus had Victoria dat niet, concludeerde ze. En toch gold dat niet voor de tuin. De aanplant, en wat er al was bereikt, was schitterend en harmonieus. Was dat Sams invloed? Misschien. Sommige delen van de tuin waren in een vergevorderd stadium en andere stonden nog in de kinderschoenen.

Een boot voer op de motor langs en Demi glimlachte toen ze de capriolen zag van de kinderen die aan boord waren. De zomervakantie was in volle gang.

Haar telefoon tingelde. Het verbaasde haar dat ze hier aan de rivier bereik had. Misschien wilde Sam weten hoe het met haar ging. Wat moest ze tegen hem zeggen? Zijn dromen zouden verpulverd worden. Ze keek naar het bericht en schrok. Alweer Matt.

Ik heb je nodig. Ik lig elke nacht wakker en droom van je.

Gal kroop in Demi's keel omhoog. Dit begon uit de hand te lopen. Ze wiste het bericht, niet zeker wat ze er verder mee moest, en zag dat haar batterij bijna leeg was. Zodra ze goed bereik had met haar computer, zou ze googelen hoe ze hem kon blokkeren. Haar oude leven in Londen leek zo ver weg, en zoals ze hier in het zonnetje zat wilde ze nooit meer uit Cornwall weg.

Het kielwater van de boot spatte tegen de kade en kwam tegen Demi's voeten aan. Het water was niet zo koud als ze had verwacht. Door de korte tochtjes in de verschillende boten gisteravond was ze zich gaan afvragen hoe het landschap er overdag vanaf de rivier uit zou zien. Toen ze de vorige avond met Sam overstak, was de lucht bezaaid geweest met sterren, en lichtjes hadden als reusachtige vuurvliegjes heen en weer bewogen op de vele jachten die in de rivier voor anker lagen. Het was al half twee geweest toen ze weggingen en op beide oevers waren de meeste huizen in duisternis gehuld, op hier en daar een dansend lichtje op de heuvelrug na. Het was zo vredig geweest, dat luisteren naar het getik van de tuigage op de boten.

Demi stond op en streek haar jurk glad. Waarom had ze de moeite genomen om er voor Victoria elegant uit te zien? Het was geen sollicitatiegesprek, of zo. De helft van deze plek was van háár.

Adam stond naar wat ooit de verzonken tuin was geweest te turen toen Victoria naar het huis terugliep. Hij had zijn jasje over zijn schouder gegooid en zijn overhemd was net een knoopje verder open dan van goede smaak zou getuigen. Met zijn donkere teint kon hij best voor een Italiaan doorgaan. Ze vertrok haar lippen bij de gedachte aan de maand dat ze in Rome was geweest, al die jaren geleden: de wijn, het eten, de architectuur en de seks.

Ze sloop van achteren naar Adam toe, duwde hem tegen de muur in de tuin. Voordat hij iets kon zeggen, kuste ze hem. Dit had ze nu nodig, zonder woorden, zonder dat iemand iets van haar vroeg.

Binnen een paar tellen had ze zijn overhemd uitgetrokken en was ze al aan zijn riem bezig, genietend van de zon op haar rug. Ze hoorde een vreemd geluid en wachtte even, probeerde uit te vinden wat het was. Sam was het niet, dus was het zeker een of ander beest. Adam trok haar sweater over haar hoofd en maakte haar bh los. Ze pakte zijn riem en gulp weer vast en binnen een paar tellen waren ze naakt en voelde ze de ruwe stenen van de muur in haar rug terwijl ze haar benen om hem heen sloeg. Het was te lang geleden. Het ging ook te snel om ervan te genieten, dus toen ze op het gras vielen, probeerde ze hem plagerig weer tot actie te manen.

'Je praat dagenlang niet tegen me en nu verwacht je dat ik binnen een paar minuten weer een stijve krijg.' Hij lachte.

'Hmm, ja.' Ze streek langzaam met een hand over zijn borst omlaag terwijl hij hijgend naar adem hapte. Hij rolde naar haar toe, plantte zijn mond op haar linkerborst en zijn hand op de rechter. Langzaam bouwde het genot zich op, maar ze raakte geïrriteerd omdat hij met zijn vingers steeds over dezelfde plek aan de zijkant van haar borst streek. Ook liefkoosde hij haar borst niet langer met zijn tong.

'Adam, let een beetje op.'

'Dat doe ik.' Hij tuurde in de verte.

'Onzin. Je zit maar te frummelen aan de zijkant van mijn borst alsof het een rozenkrans is.

'Wat is dat?' Hij fronste zijn wenkbrauwen.

Ze duwde hem van zich af en kwam overeind. 'Laat maar zitten.'

Hij stak een hand uit en ze deinsde terug.

Hij ging met een ernstig gezicht zitten. 'Victoria, voel eens aan de zijkant van je borst.'

Ze trok een wenkbrauw op. 'Is dit soms iets nieuws waar je geil van wordt?'

'Nee, en ik denk dat je even moet voelen. Er zit daar iets.'

Ze zuchtte en schudde haar hoofd. Het gras begon te prikken en ze zag aan zijn intense blik dat hij pas verder zou gaan als ze had gedaan wat hij vroeg. Ze raakte haar rechterborst aan en voelde niets. 'Daar zit niks.'

Hij pakte met een hand die van haar vast en betastte met de andere haar borst. 'Daar zit het.' Hij ging met zijn vingers heen en weer.

Victoria hield haar adem in en bewaarde tegelijkertijd haar geduld. Hij legde een van haar vingers precies op de plek waar zijn hand net was geweest en bewoog hem heen en weer, zoals hijzelf had gedaan. 'Nee!' Het woord ontsnapte aan haar mond toen ze met haar vingers een klein rond knobbeltje voelde.

'Als je het niet kunt vinden, zoek ik het wel weer voor je op,' zei hij met een heel lieve stem, alsof hij het tegen een kind had.

'Ik heb het gevonden, maar het is vast niet wat je denkt.'

Hij streek over haar wang. 'Vast niet.'

Ze wendde haar blik af en tranen welden in haar ogen op. 'Het is gewoon een cyste. Ik weet het zeker.'

'Bel nu je huisarts voor een afspraak, voor de zekerheid.' Hij pakte haar hand en hielp haar overeind.

'Dat hoeft niet.' Ze zocht naar haar kleren. Die lagen op de glooiing naar het rechthoekige bekken.

'Victoria, bel nou.' Hij nam haar gezicht tussen zijn handen en draaide haar naar zich toe. 'Mijn moeder dacht ook dat het niets was.'

Ze sloeg een hand voor haar mond. 'Sorry.'

'Geeft niet.' Hij nam haar hand in de zijne. 'Ik begrijp best dat je er niet aan wilt denken en er nu niets aan wilt doen, maar dat moet je wel.' Hij trok haar in zijn armen. 'Ik wil jou niet ook nog verliezen.'

Victoria's adem stokte en ze stoof bij hem vandaan, graaide haar kleren bij elkaar en vluchtte het huis in. Dit was helemaal mis.

Demi sloeg haar hand voor haar mond en wist de kreet die ze slaakte maar half te onderdrukken. Ze liep voorzichtig achteruit door het gat, terwijl ze probeerde het beeld buiten te sluiten van Victoria die tegen de muur seks had met een man die nog niet half zo oud leek te zijn als zij. Trouwens, ze kende hem. Het was Adam. Op haar eerste avond in de pub had ze een hele tijd met hem zitten praten.

Toen ze ver genoeg uit de buurt was, schudde ze haar hoofd, in een poging het beeld te verjagen. Charles was nog geen twee maanden dood of Victoria deed het al met iemand die zo oud was als Demi. Nou ja, bijna dan. Ze zuchtte en liep angstvallig langs de beschermende muur tot ze veilig bij de oprijlaan was.

Nog steeds beverig liep Demi verder. Ze moest wat drinken, maar er was geen sprake van dat ze naar het huis terug kon. Voor hetzelfde geld lagen ze languit op de vloer in de hal. God, de vrouw hoorde om haar echtgenoot te rouwen, niet met een of ander jong ding te liggen neuken. Charles zou zich omdraaien in zijn graf. Ze tandenknarste. Zo te horen en te zien waren die twee al langer minnaars. Victoria hield er zelf een verhouding op na, dus ze had geen enkel recht om zo hoog van de toren te blazen over het feit dat Demi bestond.

Er zat niets anders op dan door te lopen naar de pub. Ze keek met een grimas naar haar sandalen. Die waren niet geschikt voor de paden op het platteland. Maar ze had niet verwacht dat de ochtend deze wending zou nemen. Hoewel ze daar wel rekening mee had moeten houden. Hoe kon ze ooit hebben gedacht dat Victoria de controle uit handen zou geven?

Nu moest ze een plan maken. Haar moeder was drie maanden geleden gestorven en haar vader twee maanden geleden. Haar moeders verzekering had nog steeds niet uitgekeerd, maar ze had de lening op haar vaders nalatenschap gekregen. Ze leefde heel zuinig, maar ze moest een baan zien te vinden nu het werk aan Boscawen niet doorging. Ze liet haar schouders zakken. Het lag het meest voor de hand om naar Londen terug te gaan, en daar keek ze niet bepaald naar uit. Bovendien liep ze daar de kans om Matt tegen het lijf te lopen. Alleen al bij de gedachte aan hem kreeg ze de rillingen. In het verre Cornwall was ze voor hem in elk geval veilig. Ze keek naar de bossen en vroeg zich af of 'veilig' het juiste woord was. Misschien was 'vrij' beter uitgedrukt.

Ze vermoedde dat ze voor de rest van het seizoen wel een tijdelijk baantje in Falmouth kon krijgen, en misschien kon ze bij Peta logeren totdat ze zelf iets had gevonden. Dan kon ze tenminste weer solliciteren op fatsoenlijke banen en haar leven op de rails zetten. Maar ze moest ook nog langetermijnplannen voor haar grootvader maken. Hoe zou hij het opnemen als ze weer wegging? Ze perste haar lippen op elkaar. Het idee dat ze een eind bij hem uit de buurt zou zijn, stond haar niet aan.

In de verte dook het poorthuis op. Misschien was Sam al terug en kon ze hem een grote mok thee aftroggelen. Hij was gisteravond zo lief voor haar geweest, hij had haar naar Peta's huis gebracht omdat haar vriendin per se de hele nacht door wilde feesten. Sterker nog, Peta was nog niet thuis toen Demi die ochtend was vertrokken, maar ze had ge-sms't dat ze alles had overleefd.

Toen Demi bij het poorthuis was, klopte ze aan en riep, maar niemand deed open. Haar maag was weer tot rust gekomen en ze had een beetje honger, maar daar kon ze nu niets aan doen. Ze ging in een van de tuinstoelen zitten en vervloekte zichzelf dat ze zo stom was geweest. Ze had gewoon naar het huis terug moeten gaan en Sebastian of Sam om een lift moeten vragen.

Maar ze had geen zin gehad in vragen en haar emoties waren alle kanten op gestuiterd. Demi wreef over haar slapen en dacht toen aan de reservesleutel. Zou Sam het erg vinden als ze de keuken plunderde? Nee, zo zat hij niet in elkaar. Hij was een grappige mix: het ene moment een typisch relaxte aussie en het volgende een super gefocuste zakenman. Wie wás Sam Stuart eigenlijk?

Haar maag knorde en ze liep naar de achterkant van het huis. Ze vond de reservesleutel onder de geraniumpot. Ze zou een kop thee zetten en een koekje stelen, terwijl ze haar telefoon kon opladen om later een taxi te bellen. Met deze sandalen kwamen haar voeten nooit heelhuids in de pub. Een beginnende blaar op haar linkerhiel voorspelde niet veel goeds.

Ze liet zichzelf via de keukendeur binnen en zag de rozen en sleutelbloemen die in een aardewerken vaas op het aanrecht stonden. Een steek van verlangen ging door haar heen. Ze miste de tijd dat ze hier met hem woonde. De ontbijtboel was afgeruimd, afgewassen en afgedroogd. Hij was zo fantastisch, met zijn grote blauwe ogen, zijn donkere, ondeugende lach en zijn vriendelijke karakter. Hij kon zelfs dansen, dat had hij gisteravond wel laten zien. Ze dronk een glas water.

Terwijl ze een mok pakte, dacht ze eraan terug dat het maar een haar had gescheeld of ze hadden elkaar gekust nadat hij haar gisteravond bij Peta's huis had afgezet. Demi vond de biscuitjes, pakte er een en knabbelde erop terwijl ze theezette. Ze had vlinders in haar buik, maar was niet misselijk. Het kwam eerder door Sam. Als ze aan hem dacht, ging er iets door haar heen wat ze met Matt nooit had meegemaakt. Ze stopte haar haar achter haar oren en kreeg een kleur bij wat ze dacht. Hoe kon ze ooit nog iemand vertrouwen na wat Matt, een man die had gezworen dat hij van haar hield, had gedaan?

'Hoi.' Een koekkruimel bleef in haar keel steken. De vrouw was minstens een meter tachtig lang, had een olijfkleurige huid en warrig bruin haar. En er leek geen einde te komen aan haar lange benen.

'Ik ben Rachel.' Ze stak een hand uit.

Demi schudde haar de hand, maar wist zichzelf niet goed een houding te geven.

'Is er genoeg water voor nog een kop thee? Ik ben uitgedroogd. Zo gaat dat met intercontinentale vluchten.'

Intercontinentale vluchten? O god. Was Rachel soms Sams vriendin? Had Demi Sams houding gisteravond verkeerd opgevat? Goddank had ze niet met hem gezoend. Ze draaide zich vliegensvlug om en pakte nog een mok. 'Meer dan genoeg.'

'Bedankt.' Rachel kwam duidelijk van down-under. Haar stem had dezelfde nasale klank als die van Sam.

'Hoe sterk wil je hem hebben?'

'Heel sterk.' Ze glimlachte. 'En jij bent?'

'Sorry, Demi Williams.'

'Ah, de nieuwe eigenaar.' Rachel ging aan de keukentafel zitten en strekte die lange ledematen van haar uit. Demi deed uit alle macht haar best om niet alleen al daarom een hekel aan haar te hebben. 'Ik heb een hoop over je gehoord.'

'O jeetje, dat belooft niet veel goeds.' Demi grimaste.

Rachel lachte. 'Alleen maar positief, hoor.'

Sam kwam binnen en keek van Demi naar Rachel en weer terug. 'Alles goed?' vroeg hij aan Demi, en hij kneep zijn ogen iets toe.

Ze knikte.

'Ik was ongerust toen je zo plotseling weg was en daarna kon ik je niet meer vinden.' Hij bukte zich en gaf Rachel een kus op de wang. 'Ik zie dat je al kennis hebt gemaakt met mijn zus Rach.'

Demi's gedachten ontploften. Ze keek hen beurtelings aan. Afgezien van het feit dat ze beiden lang waren, leken ze totaal niet op elkaar. Rachels ogen waren chocoladebruin en die van Sam veranderden zo nu en dan van intens blauw in paars.

Hij wendde zich weer tot Demi. 'Gelukkig dat je hier je toevlucht hebt gezocht. Ik hoorde van Seb dat je eruit stapt.'

'Ja.' Ze slikte en keek van de een naar de ander.

'Mag ik vragen waarom? Gisteravond gaf je een andere indruk.' Hij hield zijn hoofd schuin.

Demi trok haar mond in een rechte streep terwijl ze terugdacht aan Victoria's reactie van vanochtend. 'Ik heb mijn eisen op tafel gelegd. Zij heeft nee gezegd. Simpel.' Demi haalde haar schouders op maar krulde haar neus alsof ze de neiging moest onderdrukken om in huilen uit te barsten.

'Wil ze niet dat jij de ontwerpen maakt voor de verbouwing van het huis?'

'Nee, ik mag het wel ontwerpen, maar ze wil niet dat ik het laatste woord heb.'

Sam knikte. 'Zo is ze nou eenmaal, maar je kunt om haar heen.'

Ze schudde haar hoofd. 'Moet je horen, dit hele gedoe zou nooit gemakkelijk zijn geworden. Ik weet niet of mijn vader wel enig idee had wat hij bij het opstellen van zijn testament allemaal overhoop zou halen.'

Sam lachte. 'Charles Lake was niet achterlijk. Ik geef je op een briefje dat hij dat heel goed wist.'

'Hoezo dan?'

'Als Victoria van huis was, mochten hij en ik graag een potje schaken. De man maakte een studie van elke zet die hij deed.'

'Dus wat gaat er nu gebeuren?' Rachel stond op en zette nieuw water op. 'Heb je fatsoenlijke koffie? Nu ik mijn thee heb gehad, doe ik een moord voor een grote kop zwart.'

'Tweede kastje rechts van de gootsteen.' Sam wees ernaar.

'Dank je.'

'Ik weet niet wat er nu gaat gebeuren.' Demi pakte nog een koekje terwijl haar maag luidruchtig liet weten dat één biscuitje niet genoeg was. 'Ik neem aan dat het landgoed nu te koop gezet wordt en dat we allemaal moeten wachten tot het testament bekrachtigd is.'

'Spannende tijden.' Rachel schonk kokend water over de gemalen koffie.

'Zo kun je er ook naar kijken.' Sam glimlachte en Demi fronste haar wenkbrauwen. Ze had liever een ander soort spanning gehad, zoals de uitdaging om het huis te verbouwen.

28

*V*ictoria sloeg haar benen over elkaar en deed haar best niet te kijken naar de moeder met de baby in haar armen die haar de hele tijd glimlachend aankeek. Ze was liever meteen naar een specialist in Londen gegaan, maar Adam had geen seconde langer uitstel geduld. Dus daar zat ze in een wachtkamer waar de lucht meer bacillen dan zuurstof bevatte. De man naast haar, die haar vaag bekend voorkwam, bleef maar kuchen en Victoria vroeg zich af of ze voordat ze bij de dokter was geweest aan tuberculose zou bezwijken.

De regen sloeg angstaanjagend tegen de ramen, waardoor haar hart sneller ging slaan. Natuurlijk was het knobbeltje gewoon een goedaardige cyste, maar ze had haar borsten al een paar maanden niet gecontroleerd. In april had er nog niets gezeten, ze wist zeker dat ze toen voor het laatst had gecheckt. Kon stress cystes veroorzaken? Of misschien cafeïne?

De zoemer ging en zij was aan de beurt. Ze stond op en haar heup protesteerde. Lieve god, ze viel met de minuut verder uit elkaar. De receptioniste schonk haar een bemoedigende glimlach toen ze langs de balie liep. Goddank was de vrouw een toonbeeld van discretie, want het laatste waar Victoria nu op zat te wachten was dat de geruchtenmolen lucht kreeg van het feit dat ze zich zorgen maakte om haar gezondheid. Op dit moment waren er nog maar drie mensen die ervan wisten.

De deur stond open en ze werd begroet door een glimlachende

vrouw. 'Mevrouw Lake, ik ben Sarah, de praktijkverpleegkundige. Ik ga eerst uw bloeddruk meten en u een paar vragen stellen voordat ik u ga onderzoeken.'

'Ik dacht dat ik een afspraak met de dokter had?'

'Dat hebt u ook, maar omdat we u tussendoor hebben moeten plannen, is dit wel zo efficiënt.'

Victoria fronste haar voorhoofd. Dan zou nog iemand ervan weten. Goddank was Sebastian gisteren naar Londen vertrokken, dus ze had voor hem geen dapper gezicht hoeven opplakken. Adam had willen blijven, maar zijn angst was tastbaar geweest. Ze had genoeg aan haar eigen angst. In plaats daarvan had ze over de verdiepingen van Boscawen gedwaald en was ze uiteindelijk op het dak beland, waar ze tot zonsopgang naar de sterren had gestaard. Het was idioot geweest. Nu was ze zo moe dat ze hier wel in slaap kon vallen, zelfs terwijl de manchet van de bloeddrukmeter haar arm platdrukte.

'Rookt u?' vroeg Sarah.

'Nee.'

'Alcohol?'

'Ja.'

'Hoeveel?'

'De waarheid of een beleefde leugen?'

Sarah glimlachte. 'De waarheid.'

'Elke avond een gin en ruwweg een halve fles claret.'

'Dat is veel meer dan de aanbevolen hoeveelheid.' De verpleegster maakte een paar aantekeningen.

'Ja.'

'Nou, uw bloeddruk is wat aan de hoge kant, maar ik vermoed dat dat door de zenuwen komt. Is dat ooit eerder een punt geweest?'

'Nee.'

'Mooi zo. Als u dan nu uw trui en bh wilt uitdoen? Ik ben zo terug.' Ze trok een gordijn de kamer in zodat die werd gehalveerd. Victoria hoorde de deur open- en dichtgaan. Ze kleedde zich snel uit en ging op de rand van de onderzoektafel zitten. Ze had meteen naar Londen moeten gaan, waar niemand haar kende. Hier was ze de dame van Boscawen, het meisje dat hier was opgegroeid, alles had verloren en op het punt stond het weer te verliezen. Gisteravond had ze naast de telefoon gestaan, hem opgepakt en weer neergelegd. Uiteindelijk had ze het vel papier met Demi's mobiele nummer tot een prop verkreukeld. Ze kon toch zeker niet door het stof gaan en zeggen: ja, je krijgt de zeggenschap over mijn huis, mijn thuis? Ze kon het gewoonweg niet, dus in plaats daarvan had ze door de gangen gezworven, geprobeerd alles in haar geheugen te prenten zodat ze in de toekomst die beelden weer zou kunnen oproepen.

De deur ging open en Sarah kwam terug met een mok. Ze had haar vingers eromheen gewikkeld. Victoria trok een wenkbrauw op.

'Op deze manier zijn mijn handen het snelst warm.' Ze zette de mok neer en waste grondig haar handen. Victoria vroeg zich af of dat het doel niet weer tenietdeed, maar besloot er maar niets van te zeggen.

'Moet ik gaan liggen?'

'Nog niet. Gaat u alstublieft staan en zet uw handen in uw zijden om uw armen te ontspannen. Ik wil zien hoe dat eruitziet.'

'Meent u dat nou?'

Sarah glimlachte. 'Ja. Til nu uw linkerarm op.' Victoria deed wat haar werd gevraagd. 'Nu de rechter.' Toen legde Sarah haar hand – en inderdaad, die was koud – op Victoria's schouder. 'Nu mag u gaan liggen.'

De stilte die in de kamer neerdaalde terwijl Sarah haar borsten onderzocht, en net als Adam steeds terugkeerde naar die ene plek, gaf Victoria alle gelegenheid om zich op het ergste voor te bereiden.

'Is dit het knobbeltje dat u hebt gevonden?'

Victoria knikte. 'Voelt u er dan nog meer?'

'Het weefsel aan de zijkant van de borst is wat oneffen, maar dit is het enige echte knobbeltje dat ik voel.'

'Wat nu?' liet Victoria zich ontglippen. Het enige wat ze wilde was teruggaan naar haar tuin en vol verwondering staren naar de felrode daglelies die deze ochtend voor het eerst in bloei stonden. Hun boze, tegen de lucht afstekende kleur illustreerde precies de verwarring die in haar woedde.

'Ik ga dokter Gordon halen. Blijft u maar rustig liggen en ontspan u.'

Ontspannen? dacht Victoria. Ze maakte een grapje zeker. Met haar hand streek ze over de boosdoener. Haar vingers vonden het knobbeltje en draaiden eroverheen totdat de huid geïrriteerd raakte. Volgens de klok aan de muur was Sarah nu vijf minuten weg. Victoria keek naar de secondewijzer en lachte verbitterd. Ze was zo trots geweest op haar borsten, maar die trots was in een oogwenk verdwenen. Sarah had niet gezegd dat het kanker was, maar haar ernstige gezicht sprak boekdelen. De subtiele verandering in haar stem had Victoria de waarheid verteld. Ze had dokter Gordons mening niet nodig. Ze wist het zelf al. Ze had kanker.

'Ik heb gehoord dat Trengilly op zoek is naar bar- en bedieningspersoneel.' Peta stopte de sunblock in haar tas. Het was een bloedhete dag en ze lagen op het strand van Grebe Beach van het schitterende weer te genieten.

Demi droeg een groot wit shirt over haar bikini. Niet dat kleine geval dat Matt voor haar had gekocht, maar iets wat ze op aanraden van haar moeder had aangeschaft. Morwenna had gezegd dat het haar veel beter stond dan de tankini's die ze had gepast. Vandaag kon ze dat amper geloven. Ze had haar armen om haar opgetrokken knieën geslagen en keek naar het glinsterende blauwe water. Ze trok de flap van haar hoed voor haar gezicht. 'Dat is een heel eind bij je appartement vandaan. Hoe moet ik daar komen?'

'Dat is waar.' Peta schoof haar zonnebril op haar neus. 'Je zou weer bij Sam kunnen gaan wonen. Vanaf het poorthuis is het maar twee kilometer.'

Demi kuchte. 'Ik weet niet of dat op dit moment wel zo handig is.'

'Is de situatie wat gespannen geworden sinds je Boscawen hebt opgegeven?'

'Nee. Maar zijn zus Rachel is er.'

Peta ging rechtop zitten. 'Vertel.'

'Ze is gisteren uit Perth aangekomen.'

'Lang, zongebruind en adembenemend?'

'Yep.' Demi zuchtte.

'Vat moed, *mon amie,* jij bent fantastisch.'

'Kort, blond en rond?'

'God, je hebt zo'n verkeerd beeld van jezelf. Je verstopt dat schitterende figuur van je onder een boerka.' Peta wierp een afkeurende blik op het shirt.

'Anders verbrand ik.'

'Smeer dan verdomme factor 100 op je huid, maar schaam je niet voor je lichaam. Het is prachtig.'

Demi slikte en haalde diep adem. Ze ging op een strand niet emotioneel worden over lichaamskwesties. Waarom was ze verdorie ook meegegaan?

Ze wierp een steelse blik op Peta's volmaakte figuur. Dat was jongensachtig en tenger. Demi zou alles overhebben voor zo'n slank figuur.

'Kappen, nu.'

'Waarmee?'

'Met jaloers zijn op andermans lichaam. Echt, ik zou dolgraag wat van jouw G-cup hebben, maar we moeten tevreden zijn met wat we hebben. Kleine Demi van me, je bent volmaakt en de droom van de meeste mannen.'

Demi kromp ineen.

Peta stak een hand uit. 'Dat was tactloos. Sorry. Matt is een rotzak, maar denk in godsnaam niet dat alle mannen zijn zoals hij.'

Demi sperde haar ogen open.

'Je denkt voortdurend aan hem. Laat gaan. Geloof me, sommige mannen zijn klootzakken, maar er zitten ook geweldige kerels tussen.'

Demi wilde daar net iets tegenin brengen, toen haar opviel hoe

Peta het zei. Peta was verliefd. Demi deed haar best zich te herinneren met wie ze van de week tijdens het feest bij de Shipwrights had gedanst. Maar in haar beleving had Peta met iedereen gedanst.

'Wie is het?'

Peta glimlachte en liet langs haar zij langzaam een handvol kiezels door haar vingers glijden. 'Daar kom je gauw genoeg achter.' Ze keek over het water uit en Demi volgde haar blik naar een motorboot die zich een weg zocht naar het strand.

Er zaten vier mensen in en drie van hen waren mannen. Nou, dan kon ze het aantal een beetje terugbrengen. Toen de boot dichterbij kwam, herkende ze Fred, en de andere gezichten kwamen haar wel bekend voor, maar ze wist niet meer hoe ze heetten.

'Pak je spullen, we gaan naar een ander strand.'

'Een ander strand?' Demi fronste haar wenkbrauwen. Ze had het hier prima naar haar zin, want er waren maar een paar mensen. Als het water niet zo koud was geweest, kon ze hier zelfs gaan zwemmen zonder dat massa's ogen haar aanstaarden. Als ze met dit stelletje meeging, had ze vanzelf een publiek, of ze nou wilde of niet.

'Kom op, het wordt hartstikke leuk, echt.' Peta greep haar bij de hand. 'Ik laat je niet hier, en trouwens, hoe moet je zonder mij thuiskomen?'

'Daar zeg je zo wat.' Demi verzamelde schoorvoetend haar spullen en liep achter Peta aan.

'Audrey.' Victoria hield de telefoon tegen haar oor. Audrey was wel de laatste persoon die ze wilde spreken, maar Victoria wist ook dat zij degene was die de beste oncoloog in het Verenigd Koninkrijk kende. Via haar man Hal, die zelf een topneuroloog was.

'Tori, wat heerlijk van je te horen. Ik moest al aan je denken en was van plan je vanavond te bellen. Hoe gaat het allemaal?'

Opeens begon Victoria te huilen, te snotteren zelfs, en ze wist geen woord uit te brengen.

'Lieve god, Tori, ik vind het heel erg dat ik je zo heb verwaarloosd,

maar ik dacht dat je ruimte nodig had om de dood van Charles te verwerken.'

Ze kon geen woord uitbrengen om aan Audrey duidelijk te maken
dat ze haar kop moest houden over Charles; het enige wat ze kon was
huilen. Ze legde de telefoon neer en snoot haar neus. Dat had ze niet
verwacht, dacht ze terwijl ze haar gezicht met koud water depte. De
telefoon ging. Dat zou Audrey wel zijn.

'Tori, het spijt me zo. Zal ik morgen naar je toe komen? Ik heb mijn
afspraken afgezegd.'

'Nee.' Ze snoot nogmaals haar neus.

'Maar je hebt me nodig, dat is wel duidelijk.'

'Dat klopt.' Victoria slikte moeizaam. 'Ik heb je inderdaad nodig,
maar ik kom wel naar jou toe.'

'Oké.' Victoria hoorde aan Audreys stem dat ze vol vragen zat.

'Om te beginnen, wie is de beste borstenman in Londen?'

Audrey hapte naar adem. 'Ga je je borsten laten doen? Nee toch zeker.'

'Niet op die manier.' Ze haalde diep adem. 'Kanker.'

'Nee!'

Victoria hoorde op de achtergrond iets vallen. 'Audrey?'

'Ik ben er nog. Sorry. Er is er maar één. Philip Perkins. Zal ik bellen
en vragen of je bij hem terechtkunt? Ben je bij je huisarts geweest?'

'Ja.'

'Mooi. Laat het maar aan mij over en kom met de trein. Ik wil niet
dat je in de auto stapt.'

'Prima.' Victoria keek om zich heen. Het huis leek opeens zo leeg.
Ergens wilde ze dat Seb hier was, zodat er tenminste geluid werd gemaakt, of gewoon om bij hem te zijn, kalm en geruststellend.

'Ben je alleen?'

'Ja.'

'Niet doen. Waar is Sebastian?'

'In Londen.' Victoria staarde niets ziend de tuin in.

'En je speelkameraadje?'

Ze keek naar de robijn aan haar vinger. Ze deed hem af en legde hem bij haar sleutels. Die moest ze in de kluis stoppen. 'Weet ik niet.'

'Zoek hem op of bel iemand anders, ik wil niet dat je vanavond alleen bent.'

'Is goed. Ik zie je morgen.' Victoria legde de telefoon neer en schonk zichzelf een royale gin-tonic in. Ze liep naar de lege woonkamer. Op dit tijdstip van de dag zochten zij en Charles elkaar altijd op, soms om de dag door te nemen, of anders om gewoon samen de krant te lezen. Nu was ze echt alleen. Maar was dat niet wat ze steeds had gewild?

29

Sam stond op het strand naast de barbecue terwijl Rachel de zee in waadde en eruitzag als het model dat ze was, dat kon niet anders. Demi's maag draaide zich om en het had niets te maken met de deining die hen naar het strand toe duwde. Hoe ging ze een dag op het strand overleven met al deze vreemde mensen? Dit zou een helse dag worden. Goddank had ze een boek meegenomen en kon ze dankzij haar spierwitte huid in de schaduw gaan zitten.

Rachel plonsde door de golven om te helpen bij het aanmeren van de boot. Demi probeerde niet in de weg te lopen, aangezien zij de enige was die geen idee had wat ze moest doen.

'Perfecte timing. De barbecue is klaar, dus het eten kan erop.' Rachel pakte een paar tassen en tilde ze het strand op terwijl Demi uit de boot probeerde te klimmen. Een golf duwde er op het verkeerde moment tegenaan en ze kukelde met tas en al in het water. Alleen haar hoed hield het droog, doordat die het droge zand op waaide. Rachel hielp haar overeind en Demi keek vol afgrijzen omlaag. Haar shirt was nu doorzichtig geworden en bleef aan haar lijf plakken. Niet best op een moment dat ze het liefst onzichtbaar was gebleven.

Rachel pakte haar hand vast, hielp haar het strand op terwijl ze onderweg haar hoed redde. 'Die rotsen daar verderop zijn bloedjeheet in de zon. We spreiden daar je spullen uit, dan zijn ze zo droog.'

'Bedankt.' Demi trok haar shirt van haar lijf los, maar het bleef plakken.

'Trek uit. Dat is warmer en hier heb je mijn handdoek.'

Demi kon haar shirt niet uittrekken, maar aanhouden was nog erger, want zo keek je dwars door alles heen. In haar hoofd hoorde ze haar moeders bemoedigende woorden. Gedraag je zelfverzekerd, dan heeft niemand iets in de gaten. Dus pelde ze het shirt af en Rachel drapeerde het over een rots. Demi wikkelde haar lichaam in de handdoek en hoopte maar dat ze dat niet al te gehaast deed.

'Voor je het weet, heb je het weer warm. Ik hoop dat je je hebt ingesmeerd met een sunblock.' Rachel glimlachte. 'Je hebt zo'n prachtige huid, zo glad en romig. Daar zou ik een moord voor doen.'

Demi keek een beetje nijdig naar de gebruinde ledematen waar maar geen eind aan leek te komen.

'Ik heb verschrikkelijk last gehad van acne en dat is nog steeds niet helemaal over. De zon helpt natuurlijk wel, maar daar krijg je weer andere problemen van.' Ze haalde haar bekoorlijke schouders op en gaf Demi haar hoed. 'Wat wil je drinken?'

Er kwam nog een boot aan en Demi keek verbaasd naar alles wat eruit tevoorschijn kwam. 'Doe maar een lekker wijntje.'

Rachel dook in een koelbox en haalde een fles rosé tevoorschijn. 'Rosé oké? Deze is lekker droog.'

'Prima.' Hoe kwam het dat Rachel zo relaxed was? Ze kende deze mensen niet, tenzij ze hier eerder was geweest, en toch was ze volkomen op haar gemak. Demi deed haar best geen hekel aan haar te hebben en nam een slokje van de wijn. Die was inderdaad droog en ze proefde een vleugje bessen. Ze nam nog een slokje. Hij was volmaakt voor een barbecue op het strand.

'Leuk dat je er ook bent.' Sam liep naar haar toe. 'Vervelend dat je een ongeplande duik in zee nam.' Hij grinnikte.

Demi lachte. 'Zo kun je het ook bekijken.'

'Dat is de enige manier. Wat vind je van de wijn? Die komt uit Rachels wijngaard.'

'Wauw, hij is heerlijk.' Rachels wijngaard? Was Rachel niet een beetje jong voor een eigen wijngaard? 'Sam?'

Hij draaide zich glimlachend naar haar toe. 'Ja?'

'Ik snap het niet.' Ze keek hem vragend aan. 'Als deze wijn uit de wijngaard van je zus komt, waarom ben jij dan tuinman?'

Zijn grijns werd breder. 'Dat was aanvankelijk ook niet het plan.' Hij haalde zijn schouders op. 'Dat ging gewoon vanzelf.'

Ze streek haar haar naar achteren en bekeek hem aandachtiger.

'Mijn wortels liggen in Cornwall, wat voor veel aussies geldt, en toen ik de kans kreeg om hier een tijdje te blijven, heb ik die met beide handen aangegrepen om meer over dit gebied te weten te komen.' Hij legde wat worstjes op het rooster. 'Rach deed het zo goed dat ik helemaal niet in de buurt hoefde te blijven. Ze moest zichzelf kunnen bewijzen zonder dat haar grote broer haar voor de voeten liep.'

'Oké.' Het vet van de worstjes vatte vlam en rook steeg op van het walmende vuur, waardoor ze zijn gezichtsuitdrukking niet kon zien. 'Ik moest maar wat gaan helpen.' Ze wilde weglopen.

'Nee hoor. Rach heeft alles in de hand en Peta ook. Maar je mag me wel helpen met de barbecue.'

'Ook goed.' Demi trok de handdoek strakker om zich heen en liep naar het vuur toe.

Hij glimlachte. 'Je bent nu toch zeker wel droog?'

'Nog niet helemaal.' Ze bekeek zichzelf, in het besef dat ze er niet best uitzag. Met die handdoek was ze vast drie keer zo dik.

Alsof ze haar gedachten had gelezen, dook Peta op en gaf haar een sarong. 'Dat is wat praktischer voor de assistente van de chef-kok.' Ze knipoogde en stak haar hand uit om de handdoek in ontvangst te nemen. Aarzelend wikkelde Demi die af om de sarong aan te pakken.

'Voor Cornwallse begrippen is het behoorlijk heet en hier bij het vuur is het nog heter. Je hebt de sarong helemaal niet nodig,' zei Sam.

Demi keek op, doodsbang voor de blik op zijn gezicht. Maar hij gluurde niet naar haar borsten, hij keek haar in de ogen.

'Goed punt.' Peta liep met sarong en al weg en Demi stond daar open en bloot voor iedereen in haar bikini. Voorlopig moest ze dit zien door te komen, anders zou ze zichzelf compleet belachelijk maken. Als ze nou kalm bleef en haar buik inhield, dan zou niemand haar opmerken en haar shirt zou gauw genoeg droog zijn.

De taxi zette haar op Portman Square af en Audrey stond op de trap op haar te wachten. Victoria had dit liever in haar eentje gedaan, maar Audrey liet zich niet afschepen. Ze nam Victoria's koffer van haar over en samen liepen ze het gebouw in. Audrey had haar tenminste niet omhelsd, ze moest haar kleine zegeningen maar tellen. Maar nu balde ze haar vuisten tot haar vingernagels zich in haar huid boorden, zodat ze haar emoties onder controle kon houden. Daar was ze dankbaar voor, en voor het feit dat Audrey zo snel voor haar een afspraak had kunnen regelen bij dokter Perkins. Joost mocht weten hoe Audrey dat voor elkaar had gekregen, maar ze was er dankbaar voor. Wat aan haar vrat was dat ze nergens zeker van was, dat ze wel het gevoel had dat ze het wist en toch ook weer niet. Haar gedachten tolden door haar hoofd. Ze zou bij het minste of geringste in huilen uitbarsten, dus de scherpe pijnscheuten in haar handpalmen hielpen om de tranen op afstand te houden. Ze wilde er niet over nadenken hoe dit kwam. Voor haar zwartgallige brein was de afleiding noodzakelijk.

'Mevrouw Lake voor dokter Perkins,' zei Audrey tegen de receptioniste, en ze schonk haar een brede glimlach.

'Gaat u alstublieft zitten en vul dit formulier in. Hij komt over een paar minuten bij u.' Audrey pakte het klembord en de pen en nam Victoria mee naar een weelderig gestoffeerde bank, waar ze bijna in verdween. Victoria was blij dat ze vandaag een broekpak had aangetrokken. Op zo'n bank kon je absoluut niet damesachtig zitten.

'Zal ik het voor je invullen?'

'Nee.' Victoria pakte het van haar over, keek even op en bedankte haar. Haar nagels beten niet langer in haar handen, dus die verdomde tranen kwamen weer tevoorschijn.

Gelukkig was het een kort formulier en ging het meer over de verzekering dan over haar ziektegeschiedenis. Maar van één vraag kreeg ze de zenuwen. Of ze ooit zwanger was geweest. Haar hand trilde, maar ze slaagde erin het hele formulier in te vullen, stilletjes dankbaar dat haar verzekering tot februari betaald was. Hopelijk zou er tegen die tijd duidelijkheid zijn over het landgoed, zodat ze de premie ook het volgende jaar kon betalen.

Audrey nam het klembord van haar over en gaf het aan de receptioniste. Op de terugweg vulde ze een bekertje met water. Victoria's gedachten vlogen naar het mortuarium in Taunton. Geen fijne associatie.

Audrey ging op de rand van de bank zitten en omklemde haar knieën. Ze droeg een mooie wikkeljurk die haar omvangrijke boezem omspande. Een boezem, groot en slap weliswaar, die waarschijnlijk geen risico vormde doordat Audrey vier kinderen borstvoeding had gegeven.

'Mevrouw Lake,' zei een lange jonge man. Victoria keek naar hem en toen naar Audrey. Ze knikte. Hij zag er nog niet oud genoeg uit om de schoolbanken ontgroeid te zijn, laat staan dat hij medisch specialist was. Victoria stond op, gaf hem een hand en liep achter hem aan zijn spreekkamer in. Er lag een uitgeprinte e-mail op zijn bureau, waarschijnlijk van haar huisarts. Audreys talenten kenden geen grenzen. Dat kwam vast doordat ze jarenlang de scepter had gezwaaid over een groot gezin.

'Ik kan me voorstellen dat u aan het ergste denkt.'

Ze trok een wenkbrauw op. 'Dat u een jaar of tien bent?'

Hij glimlachte. 'Vijfenveertig.'

'Kunt u mij een receptje geven van wat u zelf slikt?'

'Alles draait om goede genen.' Hij glimlachte vriendelijk. 'En nu we het over genen hebben... Komt er in uw familie borstkanker voor?'

'Voor zover ik weet niet.'

'Goed, daar hebben we dus niet veel aan.'

'Nee, dat klopt. Mijn moeder is jong gestorven aan de complicaties van een longontsteking. Ik weet niet waar haar moeder aan gestorven is en helaas is er niemand aan wie ik het kan vragen. Mijn vader is van ouderdom overleden en zijn moeder is vijfennegentig geworden.'

'Nou, ik zie dat u niet rookt, u hebt geen kinderen en u bent dol op gin en wijn.'

Haar mond werd droog. 'Ja.'

'Zal ik u onderzoeken en kijken of ik tot dezelfde conclusie kom als uw huisarts?'

Ze knikte.

'Als u uw trui en bh wilt uitdoen, ga ik de verpleegkundige halen.'

Met trillende handen maakte ze haar knoopjes los, terwijl ze bedacht dat het eigenlijk niet nodig was om er een verpleegkundige bij te halen. Maar ze vermoedde dat dit met iemand die zo jong en knap was als hij een verstandige voorzorgsmaatregel was. Hij zat er niet op te wachten dat zijn patiënten zich aan hem opdrongen. Ze lachte; in andere omstandigheden had ze misschien wel een poging gewaagd.

Hij kwam terug met een kleine donkere vrouw. 'Dit is Freda.' Ze glimlachte naar Victoria, die zich voor het eerst in haar leven naakt voelde. In plaats van rechtop te gaan zitten, boog ze haar schouders naar voren.

'Ik weet dat het in deze omstandigheden lastig is, maar probeer u alstublieft te ontspannen.'

Victoria snoof bijna, maar toen hij met zijn warme hand haar borsten begon te betasten, verschrompelde er iets in haar.

'Weet je zeker dat je nog een borrel wilt?' vroeg Audrey.

'Ja, dat weet ik zeker.' Waarom had Victoria niet een hotel genomen, waar ze zich in coma had kunnen zuipen zonder die zorgzame toon van Audrey die haar aan het verstand probeerde te peuteren dat ze morgen een kater van hier tot Tokio zou hebben? Op dit moment had ze helemaal geen zin in morgen. Ze hadden het ene biopt na het andere van haar borsten genomen en dat was ongelooflijk pijnlijk geweest. Ze had het leuker gevonden om haar hals aan een vampier aan te bieden.

'Oké, maar je gaat wel iets eten, hè?'

Ze knikte. Ze zaten in Audreys royaal geoutilleerde keuken in Fulham. De achterkant van het huis was van glas en keek uit op een grote stadstuin die net over zijn hoogtepunt heen was. Er bloeiden nog een paar rozen en de hortensia's waren aan hun eind.

'Doe wat je anders altijd doet 's avonds. Ik kan wel voor mezelf zorgen, hoor.'

'Misschien is het niet zo heel erg.' Audrey verplaatste haar gewicht van de ene naar de andere voet.

Victoria staarde haar aan. 'Laten we alsjeblieft geen verstoppertje spelen.'

'Je zou een second opinion kunnen vragen.' Een glimlach speelde om haar mond, maar brak niet door.

'Hij was al een second opinion.'

'De kansen op succes bij de behandeling van borstkanker nemen momenteel bijna met de dag toe.'

'Audrey, ga weg en laat mij me in mijn ellende wentelen.'

Ze wrong haar handen. 'Ik maak me zorgen.'

Victoria lachte. 'Ik ben in jouw huis. Het ergste wat kan gebeuren is dat ik deze fles gin soldaat maak en met een kater wakker word.'

'Oké.' Ze streek haar rok glad. 'Dan ga ik maar naar het nieuws kijken. Hal is rond middernacht thuis.'

'Ik blijf uit zijn buurt.' Audrey verroerde zich niet. 'Echt, ik doe heus niks geks. Ga jij nou maar kijken naar wat er allemaal mis is in de wereld.'

Audrey liep weg, maar keek steeds achterom. Victoria weerstond de neiging om een tomaat uit de schaal die voor haar stond naar haar vriendin te gooien. Audrey deed alleen maar wat een goede vriendin hoorde te doen, zorgen, maar Victoria wilde niet dat iemand voor haar zorgde. Ze wilde vergetelheid zoeken in de fles gin, hopen dat ze morgen in Boscawen wakker zou worden en dat ze dat niet met Charles' bastaardkind hoefde te delen. Dat was het enige wat ze wilde. Ze schonk zich een glas gin in, hoopvol als altijd.

'Je vindt het toch niet erg als ik niet me je mee terugga, hè?' Peta keek haar hoopvol aan. Het was duidelijk dat ze tot over haar oren verliefd was op Fred. 'Hier heb je mijn autosleutels.' Demi sloeg haar ogen ten hemel. Ze wenste dat ze dit had zien aankomen en niet zo royaal van Rachels wijn had genoten. Ze zou een taxi terug nemen.

'Geeft niks, hoor. Maar je mag je sleutels houden. Ik vind wel een lift of ik neem vanaf de boot een taxi.'

'Zeker weten?' Peta draaide zich om en keek verlangend naar Fred.

'Komt goed. Ik zorg wel dat Demi thuiskomt.' Sam kwam aanlopen en sloeg een arm om Demi's schouders. 'Maar één vraagje. Weet Tamsin dat je met haar oudste rotzooit?'

'Nee, en ik moet bekennen dat me dat niet lekker zit.' Ze draaide zich om en keek naar Fred, die met de boot bezig was. 'Maar volgens mij is hij het wel waard.'

'Wie is Tamsin?' Demi keek beurtelings van Peta naar Fred naar Sam.

'Mijn moeder.' Fred grijnsde. 'Een verbazingwekkend, volkomen angstaanjagend mens.'

'Dan mag je je wel schrap zetten, Peta.' Sam knipoogde en Peta gaf hem een stomp. Hij liet zijn arm van Demi's schouders zakken en ze huiverde. De zon was achter een wolk geschoven, er waaide een koele bries en aan haar shirt had ze niet veel.

Sam haalde een hoodie uit zijn tas en gaf die aan haar. 'Op de terugweg wordt het kouder, dan kun je deze wel gebruiken.' Ze trok hem aan en rook rozemarijn, kampvuur en zijn aftershave. Hij pakte haar tas en gaf die aan Rachel, die al aan boord was geklommen. Ze waren zo'n goed team, ze plaagden elkaar aan de lopende band. Demi was jaloers, dat kon ze echt niet ontkennen.

Sam pakte haar hand vast om haar in de boot te helpen. Er was niets elegeants aan hoe ze worstelde om op de voorkant van de sloep te klauteren die op het opkomend getij danste. Elke keer dat ze dacht dat ze er bijna was, schoot de boeg de lucht in en was hij net te hoog om over de rand te stappen. Voordat ze wist wat er gebeurde, tilde

Sam haar op en zette hij haar zachtjes in de boot.

'Geregeld.' Hij grinnikte en ze trok aan haar shirt en zijn hoodie, die allebei tot boven haar middel omhooggeschoven waren. Ze kon nog steeds voelen waar hij met zijn handen haar dijen had aangeraakt. Ze krabbelde naar een zitplaats en klemde haar tas tegen haar borst totdat Rachel haar een reddingsvest aanreikte.

'Je bent niet gewend aan boten, hè?' Rachel glimlachte.

'Valt het zo op?'

'Nogal. Maar als je hier lang genoeg blijft, krijg je vanzelf de slag te pakken. Sam is gek van boten, altijd geweest.' Ze wierp een blik zijn kant op toen ze de buitenboordmotor liet zakken en hem startte. Sam gaf de boot een duw het water op en sprong er in één vloeiende beweging in. Waar haalde hij het recht vandaan om zo waanzinnig fit te zijn? Hij pakte een reddingsvest, trok het aan en knikte naar Rachel, die in hoog tempo naar Falmouth Bay voer. Zij wist ook van wanten met boten, zo veel was wel duidelijk. Demi greep de rand stevig vast terwijl de boot over de deining hotste op de terugweg naar de Helford. Het landschap ging in sneltreinvaart voorbij en Demi wilde dat ze langzamer voeren zodat ze alles goed kon bekijken. Ze had weliswaar over de noordkant van het kustpad gelopen, maar vanaf het water zag alles er anders uit. Ze rondden een groene boei waar AUGUST ROCK op stond, en Demi kreeg de kerk van Mawnan Shere in het oog, verscholen tussen de bomen.

Het duurde niet lang of ze waren daarvoorbij en kwamen in Porth Navas aan. Ze hielp hen met het uitladen van de boot en ze brachten alles naar de fourwheeldrive.

'Bedankt voor de lift. Hier kan ik vast wel een taxi krijgen.'

Rachel fronste haar wenkbrauwen. 'Taxi? Onzin. We brengen je wel even, toch, Sam?' Ze gaf hem een por toen hij de laatste tas achterin zette.

'Maar natuurlijk.' Hij glimlachte.

30

*V*ictoria wist dat ze leefde want ze wilde dood. Alles wat maar pijn kon doen deed pijn, inclusief haar maag, die zichzelf herhaaldelijk had geleegd. Audrey was zo verstandig om niet 'ik zei het je toch' te zeggen. Ze telefoneerde, maakte afspraken en zou haar leven niet zeker zijn als iemand, maar dan ook iemand te weten zou komen dat Victoria kanker had.

Natuurlijk zei haar verstand dat het nog niet definitief was. De uitslagen van de biopten zouden nog dagen op zich laten wachten. En toch had de specialist haar ingepland voor een operatie de volgende week maandag. Op die dag zouden ze haar opensnijden en dat ding dat zich in haar vermenigvuldigde weghalen. Een kind had nooit in haar kunnen groeien, maar klaarblijkelijk was ze wel geschikt om onderdak te bieden aan een kankergezwel. Op de scans waren in beide borsten tumorachtige bulten te zien geweest en hij had het idee dat het een agressieve vorm was. Zo grof. Zo verdomd onnadenkend. Net nu, op het moment dat ze de barricades op moest voor Boscawen, werd ze op de knieën gedwongen.

'Ik heb wat bouillon voor je.' Audrey deed haar best om niet verwijtend te klinken, maar dat lukte niet echt. Ze zette de kom op het tafeltje naast het bed. 'Seb heeft gebeld. Ik heb gezegd dat je in bad zat en hem later zou terugbellen.'

Victoria sloeg haar ogen ten hemel. Ze ging nooit in bad. Nooit gedaan ook. 'Wat moest-ie?' Ze wreef over haar slapen. De kamer draaide nog steeds een beetje. Misschien had Audrey gelijk, en had ze niet de hele fles moeten opzuipen, maar wat maakte het uit? Alles was onzeker. De chirurg had het gehad over het verwijderen van het gezwel en borstamputatie, aan haar overlatend of ze nog iets zouden laten zitten of alles weg zouden halen. Als ze geen tieten meer had, had ze helemaal niets meer over. Boscawen was al weg, Charles' geld was in handen van liefdadigheidsinstellingen die het geen barst kon schelen wat er met haar gebeurde en nu keerde haar lichaam zich ook nog tegen haar. Het was alsof er een tijdbom op scherp was gezet en alles langzaam instortte.

Demi sprong uit de bus en liep naar het verzorgingshuis. Ze had haar grootvader een paar dagen niet gezien en miste hem. Bovendien hoopte ze dat hij zich misschien weer wat meer kon herinneren.

'Hallo, Demi. Hij zit in de tuin.'

Demi glimlachte naar de verzorger en liep naar buiten. Het was bewolkt maar warm. Ze vroeg zich af of het zou opklaren; ze was dankbaar dat er geen zon was, want ze was gisteren een beetje verbrand, ook al had ze een sunblock met nog zo'n hoge factor opgesmeerd. Sterker nog, op haar buik was de rand van haar bikini te zien.

Haar grootvader zat in een rolstoel. Dat was nieuw, maar hij gaf aanwijzingen aan een jonge man die op zijn knieën in het bloembed zat.

'Demelza, liefje van me.' Hij wilde zich met zijn handen op de leuningen van de rolstoel omhoogduwen, maar kromp ineen. 'Sorry, ik kom niet meer overeind, mijn heup heeft het nu helemaal begeven.' Ze bukte zich en omhelsde hem, maar ze zag zijn anders zo blije gezicht van pijn vertrekken.

'Bedankt voor de tips, meneer Williams.' De jonge man stond op en verhuisde naar een volgend bloembed.

'Zullen we een kop thee gaan drinken?' stelde haar grootvader voor en Demi greep de stoel beet om hem naar het gebouw te duwen. Ze was van plan naar de lift te rijden om naar zijn kamer te gaan, maar hij hield haar tegen. 'Laten we naar de eetzaal gaan, daar zetten ze heerlijke thee.'

'Prima, hoor.' Ze fronste haar voorhoofd. Hij had zich altijd zo goed kunnen redden, maar dat was nu wel anders.

'Meneer Williams, hetzelfde als altijd?' Een vrouw glimlachte naar hen toen ze binnenkwamen.

'Ja, maar nu graag voor twee.'

'Gaat u maar zitten, dan kom ik het wel brengen.'

'Ik zit graag bij het raam.' Hij wees naar een tafel. 'Schuif een stoel voor jezelf bij en vertel me je nieuwtjes.'

De vrouw bracht een dienblad met scones. Ze lachte Demi bemoedigend toe. Waarom hadden ze haar niet gebeld? Het duurde nog een paar maanden voordat hij een nieuwe heup zou krijgen, maar als hij nu in een rolstoel zat, zou dat toch wel versneld kunnen worden zodat hij niet al zijn kracht zou verliezen?

'Hoe staan de zaken er in het grote huis voor?'

'Ik logeer niet meer in het poorthuis.' Demi wendde haar blik af. Ze voelde zich in alle opzichten een buitenstaander. Nadat ze bij Peta's huis was afgezet en Sam had zien wegrijden, was ze door een golf van eenzaamheid overspoeld. En het had ook niet geholpen dat Peta gisteravond niet thuis was gekomen.

'O nee?' De rimpels in zijn gezicht werden dieper.

'Laten we het er maar op houden dat de zaken niet volgens plan zijn gegaan.'

Hij legde een bibberige hand op die van haar. 'Wat zijn je plannen dan nu?'

'Goeie vraag. Ik heb een baan nodig, ook al is het maar tijdelijk, totdat de zaken zijn opgelost, en ik denk erover om een master te gaan doen.' Misschien zouden de mensen haar serieuzer nemen als ze nog een graad haalde.

'Dat is prima. Waarin en waar?' Hij wierp haar even een blik toe en keek toen uit het raam. Had ze angst in zijn ogen zien flitsen?

'Weet ik nog niet, maar misschien wel hier in Falmouth.'

Zijn gezicht klaarde op. 'Fijn.'

Daarmee was alles duidelijk. Ze kon nu niet verhuizen, niet naar Londen of waar dan ook naartoe. Hij had haar nodig. Ze was maar een paar dagen niet bij hem geweest of de boel ging al bergafwaarts. Ze moest om de dag naar hem toe, misschien zelfs wel elke dag.

'Wist je dat de boerderij waar ik ben opgegroeid ooit deel uitmaakte van Boscawen?'

Demi boog zich naar hem toe. 'U hebt zoiets gezegd, ja.'

'Die zal nu wel niet meer tot het landgoed behoren, vermoed ik, maar hele generaties van mijn familie zijn daar pachters geweest.'

'Wat is er van de rest van de familie geworden?'

'We zijn uitgestorven.'

'Wat?'

Zijn gezicht trok samen van de pijn en Demi wist niet zeker of dat kwam door zijn heup of doordat hij aan zijn familie moest denken. De dame die hun thee had gebracht, kwam naar hen toe. 'Nu u wat gegeten hebt, mag u uw pijnstillers, meneer Williams.'

Haar grootvader knikte en stak een hand uit. Die trilde nu veel erger dan toen ze in mei bij hem op de stoep had gestaan.

De vrouw keek Demi aan. 'Hier wordt hij behoorlijk suffig van. Wil jij hem naar zijn kamer brengen, of zal ik het doen?'

'Ik doe het wel. Dank u.' Ze stond op en reed de stoel naar de liften. Hij reikte met zijn hand naar achteren en legde hem op die van haar. 'Ik ben zo blij dat je in de buurt bent. Ik had me niet gerealiseerd hoe eenzaam ik was.'

Demi slikte. Ze wilde niets liever dan hem in haar armen sluiten, maar in plaats daarvan moest ze de stoel de lift in manoeuvreren. Tegen de tijd dat ze bij de zusterspost aankwamen, was haar grootvader in slaap gevallen.

'Ik zorg wel voor je opa,' zei de verzorgster. Ze glimlachte naar Demi. 'Hij vindt het zo heerlijk als je op bezoek komt en hij praat honderduit over je.'

Demi glimlachte terug, onderdrukte haar emoties. Ze bukte zich om hem een kus op de wang te geven. Toen ze weer overeind kwam, zag ze dat even verderop een vrouw naar haar stond te kijken.

Ze liep naar Demi toe. 'Hoi, ik ben Jane Penrose.'

Demi schudde met een vragende blik de haar toegestoken hand.

'We hebben elkaar ontmoet bij de taartenkraam tijdens de regatta.'

'Nu weet ik het weer.'

'En ik ook.' Ze lachte. 'Ik had me niet gerealiseerd dat je Hugh Williams' kleindochter was, maar nu snap ik het.'

Demi deed een stap achteruit. 'Sorry, wat snap je nu?'

'Jou, liefje.'

Demi schudde haar hoofd. 'Ik begrijp je niet.'

'O, sorry. Je kwam me al zo bekend voor. Ik dacht dat dat kwam doordat je zo op Charles leek, maar ik had niet de link met Morwenna gelegd.' Jane liep de trap af naar beneden en Demi, hoewel ietwat licht in het hoofd, liep achter haar aan.

'Sorry, Jane, maar kun je me uitleggen wat je bedoelt?' vroeg Demi toen ze beneden waren.

'Natuurlijk. Loop je met me mee? Ik heb mijn auto bij het Maritiem Museum geparkeerd. Ik moet bij Trago Mills wat verf kopen voor een van de cottages. Ik heb gehoord dat die in de aanbieding is.'

'Goed hoor.' Demi wist waar dat was en ze wist ook hoe ze van daaraf naar Peta's kringloopwinkel moest komen.

Jane glimlachte. 'Nou, wat zei ik ook alweer?'

'Mijn moeder, Morwenna, en Charles Lake.'

'O ja. Toen ik je bij de regatta zag, wist ik dat je Charles' dochter was. Je lijkt griezelig veel op hem, maar ik had niet beseft wie je moeder was, totdat ik je bij je opa zag.' Ze zwaaide naar iemand aan de overkant van de weg. 'En toen wist ik het weer.'

Demi zuchtte. 'Wat wist je toen weer?'

'De agapanthussen en hoe ziek je was.'

Demi bleef stokstijf staan. 'Dit mag dan voor jou misschien duidelijk zijn, maar het verband tussen een agapanthus en mijn ziekte is voor mij één groot raadsel.'

'Een heel grote wandelaarster kwam met je op Boscawen aanzetten toen ik een agapanthus aan het uitgraven was, Boscawen Blauw.'

Kowres, ogen, de deuren van Boscawen.

'Je brandde van de koorts. In die tijd had ik een reservesleutel en ik heb jullie in het huis gelaten. Jeetje nog aan toe. De eigenaars waren weg – nou ja, die waren altijd weg – en ik hield een oogje in het zeil voor hen.'

'Wat gebeurde er?'

'Nou, ik zorgde dat de dame je naar de keuken bracht en koude kompressen op je hoofd legde terwijl ik de ambulance belde.' Jane schudde haar hoofd. 'Terwijl ik daarmee bezig was, had de vrouw je gemberkoekjes gegeven, die er even later met een noodgang weer uit kwamen.'

Demi trok haar neus op. 'Wie was die dame?'

'Geen idee. Ze was heel lang, heel gespierd en kwam uit het buiten-land. Ze sprak slecht Engels, maar samen deden we ons best om je koorts omlaag te krijgen tot de politie en de ambulance ons te hulp schoten. Volgens mij heeft de politie haar het vuur na aan de schenen gelegd, vanwege dat arme ontvoerde meisje naar wie iedereen op zoek was.' Jane zuchtte. 'Allemaal heel zorgelijk, maar destijds had ik geen idee wie je was.'

Ze waren bij het museum aangekomen en links ervan was de winkel van Trago Mills.

'Dank je wel voor je verhaal. Ik wist totaal niet wat er toen was gebeurd.'

'Logisch. Je was nog klein en er heel slecht aan toe.'

'Het gekke is dat toen ik op Boscawen kwam, ik wist dat ik er eerder was geweest, ik begreep alleen niet hoe dat kon.' Demi keek Jane glimlachend aan. 'Heel erg bedankt.'

'Mooi zo, liefje, en het is zo fijn dat er weer een Tregan op Boscawen komt.'

'Ik ben geen Tregan.'

'Dat weet ik wel, liefje. Maar zijn blauwe ogen hebben hem verra-den. Zijn moeders ogen.'

Demi wilde haar vragen wat ze bedoelde, maar Jane schoot al tussen het verkeer door de straat over, en omdat zij met Peta had afgesproken in de kringloopwinkel, haastte ze zich de straat door.

31

IJsberend door Audreys keuken wachtte Victoria tot Seb zijn telefoon opnam. Hij had zo veel berichten achtergelaten dat ze wist dat als ze niet met hem zou praten, hij naar haar toe zou komen. Het kostte haar de grootste moeite om alles onder controle te houden, en als ze hem zou zien, zou de hele boel uiteenspatten en zou ze instorten.

Vanavond zou ze naar een hotel gaan. Audrey was zo lief voor haar dat het de zaken alleen maar erger maakte. De vrouw bemoederde haar en Victoria had al twee dagen lang haar kaken op elkaar moeten houden. Een hotel waar ze kon doen wat ze wilde was de enige oplossing.

'Sebastian Roberts.'

'Hallo, Seb.'

'Tori, waar heb jij verdomme uitgehangen?'

'Ik zit in Londen, bij Audrey.' Ze wachtte even. 'Ik wilde wat winkelen en moest mijn advocaten spreken,' loog ze.

'Waarover in godsnaam?'

'De aanvechting van het testament, en' – Victoria wreef over haar slaap en vroeg zich af wat ze in deze tijd van het jaar nodig kon hebben wat niet in Truro te krijgen was – 'schoenen kopen.'

'Schoenen kopen? Echt, Tori, ik dacht dat je wel een betere smoes kon verzinnen. En de advocaten kunnen je op dit moment niks nieuws vertellen, dus voor de dag ermee.'

Waarom had ze gedacht dat hem terugbellen de oplossing zou zijn?
'Medische routinecontrole.'

'Ah.' Er viel een stilte en Victoria vroeg zich af of ze iets moest zeggen.

'Waarom zou je daarover liegen?'

Verdomme. Verdomme. Verdomme. Ze haalde diep adem. Dit was lastiger dan ze had gedacht. 'Mensen praten niet graag over dit soort controles.'

'Oké. Heb je nog over Demi's aanbod nagedacht?'

Victoria leunde tegen het aanrecht. Nee, dat had ze niet, maar dat kon ze niet zeggen. Dan wilde hij weten waarom dan niet, Boscawen was immers altijd in haar gedachten. Alleen nu niet, nu er dodelijke cellen lukraak huishielden in haar borsten, en dat kon ze hem niet vertellen. 'Ik ben er nog mee bezig.' Ze had er in geen dagen aan gedacht. Andere dingen waren nu belangrijker.

Ze had inderdaad kanker, dat hadden de biopten uitgewezen, maar ze konden pas tijdens een operatie zien in welk stadium die was. De chirurg was gematigd optimistisch en ze wist verdomme echt niet wat dat betekende. Gematigd optimistisch, hè? Ze had kanker en de chirurg was optimistisch. Zij anders niet. Haar lichaam had haar opnieuw verraden. Eerst bleek het onvruchtbaar te zijn en nu was het bezig kankercellen te produceren.

'Tori, ben je er nog?'

'Sorry, wat zei je?'

'Wanneer ga je weer terug naar Boscawen?'

Ze beet op haar lip. 'Dat weet ik nog niet. Ik moet hier nog het een en ander doen.' Ze keek de keuken rond op zoek naar een smoes waarmee ze dit gesprek kon afkappen. 'Ik moet gaan, Audrey wacht op me.' Ze legde de telefoon neer. Audrey was ergens bij kennissen aan het bridgen. Ze moest haar koffer pakken, een briefje voor Audrey schrijven en weg zijn voordat iemand haar kon tegenhouden.

In het hotel werd Victoria beleefd verwelkomd en vervolgens genegeerd. De kamer was stijlvol en anoniem. Precies waar ze op gehoopt had. Ze moest wat inkopen doen voor aanstaande maandag en ze kon misschien nog het nummer van de kankerhulplijn bellen dat ze haar hadden gegeven. Hulplijn. Ze haatte de klank van dat woord. Ze had geen hulp nodig, ze wilde informatie hebben. Maar veel van wat ze wilde weten was ongewis. Ze kon net zo goed naar een waarzegster gaan, zoals ze jaren geleden op een kermis had gedaan. Tjongejonge, wat had die vrouw de plank misgeslagen. Ze had gezegd dat ze met haar grote liefde zou trouwen en gelukkig zou worden in het huis dat ze altijd had willen hebben. Ha, en ongetwijfeld zou diezelfde vrouw haar nu vertellen dat alles in orde zou komen en dat haar borsten niet weggehaald hoefden te worden. Victoria keek ernaar. Ze haatte ze. Hoe kon iets wat haar en anderen zo veel genot had geschonken zo dodelijk zijn? De chirurg had haar gevraagd vertrouwen in hem te hebben. Vertrouwen!

Ze liet zich op de fraaie bank zakken. Hij zou alleen weghalen wat nodig was, maar hij wist pas tijdens de operatie hoeveel dat zou zijn. Victoria sprak het woord langzaam hardop uit, alsof ze het net had geleerd. 'O-pe-ra-tie.' Eerder in stukken gesneden en verminkt. Ze trok haar bovenkleding uit en maakte haar bh los. Het daglicht dat door het raam scheen was niet erg flatteus, maar vanaf de spiegel staarden haar borsten haar bijna parmantig aan. Ze kneep zo hard in elke tepel dat het pijn deed. Nooit meer zou een minnaar daar genot aan kunnen beleven. Ze ging op haar knieën zitten. Wat had ze nog over als deze weg waren? Wat had ze dan nog te bieden? Dan was ze niets meer dan een verdroogd oud wijf, met slechts littekens waar haar borsten hadden gezeten.

Reconstructie? Wat had het voor zin? Ze was een weduwe van zestig. Ze maakten een grapje zeker. Ze zag het tafereel al voor zich. Stond ze op het punt om een minnaar te verleiden en als ze dan haar kleren had uitgetrokken, waren er alleen nog maar twee kruisen die de plek markeerden waar ooit twee mooie borsten hadden gezeten.

Sorry maat, gewoon je ogen dichtdoen en aan volk en vaderland denken.

Haar telefoon ging. Ze keek er nijdig naar, maar was toch nieuwsgierig. Adam. Ze zette haar telefoon uit. Ze kon niet met hem praten. De laatste keer dat ze seks hadden gehad, had hij het gezwel ontdekt en dat zou haar voor altijd bijblijven, hoe lang of kort dat ook mocht duren.

'Opa, kent u ene Jane Penrose?' Demi ging naast haar grootvader zitten. Hij zat in zijn rolstoel te lezen, deze keer was het Chaucer. Eens een Engelse leraar, altijd een literatuurverslaafde, vermoedde ze.

'Een heel aardige vrouw. Heeft een herenhuis en grote boerderij in de buurt van Gweek. Waarom vraag je dat?' Hij reed zijn stoel door de tuin en zij liep langzaam met hem mee. De bloembedden waren inmiddels veel van hun kleur kwijt, alleen de hortensia's en crocosmia's stonden nog in bloei. Augustus was heet begonnen en dat had zijn wissel getrokken op de flora.

'Ze vertelde me dat een wandelaarster me had gevonden en me naar Boscawen had gebracht, dat ze vanaf Boscawen de hulpdiensten had gebeld.'

Hij fronste zijn wenkbrauwen en zijn ogen lichtten op. 'Ja, nu weet ik het weer! Je was onder aan de Kowres-steen flauwgevallen.' Hij keek haar aan. 'Je was met een groepje kinderen en een begeleidster een natuurwandeling aan het maken.' Hij keek in de verte. 'Ik herinner me nog dat ze niet hadden gemerkt dat je weg was, totdat ze terug waren bij het busje op de parkeerplaats van de pub.' Hij draaide zich weer naar haar toe. 'Toen je was gevonden, dacht de politie eerst dat je het ontvoerde meisje was. Jullie waren even oud en allebei blond.'

'U weet het weer.' Demi raakte zijn arm aan.

'Grappig hoe alles op zijn plek valt als je één stukje van de puzzel terugvindt. Je was er zo slecht aan toe dat ze de infectie onmiddellijk moesten behandelen, anders zou je het niet overleven. Ze gaven je een penicillinederivaat en daar ben je bijna aan bezweken.' Hij schudde zijn hoofd. 'Tegen de tijd dat de politie je moeder bij jou in het ziekenhuis had gebracht, was het een dubbeltje op z'n kant.' Hij tuurde haar over zijn bril aan. 'Helpt het nu je weet wat er is gebeurd?'

Demi stootte een droog lachje uit. 'Ik weet niet of helpen het juiste woord is, maar zoals u al zei: als één puzzelstukje op zijn plek valt, helpt dat bij de rest.'

In de bar was het minder druk dan haar lief was. Het was beter geweest om dit op een vrijdagavond te doen en niet op een zaterdag, maar ze had geen tijd meer. Ze ging op een barkruk zitten en sloeg haar benen over elkaar, waardoor een stuk van haar dij werd onthuld. In de leren fauteuils rechts van haar zaten twee aantrekkelijke heren, maar die gingen zo in hun gesprek op dat ze haar niet opmerkten. De bartender was knap en kon wel eens een prima back-up zijn voor het geval zich geen andere kandidaten aandienden.

Victoria wilde per se nog één avond wilde seks beleven voordat ze meer op een ingebonden kip dan op een vrouw zou lijken. Ze wilde de macht van het verleiden voelen en van een man genieten voordat ze dat niet meer kon. Als ze een man was geweest, zou haar leven zo'n stuk gemakkelijker zijn geweest. In dat geval had ze om te beginnen Boscawen geërfd, en mannen liepen minder risico om borstkanker te krijgen.

De deur werd opengeduwd en een knappe man van een jaar of dertig kwam in zijn eentje binnen. Zijn schoenen zagen er goed uit, de zolen hadden precies de juiste dikte – niet dat dat vanavond iets uitmaakte, maar haar vader had altijd gezegd dat je een man kon beoordelen op zijn schoenen. Ze waren gepoetst, maar niet overdreven. Over zijn schouder hing een linnen jasje en zijn mouwen waren stijlvol opgerold, iets wat in haar tijd volkomen ongepast was, maar nu mode was. Hij was heel fit. Spieren verscholen zich onder zijn gestreepte overhemd. Tot nu toe ging het goed.

Hij keek haar kant op en ze sloeg glimlachend haar benen nogmaals over elkaar. Zijn blik volgde haar dij tot aan het punt waar de rok omhoogtrok. Mooi zo. Hij was niet homo. Die fout had ze ooit eerder gemaakt met een uitermate elegante man. Dit was zijn geluks-avond. Hij zou de nacht van zijn leven krijgen en zij ook. Dit werd de laatste keer dat ze als complete vrouw seks had en ze was van plan om het onderste uit de kan te halen. Ze wist zeker dat hij dat ook zou doen.

Victoria lag naakt op de lakens. Hij lag te slapen en ze was vergeten hoe hij heette. Zijn haar viel over zijn gezicht en ze wist dat ze eerder op de avond zijn leeftijd verkeerd had ingeschat. Hij was nog maar vijfentwintig en onverzadigbaar. Helaas had ze zo'n idee dat hij zijn ervaring had opgedaan aan de hand van pornofilms, dus wanneer hij dacht dat hij goed op dreef was, had zij hem moeten corrigeren. Uit-eindelijk waren ze elkaar halverwege tegemoetgekomen. Ze was uit-geput maar kon niet slapen. Ze wilde dat hij uit haar bed oprotte.

Ze kreeg een brok in haar keel en verlangde naar een liefdevolle aanraking, niet naar een wellustige. Zijn hand schoot uit en landde op haar rechterborst, ze staarde er boos naar. Het kon heel goed zijn dat die er op maandagmiddag niet meer was, en hij zou sowieso een stuk kleiner zijn. Hij streelde erover en ze raakte desondanks opgewonden. Ze drukte haar dijen tegen elkaar en duwde zijn hand weg.

Het was voorbij. Ze stond van het bed op en zette de douche hele-maal open. Ze hadden beiden een nacht gehad om nooit te vergeten, maar op dit moment wilde Victoria niets liever dan dat.

32

Demi zwaaide nog even naar de vrouw die haar een lift had gegeven en liep toen over de oprijlaan langs het poorthuis naar
Boscawen. Ze had een raar bericht van Sebastian gekregen, dat Victoria van gedachten was veranderd. Ze had hem geprobeerd te bellen,
maar hij nam niet op. Victoria was waarschijnlijk in de tuin aan het
werk, dus besloot ze het op een directe confrontatie aan te laten komen. Nadat ze gisteren bij haar grootvader was geweest, had ze opnieuw het kustpad genomen, zich afvragend wat ze nu echt wilde.
Eerst schoot Sam door haar gedachten, maar dat beeld zette ze van
zich af. Het volgende was het visioen dat ze van Boscawen had. Ze kon
duidelijk de strakke lijnen van de kamers voor zich zien als de rommel en het schemerdonker eenmaal zouden zijn aangepakt.

Tijdens het avondeten had ze er met Peta over gepraat en toen had
ze dit bericht van Sebastian gekregen. Het was het lot. Ze moest Victoria tot inkeer zien te brengen. Misschien konden ze elkaar halverwege tegemoetkomen. Ze was inmiddels bij Boscawen aangekomen,
maar de voordeur was dicht en er stond geen auto op de oprit. Vreemd.
Het was zondag, dus Sam was waarschijnlijk met zijn boot weg of aan
het varen met die van iemand anders.

De rozen op de zuidelijke muur waren bijna uitgebloeid, maar de
agapanthussen stonden er nog in al hun schitterende pracht. Hoe had
Jane ze ook alweer genoemd? Boscawen Blauw. Ze staken zo levendig
af tegen de grijze stenen muur. Het grootste deel daarvan werd over-

woekerd door de grote witte bloemen van de clematis, maar de granieten blokken steen waren nog goed te zien. De in elkaar overgaande en met elkaar contrasterende kleuren in de borders waren zo mooi. Waarom kon Victoria dat niet ook in het huis voor elkaar krijgen?

Demi liep door het hek de moestuin in. Geen teken van leven. Voor de zekerheid tuurde ze ook door de dubbele deur de keuken in, waar alles keurig netjes op zijn plek stond, maar het bloemstuk dat altijd op de grote tafel prijkte, schitterde door afwezigheid. Waar was iedereen? Ze vond het maar griezelig, ook al begreep ze nu wel het déjà-vugevoel dat ze had gehad. Ze wist echter nog steeds niet wat er tussen haar ouders was gebeurd. Misschien zou ze het wel nooit te weten komen.

Het was een warme dag en Demi trok het lichte vestje dat ze aanhad uit. Wat moest ze nu doen? Sam en Rachel waren niet in het poorthuis. Ze rook aan een klimroos en besloot naar de boomgaarden te wandelen om te kijken hoe het met de nieuwe bomen ging. Wat zou er met de boomgaarden gebeuren wanneer het landgoed verkocht werd? Nee, riep ze zichzelf tot de orde, áls het verkocht werd. Er moest een manier zijn waarop ze verder konden. Als zij en Victoria de emotionele last die tussen hen in stond opzij konden zetten, dan zou dit moeten lukken. En Sam wilde zo graag de ciderproductie van de grond krijgen.

Het was windstil en zweet druppelde langs haar nek omlaag. Demi draaide haar haar in een knot en zette die met een potlood uit haar tas vast. Dat hielp iets, maar haar lichte jurk bleef aan haar lijf kleven. Wie had gedacht dat het in Cornwall zo warm kon zijn? Ze verliet de oprit en liep naar de schuur in de schaduw van de vlierbomen. Daar was het duidelijk koeler. Er liep een rilling over haar rug toen ze een twijgje hoorde knappen. Ze draaide zich om, maar zag niets. Haar fantasie ging met haar op de loop.

In de verte kon ze de rechtop staande steen onderscheiden, de Kowres. Ze liep ernaartoe. De wind waaide vanaf de rivier over het veld, waardoor het gras heen en weer golfde. Het voetpad rondom de staande steen was platgetrapt. Ze raakte het graniet aan en dankte de

Kowres dat die haar had geholpen. Als de wandelaarster niet langs was gekomen, was ze daar doodgegaan, zo veel was wel duidelijk. Ze keek op en glimlachte toen ze naar de beschermende bomen liep om te voorkomen dat ze in de middagzon zou verbranden.

Demi herinnerde zich niet dat de steen zich zo dicht bij de schuur had bevonden. Ze was zeker een verkeerd pad ingeslagen. Ze keek om zich heen en dacht dat het pad links naar het huis terugging, de weg die zij en Victoria hadden genomen. Dus nam ze het pad naar rechts, dat naar de boomgaarden voerde. Hoopte ze.

Ze gooide haar vestje weer over haar schouders en zocht zich langzaam een weg over de boomwortels die dwars over het pad lagen. Het bos werd steeds dichter en het licht slaagde er minder goed in om door het bladerdak boven haar heen te dringen. De vlierbomen maakten plaats voor eiken vermengd met dwergdennen, terwijl hier en daar een eucalyptusboom overal boven uittorende. Niets kwam haar bekend voor. Het pad leidde haar heuvelafwaarts en daar stonden alleen nog eiken, dicht op elkaar en verwrongen. Ze trok het vestje strakker om haar schouders en probeerde zich oriëntatiepunten in te prenten voor het geval ze terug zou moeten.

Er knapte weer een twijg en ze bleef staan. Ze spitste haar oren, maar er was geen ander geluid en een volslagen stilte daalde neer om haar heen, wat haar in angst onderdompelde. Waar was ze? Rennen, dat was het enige wat in haar opkwam, en ze schoot het pad af tot ze tussen de bomen uit was. Daar was de rivier, vredig, helder en kalmerend. Ze hapte naar adem en keek om zich heen. Aan de overkant van het water zag ze een huis met prachtige hoge ramen. Vanaf deze afstand kon ze niet zien of het georgiaans of victoriaans was, maar het stond daar vergenoegd in de zomerse zonneschijn. Mensen kwamen naar buiten, onder wie een man in een pak. Demi kneep haar ogen samen, want de man kwam haar bekend voor. Ja, het was Adam, goddank helemaal aangekleed.

De lach van een vrouw schalde over het water. Demi leunde tegen de boom en sloeg het tafereel gade. Een man had papieren in zijn hand en de vrouw haalde een meetlint tevoorschijn. Het huis was zeker te koop. Het keek uit op het westen en had iets allercharmantst. Het was een vrolijke plek, in tegenstelling tot het bos achter haar.

Toen ze achteromkeek, zag ze dat het door de bomen vallende zonlicht een mozaïek op het pad schilderde. Maar er ging een rilling door haar heen bij het idee dat ze terug moest.

Haar telefoon trilde in haar zak en ze haalde hem tevoorschijn. Ze had een telefoontje van Sebastian gemist en zag dat er een berichtje binnen was gekomen. Ze aarzelde. Het kon weer zo'n akelig sms'je van Matt zijn. Dat had ze al een tijdje niet meer gehad en ze hoopte dat hij ermee gestopt was, anders had ze geen andere keus dan hem blokkeren. Ze had uitgevonden hoe ze dat via haar telefoon kon doen zonder dat hij het merkte, als het tenminste klopte wat ze op internet had gelezen.

Ze wierp nog een laatste blik op het huis in de zon, rechtte haar schouders en liep het pad weer op, de telefoon als een talisman in haar handen geklemd. Veel had ze er niet aan, want ze was nog geen drie meter bij het water vandaan of ze had al geen bereik meer. Als er een moordenaar in de bossen op de loer zou liggen, kon ze niets anders dan in haar lot berusten.

Terwijl ze zo zachtjes als ze maar kon verder liep, hield ze haar oren gespitst of ze iemand anders in het bos hoorde. Ze hoorde wel geluiden om haar heen, maar zag niemand. In haar verbeelding zag ze akelige scenario's, wat nergens op sloeg, maar tegen de tijd dat ze de schuur terugvond en stemmen hoorde, stond ze te trillen op haar benen.

'Je hebt gelijk. Als we oude cognacvaten gebruiken kan het aroma daarvan in de cider trekken.' Sam was een en al aandacht voor Rachel.

'Je kunt ook whiskyvaten of zelfs wijnvaten gebruiken.' Rachel stak een potlood achter haar oor. Vóór haar stond een geïmproviseerde tafel met daarop uitgespreide papieren. Demi probeerde te zien wat het was, maar ze was te klein. Ze hadden haar komst niet opgemerkt. Plotseling bogen ze hun hoofden naar elkaar toe en Sam zette ergens een cirkel om.

'Dat is wat we nodig hebben.'

Demi slikte.

'Je hebt gelijk.' Rachel stak haar hand in de lucht en Sam gaf haar een high five. 'Zo verdomde slim, maar dat was je altijd al.'

'Hoi.' Demi liep naar hen toe. Ze hoopte maar dat ze niet ongelegen kwam.

'Hé, Demi. Kom eens kijken.' Rachel wees naar iets op de tafel. Bestektekeningen van de tot een commerciële ciderbrouwerij omgebouwde schuur lagen erop uitgespreid. Demi keek naar Rachel.

'Ben jij soms de stille investeerder?'

Rachel lachte. 'Stilte en ik gaan niet goed samen, maar laten we zeggen dat ik diegene vertegenwoordig.'

Demi keek naar Sam. Zijn ogen glinsterden en hij krabbelde wat aantekeningen in de marges van de tekeningen.

'Wat vind je?' vroeg hij.

Demi kauwde op haar lip. De plannen zagen er goed uit, maar waarom gingen ze ermee door terwijl duidelijk was dat er niets van terecht zou komen?

'Heb je twijfels? Is er iets mis met de tekeningen?' Sam keek haar aandachtig aan. 'Sorry dat we jou niet om raad hebben gevraagd, maar we dachten dat we het beste iemand in de arm konden nemen die al eerder met dit bijltje had gehakt.'

Demi schudde haar hoofd. 'Nee, daar gaat het niet om. Ik zou niet weten waar ik moest beginnen met het ontwerp van een ciderpers of hoe je dat ook noemt. Het is alleen dat het laten maken van dit soort tekeningen niet goedkoop is en op dit moment ziet het er niet naar uit dat er iets van de plannen terechtkomt.'

'Ah, ik snap wat je bedoelt.' Sams mond krulde zich in een lach. Zijn telefoon ging. Hij fronste zijn voorhoofd. 'Sorry. Deze moet ik even nemen.'

Demi liet haar schouders zakken toen ze hem nakeek.

'Kijk niet zo bezorgd. Mijn grote broer heeft een plan.'

Demi knipperde met haar ogen. 'Jullie lijken niet echt op elkaar.'

Demi bekeek Rachel oplettend en draaide zich toen naar Sam. Ze hadden allebei donker haar, maar Rachel had chocoladebruine ogen en een olijfkleurige huid.

'Nee.' Rachel moest lachen. 'Sorry, maar dat komt doordat we stiefbroer en -zus zijn. Mijn pa is met zijn ma getrouwd en zo is het gekomen. Twee gezinnen die zijn samengevoegd.' Rachel grinnikte. 'En meestal gaat het goed. Dit alles speelde zich af toen Sam en ik zo klein waren dat we eigenlijk niet anders weten.'

'Ik snap het.' Demi dacht terug aan Janes opmerking. Ze bedoelde daar vast Sam mee. Maar waarom dacht ze dat hij een Tregan was? Victoria had bruine ogen.

'Gaat het wel met je? Wil je een glas water of zo? Je trekt helemaal wit weg.'

'Het gaat wel, hoor.'

Rachel sloeg haar aandachtig gade. 'De meeste mensen die ons nooit eerder hebben ontmoet, denken dat we een stel zijn.' Ze lachte. 'Sterker nog, in het laatste jaar van zijn MBA heeft hij dat een paar keer gebruikt om iemand te ontmoedigen die het op hem voorzien had.'

Zijn MBA? Oké, Sam Stuart was dus echt niet wie hij had gezegd.

'In die tijd had hij last van een gebroken hart. De trut had hem laten vallen voor zijn beste vriend en hoewel hij er nu helemaal overheen is, kwam destijds zo'n wapenschild best handig uit toen ik een poosje in Sydney woonde en mensen me niet kenden.' Rachel moest lachen terwijl ze het zei. 'Je bent er nog steeds niet gerust op, hè?'

'Ik probeer alleen te ontdekken hoe jullie hiermee denken verder te gaan zolang Victoria en ik geen vrede hebben gesloten.'

'Ah, nou ja, Sam is ongelooflijk op dit project gebrand. Ik heb hem nog nooit zo meegemaakt, en dat wil wat zeggen.'

'Ergens op gebrand zijn wil nog niet zeggen dat het ook lukt.'

'Klopt. Maar ik heb geleerd hem nooit te onderschatten. Hij heeft een plan. Ik weet weliswaar niet wat het is, maar ik geef je op een briefje dat hij er een heeft.'

33

*V*ictoria werd door een vleug wierook begroet toen ze de zware deur openduwde. Ze zat tussen twee missen in, maar evengoed wemelde het er van de mensen. Sinds Charles' begrafenis was ze hier niet meer geweest. Ze wist eigenlijk niet waarom ze er nu was, behalve dat ze een overweldigende behoefte voelde om een kaarsje te branden. Van alle katholieke gebruiken was dit het ritueel dat haar het meest aansprak, het idee dat je de duisternis doorboorde met het licht van Christus en tot de hemel bad, als zo'n plek tenminste bestond. Ze stond voor het beeld van St.-Judas Taddeüs, de heilige van diepe nood en twijfel, en vroeg zich af wat ze moest bidden. Ze stopte een munt in het kistje met kaarsen en pakte er drie. Drie wensen... Nee, ze zou voor Charles bidden. Op dit ogenblik miste ze hem. Ze had nooit gedacht dat nog eens mee te maken, maar zijn kalme, gelijkmatige manier van doen was precies wat ze nu nodig had. Hij zou niet al te optimistisch zijn geweest, maar hij zou haar ook niet in angst laten rondwentelen. En het was angst met hoofdletters die zich ongemakkelijk in haar maag had genesteld.

De toekomst was voor haar altijd glashelder geweest, maar onderweg was die bij elke stap anders uitgepakt. Een vrouw ging opzij. Victoria stak haar eerste kaars aan en zette hem neer. Die was voor Charles. Wat het haar schuld dat Charles dood was? Drukte dat soms op haar ziel? Ze riep zichzelf tot de orde. Het hielp niet als ze daar nu over nadacht. Het volgende kaarsje was voor Boscawen. Kon ze voor een landgoed bidden? Het had geen ziel, maar voor haar had het die wel. Was dit ook het zwartste moment voor het landgoed? En ten slotte was de derde kaars voor haar onsterfelijke ziel. Onsterfelijk. Ook al deed ze nog zo haar best, sterfelijker of onbetekenender kon ze niet zijn. Morgenochtend zouden ze haar opensnijden en de boosdoeners verwijderen. Wat zou er overblijven? Was het de moeite van het redden waard?

Ze sloeg haar handen ineen. Angst. God, wat was ze bang en wat was ze alleen. Dit laatste was volkomen haar eigen keus. Ze had Audrey weggeduwd en op Adam na wist verder niemand het, en ze wilde niet dat zijn angsten zich door die van haar heen zouden vlechten. Ze boog haar hoofd en bad in stilte.

God. Als U bestaat, en daar ben ik nog niet zo zeker van, weet ik niet waarom ik hier ben, behalve dat ik op zoek ben naar troost, naar antwoorden, geruststellingen, maar die zijn er niet.

Meer woorden kwamen niet in haar op en ze zocht haar toevlucht tot de woorden die ze uit het hoofd kende.

Onze Vader die in de hemelen zijt, Uw naam worde geheiligd...
Ik ben bang. Ik ben alleen. Ik heb U nodig.

Victoria drukte haar vingers tegen haar van tranen natte wangen. Haar ogen hadden zeker last van de wierook. Ze liet haar schouders zakken.

'Tori.' Sebastian raakte haar schouder aan. Ze keek op. Onmogelijk. Hij kwam nooit in deze kerk. Hij ging altijd naar Farm Street.

'Lieve god.' Hij trok haar in zijn armen en hield haar vast. Thuis, dat was het enige waaraan ze kon denken toen ze tegen zijn schouder aan huilde. Langzaam leidde hij haar naar een donkere hoek, weg van andere mensen, en gaf haar zijn zakdoek. Toen ze eenmaal haar neus had gesnoten en haar ogen had afgeveegd, tilde hij haar kin op. 'Vertel.'

Ze schudde haar hoofd. Als ze ging praten, zou ze weer gaan huilen. Hij knikte en nam haar bij de hand, bracht haar naar buiten, de heldere, zonnige ochtend in, waar de mensen voor de volgende mis de kerk in stroomden.

Demi zat op het terras van Boscawen een glas van Rachels wijn te drinken en de informatie in elkaar te puzzelen die Rachel haar had onthuld. Dus Sam was helemaal geen tuinman. Hij kwam uit een familie van wijnboeren, die heel goede wijn produceerde, waar deze sauvignon blanc en rosé een voorbeeld van waren. En als Jane gelijk had, was hij op de een of andere manier familie van Victoria. 'Denk je niet dat Victoria het vervelend vindt dat we op haar terras zitten?' vroeg ze. Ze keek om zich heen en verwachtte dat iemand tegen haar tekeer zou gaan.

Sam kwam naar buiten met een dienblad met salami en kleine tomaatjes. 'Het is ook van jou.'

'Ja, dat zal wel, maar dat feit is nooit echt tot me doorgedrongen.' Demi nam een slokje van haar wijn. 'Ik bedoel, ik kan me mijn vader niet herinneren, dus het is allemaal nogal onwerkelijk voor me.'

'Zet je daar nou maar eens overheen.' Rachel hief haar glas. 'Dit is van jou. Maak er gebruik van en geniet ervan.'

Demi lachte. 'Ik zal m'n best doen, in elk geval voorlopig.'

'Mooi zo. Hebben we iets voor op de barbecue?' Rachel pakte een tomaatje.

'In het poorthuis in elk geval wel,' zei Sam. 'Ik wip daar wel even langs voordat ik met jullie aan de wijn ga.'

'Doe dat.' Rachel grinnikte toen hij weg was. 'Hij is goed afgericht.'

'Dat zie ik, ja.' Demi's telefoon ging en ze sprong overeind. Ze had hier nooit eerder bereik gehad. 'Hallo?'

'Gelukkig dat ik je te pakken heb. Ik probeer Sam te bereiken.' Sebastians stem klonk kortaf.

'Is er een probleem?'

'Dat kun je wel zeggen.'

'Kan ik iets doen?'

'Misschien.' Sebastian zweeg en Demi vroeg zich af wat ze moest zeggen. 'Nou, eigenlijk wel.' Ze hoorde een deur dichtgaan. 'Victoria moet morgen een grote operatie ondergaan. Kanker, borstkanker.'

'O nee.' Demi drukte de telefoon dichter tegen haar oor. 'Dat is ook plotseling.'

'Ja. Dus kun jij aan Sam vragen of hij daar een oogje in het zeil wil houden?' Hij wachtte even. 'Ik weet niet hoe lang ze in Londen moet blijven. Sterker nog, ik weet sowieso nog niet veel, maar ik probeer zo snel mogelijk met meer informatie te komen.' Zijn stem stierf weg en ze dacht dat de verbinding verbroken was, maar ze hoorde hem zijn keel schrapen. 'Nu je het zegt, Demi, ik denk dat het een goed idee is als er iemand in het huis verblijft. Vind je het erg om daar je intrek te nemen?'

Demi slikte. Op Boscawen wonen... helemaal in haar eentje?

'Demi, ben je er nog?'

'Ja, en oké. Dat zal ik doen, maar ik denk niet dat Victoria daarmee geholpen is.'

Hij lachte. 'Ik snap wat je bedoelt, maar ik zal haar vertellen dat je haar bezit beschermt.'

'Ik weet niet zo zeker of ze daarin tuint, maar ik wil je met alle plezier helpen. Laat het me weten als ik nog meer kan doen.'

'Vast en zeker. Ik houd je op de hoogte.'

Ze ging zitten.

'Om de een of andere reden denk ik dat dat geen goed nieuws was.' Rachel schonk Demi's glas nog eens vol.

'Nee... Victoria heeft borstkanker en gaat morgen onder het mes.'

'Wat afschuwelijk. De arme vrouw. Ik moet er niet aan denken dat zelf te moeten doormaken.'

'Inderdaad, maar ze heeft Sebastian tenminste.' En terwijl Demi het zei, besefte ze hoe waar dat was. De man was tot over zijn oren verliefd op haar.

Victoria opende haar ogen. Waar was ze? Grijze muren en gespikkelde gordijnen. Niet thuis. Shit! Ze wist het weer. Ze leefde nog. Ze knipperde met haar ogen. Alles voelde zacht aan en niets deed pijn. Dat kwam zeker door de medicijnen. Ze wilde naar haar borsten kijken, maar het enige wat ze zag waren de lakens die over haar heen lagen. Had ze nog borsten over? De chirurg had iets gezegd voordat ze onder zeil ging, iets over een gen.

'Hallo.' Een verpleegkundige keek haar glimlachend aan. 'U bent wakker.'

Victoria deed haar mond open, maar hij was te droog. Tranen druppelden over haar wangen. Waar waren die ineens vandaan gekomen? Ze hielpen niet om haar droge mond te verdrijven.

'Geeft niks. Veel mensen moeten huilen na een narcose.'

'Mijn mond is zo droog.' Victoria herkende haar eigen stem niet.

De verpleegkundige keek naar het infuus en tikte er met haar vingers tegen. 'Dat zou minder moeten worden, maar als u nu iets nodig hebt, kan ik wel een ijsblokje voor u halen.'

'En een tissue.' Ze probeerde te slikken. 'Alstublieft.' Angst joeg door haar heen bij de gedachte dat ze haar armen moest bewegen. Ze wist dat ze daar lymfeklieren hadden weggehaald, dus er zouden vast hechtingen zitten. De verpleegkundige was terug. Ze maakte Victoria's gezicht schoon en veegde haar neus af.

'Bedankt.'

'Hier is een ijsblokje.'

'Hoe is het met me? Wat is er nog over?'

'U doet het heel goed en nu u wakker bent, komt de chirurg zo bij u. Uw echtgenoot heeft hier lopen ijsberen. Hij is heel geduldig geweest.'

Echtgenoot? Charles? Ze leefde toch zeker nog? Ze deed haar ogen dicht. O hemel, Sebastian was hier. Ze had tegen hem gezegd dat hij niet mocht blijven wachten, maar hij was een koppige ouwe muilezel.

'U ziet er goed uit en uw man houdt van u. Dat is het enige wat telt.'

'Hij is...' Ze maakte de zin niet af want de opgewekte chirurg kwam net binnen, op de voet gevolgd door Seb. Ze wilde zeggen dat hij weg moest gaan, maar de woorden wilden niet komen.

'Victoria, de operatie is goed gegaan.'

Ze trok een wenkbrauw op, dacht althans dat ze dat deed. Niets leek te gaan zoals ze wilde.

'Je lymfknopen zagen er goed uit, maar we laten ze voor de zekerheid toch onderzoeken. Maar...'

Victoria hield haar adem in. Er was altijd een maar.

'Beide borsten zaten vol kleine tumoren, zodat we ze hebben moeten verwijderen, en ook een aanzienlijke hoeveelheid van het omliggende borstweefsel, om er zeker van te zijn dat we alles hebben meegenomen.'

Weg. Borst. Meegenomen. Ze sloot haar ogen en zag allemaal kleine knobbeltjes op korte beentjes rondrennen terwijl de chirurg met een vangnet aan het zwaaien was.

Hij praatte verder, maar ze hoorde niet wat hij zei. Ze waren weg, helemaal weg. Ze kon nu net zo goed een man zijn. Haar borsten waren het beste wat ze als vrouw had gehad en nu lagen ze in de vuilnisbak of waren ze op weg naar een laboratorium.

'Ik vond dit de beste beslissing in het licht van het BRCA1-gen. We willen geen enkel risico nemen.'

'Sorry?'

Hij legde een hand op die van haar. 'Geen zorgen. Morgen zal ik alles met je doornemen. Ik weet alleen dat alles goed is. Rust wat uit.'

Victoria knipperde met haar ogen. De tranen welden weer op, maar ze wilde niet huilen. Ze wilde het uitschreeuwen. Waarom had Adam dat knobbeltje ook ontdekt? Waarom was ze naar de dokter gegaan? Ze wilde liever dood zijn. Door haar tranen heen zag ze dat Seb zijn hoofd dicht naar dat van de chirurg toe boog. Dit was zo verkeerd, zo ontzettend verkeerd.

34

*D*emi zette de vaas op de tafel in de hal en schikte de fuchsia, zodat het boeket meer in evenwicht was. Victoria zou iets totaal anders hebben gedaan, maar Demi hoopte op de een of andere manier dat het haar goedkeuring kon wegdragen. Sebastian had gebeld en gezegd dat ze goed herstelde van de operatie. Ze wist eigenlijk niet wat dat betekende, maar hoopte dat het positief was.

Na nog een laatste blik op het boeket liep Demi de trap op. Het werd tijd dat ze meer over Boscawen te weten kwam. Dit was bovendien een schitterende gelegenheid om de maten op te nemen en meer tekeningen te maken. Ook al zou alles instorten, dan kon ze in elk geval de tekeningen in haar portfolio opnemen.

Eenmaal boven keek ze naar beneden, en ze dacht terug aan de eerste keer dat ze met Seb deze trap op was geklommen. Ze had geen idee welke kamer van Victoria was, of welke door Sebastian werd gebruikt, of zelfs in welke een opgemaakt bed stond waar zij die avond kon slapen. Waren in een huis met tien slaapkamers altijd alle bedden opgemaakt voor het geval er gasten bleven logeren? Dan zou er wel erg veel wasgoed zijn.

Na enige aarzeling besloot ze de kamer recht tegenover haar in te gaan. De deurknop piepte toen ze eraan draaide. Het grote bed dat er stond was afgehaald en ze wist dat dit haar vaders kamer was geweest. De muren hingen vol met een keur aan heel verschillende schilderijen. Ze liep naar een groot schildersdoek toe, helemaal in blauwtinten. Het deed haar denken aan de rivier met de heldere lucht erboven. In de hoek prijkte een simpele, donkerrode J. Ze deed vol ontzag een stap naar achteren. Haar vader bezat een werk van Jaunty Blythe. Dat moest aardig wat waard zijn. Niet ver daarvandaan hing een ander levendig schilderij, waar de vreugde in gele en frisgroene kleuren van afspatte. Een landtong in de lente, raadde ze, en daarnaast, volkomen ermee in contrast, een potloodschets van een naakt, niet gesigneerd. Misschien victoriaans.

Terwijl ze zo om zich heen keek, snapte ze wel waarom de bekrachtiging van het testament enige tijd in beslag zou nemen. Alleen al het inventariseren van de kunstwerken was een enorme klus. Ze liep naar het raam. Haar vaders kamer keek uit over het vlierbomenbos in het oosten met daarachter een akker met rijpe maïs. Door het mooie weer kon er eerder geoogst worden.

Met tegenzin liep ze de kamer uit en ging ze op weg naar de volgende. Deze keek op twee kanten uit en was twee keer zo groot als die van haar vader. Victoria's geur hing in de lucht en het behang was mooi, ook al was het wat ouderwets. Alles stond keurig op zijn plek, er zat nog geen kreukeltje in de beddensprei. Langs de oostelijke muur stonden grote kasten. Victoria had een hoog bed en als ze erin lag kon ze de tuin zien. Dat vond ze vast heerlijk. Ondanks hun moeilijkheden wenste ze niemand toe wat Victoria doormaakte.

Ze deed de deur achter zich dicht en liep naar de volgende kamer. Deze was ook al heel ruim en had uitzicht op de tuin, maar het donkere behang stond haar heel erg tegen. Het huis voelde somber aan, op haar vaders kamer, met zijn witte muren en kleurige schilderijen, na.

Ze liep de volgende trap op. Hier waren de kamers kleiner maar lichter, en ze koos er een uit met uitzicht op de zee in de verte. Ze maakte verschillende kasten open en vond lakens, lokaliseerde de boiler die haar badkamer van warm water voorzag en pakte de paar dingen uit die ze had meegenomen.

Haar telefoon tingelde. Ze keek, voor het geval het Sam of Peta was, of zelfs Seb, maar het was opnieuw Matt.

> Ik mis je, ik heb je nodig. Ik verlang zo naar je dat het pijn doet. Je bent wreed. Waarom reageer je niet?

Nee, nee, nee! Het had geen zin om te reageren en nee tegen hem te zeggen. Ze wiste het sms'je en pakte haar laptop erbij om de aanwijzingen op te volgen om hem te blokkeren. Genoeg was genoeg. Dit had ze eerder moeten doen.

Het was de dag na de operatie en het leek wel alsof er overal uit Victoria slangen kwamen, terwijl het infuus in haar pols ervoor zorgde dat de pijn op afstand bleef. Buiten kletterde de regen omlaag maar ze kon de lucht niet zien, alleen het rode baksteen van het naastliggende gebouw. Regende het op Boscawen? Ze deed haar ogen dicht. Maakte het wat uit?

'Victoria.' De specialist die haar kamer in liep, zag er opgewekt en parmantig uit. Ze haatte hem.

'Hallo.'

'Hoe voel je je vandaag?' vroeg hij.

'Wil je daar echt een eerlijk antwoord op?'

Hij keek op van de aantekeningen die hij aan het lezen was en glimlachte. 'Zo goed, hè?'

'Ja.'

Hij trok een stoel bij. 'Hoeveel weet je nog van wat ik voor en na de operatie tegen je heb gezegd?'

'Eens kijken. Je hebt onsterfelijke liefde opgebiecht en me verteld dat je beide borsten hebt weggehaald, en zo veel vlees eromheen als je maar kon weghalen.'

'Mooi, ik merk dat je er wel iets van hebt meegekregen.' Hij vertrok zijn mond. 'Je bent drager van een BRCA1-genmutatie.'

'Wat betekent dat?' Ze keek hem zijdelings aan.

'Dat betekent dat je een verhoogd risico hebt op borst- en eierstokkanker.'

'Geweldig.'

'Ik weet dat wat je doormaakt niet niks is, maar in het licht van het aantal tumoren dat we hebben aangetroffen, moet je er misschien over denken om een bilaterale profylactische ovariëctomie te laten doen.'

'Wat?' Ze fronste haar wenkbrauwen. 'Klinkt dat in gewonemensentaal beter?'

'Preventieve operatie van de eileiders en eierstokken.'

'Een hysterectomie?' Ze keek naar de regen.

'Niet helemaal, maar de baarmoeder kunnen we meenemen.'

'Als optioneel extraatje?' Ze trok een wenkbrauw op en vervolgde: 'Het komt er dus eigenlijk op neer dat je alles wat vrouwelijk aan me is van me af wilt pakken.' Ze draaide zich om en staarde hem aan.

'Een beetje vreemd om er zo naar te kijken, maar in zekere zin: ja. Daarmee heb je de beste prognose om te herstellen.'

'Ik begrijp het.'

'Ik wil dat je erover nadenkt.' Hij ging staan en gaf haar enkele papieren. 'Hier is wat informatie. Als je die hebt gelezen, weet ik zeker dat je nog veel meer vragen zult hebben.'

Ze liet de papieren in haar schoot vallen.

Hij raakte haar hand aan. 'Het gaat goed. Je gelooft dat nu misschien niet, maar ik ben ervan overtuigd dat de lymfeklieren schoon zijn. Dat is een goed teken. Over een paar dagen weten we het zeker.'

'Dank je.' Ze slikte, in een poging van haar droge keel af te komen, en keek de specialist na die de kamer verliet, terwijl Audrey binnenwandelde. God, wie had die vrouw binnengelaten?

'Je ziet er goed uit,' zei Audrey opgewekt.

Victoria deed haar ogen dicht. Dat was niet zo. Zij wist het en Audrey wist het, dus waarom loog ze dan?

'Ik heb een paar van mijn hortensia's meegenomen, want ik weet dat je Boscawen mist.'

Victoria keek naar de kantachtige bloemen, zo delicaat en toch zo levendig. 'Dank je wel,' stamelde ze.

'De hartelijke groeten van Hal en de rest van de familie.' Ze ging op de stoel zitten waar de chirurg op had gezeten om haar noodlot aan te kondigen. BRCA1. Victoria had een tikkende tijdbom in haar lijf.

'Ik blijf niet lang. Ik weet dat je uitgeput moet zijn.'

Victoria vroeg zich af waarom ze dan überhaupt op bezoek kwam. Er zat Audrey duidelijk iets dwars waar ze over wilde praten. Waarom flapte ze het er niet gewoon uit?

'Dank je voor alle hulp.'

Audrey raakte haar arm even aan. 'Graag gedaan. Geen enkele moeite.'

Victoria haalde diep adem en wachtte op wat Audrey zou gaan zeggen. Ze wilde dat de vrouw er gewoon mee voor de dag kwam. Ongetwijfeld was het iets belangrijks wat ze van andere, goedbedoelende vrienden had opgepikt.

'Ik weet dat dit een vreselijk slecht moment is, maar Tori, heb je je testament wel bijgewerkt?'

Victoria zette grote ogen op. Hoorde ze dat goed? Was de vrouw aan de drugs of zo?

'Ik bedoel, Charles is er niet meer en met zijn dochter in de buurt... Heb je wel nagedacht over wat er dan met Boscawen gaat gebeuren?'

Nagedacht over wat er met Boscawen gaat gebeuren? Daar had ze verdomme haar hele leven over nagedacht.

Bij Audrey logeren was waarschijnlijk het minst slechte van twee kwaden geweest, maar Sebastian had erop gestaan dat ze bij hem zou verblijven. Sterker nog, hij had geen tegenspraak geduld. Ze had altijd geweten dat hij zijn zin doordreef. Ze zuchtte: behalve toen hij voor haar moest vechten, al die jaren geleden. Hij had haar gewoon laten schieten.

'Thee.' Seb zette een kop op de bijzettafel naast haar. Zijn huis was niet wat ze ervan had verwacht. In al die jaren was ze niet één keer bij hem thuis geweest, tot de avond voor de operatie. Niet dat ze er veel van had opgemerkt. Voor haar gevoel was ze de hele nacht in tranen geweest.

Nu keek ze er met een frisse blik naar en ze zag een en al strakke lijnen en overwegend moderne kunst, op het schilderij na dat Charles hem had nagelaten. Dat meesterwerk uit de renaissance hing boven de open haard. Waarom was ze hier nooit eerder geweest? Was dat haar schuld of de zijne? Ze perste haar lippen op elkaar. Van hen allebei.

'Comfortabel?'

Ze stootte een droog lachje uit. 'Grapje zeker?'

'Nee. Als je pijn hebt, moeten we dat tegen de dokter zeggen.'

Ze deed haar ogen dicht. Voor hem was het zo simpel. Hoe kon ze de pijn van haar hechtingen beschrijven, laat staan de pijn van haar verlies? Dat kon ze niet, en ze wilde het ook niet. 'Het gaat wel over,' loog ze. Dit ging nooit meer over. Ze was enkel een lege huls, of dat zou ze zijn als ze volgende week weer onder het mes zou gaan. Ze moest hier de komende dagen in het gezelschap van Sebastians medelijden zien door te komen. Daarna zou ze zorgen dat ze in een particulier verzorgingshuis terechtkon waar ze zich in alle anonimiteit in haar ellende kon wentelen. Ze wist nog steeds niet goed waarom ze de moeite nam. Hoezo preventieve operatie? Zodat ze langer zou leven? Het zou veel gemakkelijker zijn om te sterven. Ze had toch niets meer om voor te leven.

HERFST

Alle erfgenames zijn wonderschoon.

JOHN DRYDEN

35

emi was voor niets bij haar grootvader op bezoek geweest. Hij zat te slapen toen ze kwam en sliep nog toen ze wegging. Ze reed door de hekken van Boscawen. Voor deze bezoekjes mocht ze Sams fourwheeldrive lenen. Ze had een kussen op de stoel moeten leggen om tijdens het rijden over het stuur te kunnen kijken. Maar dat had ook weer voordelen. Door haar hoge uitkijkpost kon ze over de heggen naar de akkers kijken en zelfs in de tuinen van mensen.

Nu keek ze ook over de heggen en ze zag dat een van de boomgaarden vol glanzend rood fruit hing, zo vol dat de boomtakken doorbogen. Het zou niet lang meer duren of er moest geoogst worden. Gelukkig was de ciderschuur het enige op Boscawen waar ze een eind mee waren gevorderd. Hij was bijna klaar. Ongelooflijk hoe snel dat allemaal was gegaan, met inbegrip van de goedkeuring van de gemeente. Natuurlijk was het een fluitje van een cent geweest doordat Victoria in die tijd buiten beeld was geweest. Nu, twee maanden na haar vertrek, zou ze weer thuiskomen.

Terwijl ze over de lange oprijlaan naar Boscawen reed, dacht Demi eraan hoe angstaanjagend de aanblik van de voordeur van Boscawen in het begin was geweest. Maar nu ze meer wist over wat er vroeger was gebeurd, verwelkomde hij haar. Waarschijnlijk zou Victoria niet heel blij zijn als ze ontdekte dat Demi wekenlang op Boscawen had gewoond. Ze beet op haar lip toen ze de auto in de garage zette, dankbaar dat ze terug was voordat Sebastian en Victoria er waren.

Ze liep de keuken in en hoorde Sam zingen. Ze glimlachte toen ze haar hoofd om de hoek van de bloemenkamer stak.

'Hallo schoonheid.' Sam stond snijbloemen te schikken.

Ze bloosde, richtte haar blik op het bloemstuk en keek hem niet aan. 'Dat ziet er schitterend uit.'

'Ik hoop dat ze dit als een welkom thuis opvat.'

'En om haar mild te stemmen?' Ze leunde tegen de muur en bekeek hem aandachtig.

Hij grinnikte. 'Zou kunnen, maar Seb zegt dat hij haar op de hoogte heeft gehouden.'

'Hmm.' Ze zette de boodschappentas op de tafel. Ze wist dat Victoria overal toestemming voor moest hebben gegeven, maar misschien was ze toen niet helemaal zichzelf. Victoria was in de afgelopen weken oorverdovend stil geweest en Demi had zichzelf wijsgemaakt dat Victoria als een nieuwe vrouw tevoorschijn was gekomen uit de ellendige periode die ze had doorgemaakt. Nou ja, dat hoopte Demi althans.

Sam liep langs haar met een grote vaas vol felblauwe hortensia's. Hij keek naar het eten dat ze in de koelkast opborg. 'Ik ben niet de enige die haar milder wil stemmen.'

'Zou kunnen.' Demi deed de koelkastdeur dicht. 'Ik moet bekennen dat ik een beetje bang ben.'

'Ze is niet echt gemeen, alleen een heethoofd.'

'Tegen jou is ze niet gemeen.'

Hij fronste zijn wenkbrauwen.

'Ik hoop dat ze Adam heeft gebeld. Hij heeft al een poosje geen berichten meer voor haar achtergelaten.' Ze vouwde de boodschappentas op. 'Hij leek zo verdrietig.'

'Ze had het om te beginnen niet met hem moeten aanleggen.'

Ze draaide zich om en keek hem met een felle blik aan. 'Waarom niet? Omdat zij zestig is en hij nog geen dertig?'

'Nou nee.' Hij keek haar schuin aan. 'Omdat het is begonnen toen Charles nog leefde.'

'O.'

'En hij was ook niet de eerste.'

Hij liet haar in de keuken achter, waar ze de kip begon te kruiden die ze vervolgens in de oven zette. Ze wist niet of Sebastian en Victoria al gegeten hadden, maar nu wás er in elk geval iets te eten.

'Hé, je hebt je telefoon in de hal laten liggen. Er is een lading berichten van Matt.' Hij trok een wenkbrauw op.

'Bedankt.' Ze pakte de telefoon en stopte hem in haar zak.

'Wie is Matt?'

Ze haalde diep adem. 'Een vroeger vriendje van me.'

'Hij lijkt me behoorlijk hardnekkig.'

'Kun je wel zeggen, ja.' Haar hand beefde toen ze een paar aardappels ging schillen.

Hij liep naar haar toe. 'Problemen?'

'Nee, ik heb hem geblokkeerd, maar ik heb zeker nog niet alle berichten gewist.'

Hij legde zijn hand op haar schouder en ze maakte een sprongetje.

'Demi...' Het geluid van knerpende kiezels op de oprit weerhield Sam ervan te zeggen wat hij van plan was.

Ze deed de aardappels in een pan met water en droogde haar handen, maar die waren bijna meteen weer helemaal bezweet. Terwijl ze achter Sam aan de hal door liep, veegde ze ze weer af aan haar spijkerbroek. Ze kon Victoria niet met bezwete handen begroeten, dan zou ze zich verraden. Door de open deur zag ze hoe Sebastian Victoria uit de auto hielp. Het gladde zilveren bobkapsel was weg. Haar haar was nu geknipt in een kort pixiemodel, waardoor ze jonger leek. Dat had Demi niet verwacht. Sterker nog, ze had gedacht dat Victoria kwetsbaar zou zijn, maar op dit moment zag ze er kerngezond uit. Demi zette zich schrap toen ze door de deur naar buiten liep.

'Welkom thuis.' Sam boog zich naar voren en gaf Victoria een kus op haar wang.

'Dank je wel.' Victoria draaide zich naar Demi, die bij de deur stond en van de ene voet op de andere wipte. 'Zijn jullie het welkomstcomité?' Haar gezicht verried geen enkele emotie.

'Zoiets, ja.' Demi dwong zichzelf tot een glimlachje.

Victoria keek langs het gebouw omhoog en toen naar Demi. 'Fijn om terug te zijn. Ik heb gehoord dat we huisgenoten worden?'

Demi keek naar Seb en toen naar Sam, en zei: 'Ja.'

'Ik vermoed dat dat onvermijdelijk was.' Ze wendde zich tot Sam. 'Ik zie dat de agapanthussen uitgebloeid zijn en dat je de bloemkoppen voor me hebt laten zitten.'

'Na vorig jaar zou ik niet anders durven.' Hij glimlachte schaapachtig.

Ze keek hem zijdelings aan. 'Welke verrassingen staan me verder nog te wachten?'

Sam hielp Sebastian met het uitladen van de tassen uit de kofferbak en Demi's blik ontmoette die van Victoria. Was Victoria boos of gelaten? Demi sloeg haar ogen neer. Geen van beiden zei een woord en ze wist niet of ze de stilte moest laten voortduren of moest doorbreken. 'Heb je al gegeten?'

'Nee, maar ik heb geen honger.'

'Prima.' Demi rechtte haar rug. Dit ging niet gemakkelijk worden, zo veel was wel duidelijk.

'Heb je iets veranderd?' Een wenkbrauw ging de hoogte in.

Dit kon wel eens razendsnel bergafwaarts gaan. Het antwoord was zonder meer ja, maar nu was wellicht niet het beste moment om daar omstandig op in te gaan. 'Hier en daar.'

Victoria slenterde de hal in. Haar blik zwierf over elk oppervlak totdat die op de bloemen bleef rusten.

'Aardig boeket.'

Demi kromp ineen. Het bloemstuk was verbluffend mooi en lichtte absoluut de sombere hal op.

'Dank je wel, Victoria.' Sam zette een tas neer. 'Niet zo mooi als jij het kunt, maar ik heb mijn best gedaan.'

Victoria's gezichtsuitdrukking veranderde onmiddellijk. Ze glimlachte. 'Het is echt heel mooi, dank je wel.'

Trut. Demi beet op haar lip. Dat was niet eerlijk. In plaats van een sneer terug te geven, liep Demi naar de keuken. Of Victoria nou wilde eten of niet, ze moest toch echt de aardappels afmaken.

Sam kwam de keuken in. 'Diep ademhalen.'

Demi draaide zich glimlachend naar hem toe.

'Als we verder willen, moet zij meedoen, ook als we met de cider-productie om haar heen kunnen,' zei Sam.

'Klopt.' Demi perste haar lippen samen. 'Ik weet dat ik niet boos moet zijn, maar het was zo vals van haar.'

Sam haalde haar schouders op. 'Ze is ziek geweest.'

'Daarvóór was ze ook al vals.' Demi sloeg haar hand voor haar mond.

Sam lachte. 'Nou zeg, je verbaast me.'

'Ik mezelf ook. Zo ben ik helemaal niet opgevoed.'

'Oké. Victoria heeft dan misschien geen honger, maar ik wel. Heb je hulp nodig?'

Ze glimlachte dankbaar. Ze moest zichzelf echt in de hand zien te krijgen, zich richten op wat ze wilde bereiken en niet verstrikt raken in onbenulligheden. Maar iets zei haar dat dit wel eens een enorme uitdaging kon worden.

Victoria zag Demi weglopen en wenste dat ze gewoon zou blijven doorlopen, maar ze wist dat dat niet zou gebeuren. Verdomme, ze woonde nu zelfs in het huis. Het zou Victoria niets verbazen als Demi bezit had genomen van haar kamer. Ze haalde diep adem. Nee, dat zou Demi niet doen. Ze was aardig, dat had Sebastian herhaaldelijk gezegd, en Victoria wist dat hij gelijk had. Maar elke keer dat Victoria naar haar keek, zag ze Charles en daarmee stak ook het schuldgevoel de kop op. In haar hart wist ze dat als Charles niet had gehoord hoe zij met Adam bezig was geweest, hij nu nog in leven zou zijn. Hij was nooit van plan geweest om die avond naar huis te gaan. Het was waanzin geweest om dezelfde dag nog terug te rijden.

Ze wist alleen niet of hij verdrietig of boos naar huis was gegaan.

Telkens als ze Charles' herziene testament doornam, had ze geprobeerd dat te ontdekken. Wat waren zijn bedoelingen geweest? Ze wist dat Seb het antwoord wist, maar dat hield hij voor zich.

'Ik breng deze even naar je kamer.' Seb stond vlak naast haar. 'Gaat het wel met je?'

'Eerlijk gezegd weet ik dat niet.' Ze schonk hem een scheef glimlachje en liep naar de woonkamer, waar meteen te zien was dat Demi niet had stilgezeten. Grote kartonnen borden stonden rechtop tegen de meubels en overal lagen stofstalen. Niets daarvan was in de stijl van het huis. Het was schoon en strak en niet hoe Edith, Gladys of zelfs haar moeder het zou hebben gedaan. Ze inspecteerde het eerste bord, gooide het om, maar raapte het toen weer op om het aandachtiger te bekijken. Ze gedroeg zich als een kleuter. Toen ze weken geleden de papieren ondertekende, had ze geweten wat ze deed. Ze zette het weer op zijn plek en moest toegeven dat het er goed uitzag, heel goed zelfs. Met gevoel voor de historie van het huis, maar tegelijk ook rekening houdend met het feit dat het commercieel aantrekkelijk moest zijn.

Victoria ging in haar lievelingsstoel zitten en zette voorzichtig de ene plattegrond voor de andere. Dit kon ze, als ze de energie maar wist op te brengen. De operatie en chemokuur hadden hun tol geëist. Het zou terugkomen, hadden ze gezegd, maar ze hadden niet gezegd wanneer. De geur van gebraden kip dreef naar haar toe. Misschien was ze een beetje voorbarig geweest toen ze zei dat ze geen honger had. Ze zou eerst een gin-tonic nemen en dan misschien wat avondeten. Ze keek op haar horloge. Het was nog te vroeg om te eten, maar in het verzorgingshuis had ze zich moeten schikken. Of ze nu wel of geen avondeten wilde, het werd klokslag half zeven geserveerd, precies op het tijdstip dat ze gesmacht had naar een gin, maar alcohol was verboden. In plaats daarvan gaven ze haar de zoveelste variatie op een stoofschotel. En ook al kregen ze iets anders dan een stoofschotel, dan smaakte het er toch naar.

Een lekkere gebraden kip met groenten uit de tuin... dat was pas echt voedsel. Maar ze wilde eerst een borrel. Toen ze zichzelf uit de stoel omhoogduwde, zag ze Sebastian de kamer in lopen met de ijsemmer in zijn hand.

'Je hebt mijn gedachten geraden.'

Hij glimlachte ondeugend. Haar hart sprong op en landde weer. Flirten kon ze wel, maar meer ook niet. Ze liet zich weer in de stoel terugzakken toen ze zich realiseerde dat ze niets anders te bieden had dan een geestig weerwoord. Een erbarmelijke plaatsvervanger.

'Heb je ze al bekeken?' Hij wees naar de borden die door de hele kamer stonden.

'Eventjes.'

'En?' Hij gaf haar een glas. Ze fronste haar wenkbrauwen. Het was halfvol.

'Je hebt in geen weken iets gedronken. Rustig aan.'

'Spelbreker.'

'Ja, en je hebt mijn vraag niet beantwoord.'

Een vleugje rozemarijn dreef de kamer in. Ze had zonder meer trek en was vergeten hoe het was om echt honger te hebben. Het meedogenloze dieet had haar smaakpapillen verdoofd.

'Dat is zo, maar zou je eerst tegen Demi willen zeggen dat het me spijt maar dat ik toch graag wil mee-eten als het mag? Het ruikt goddelijk.'

Sebastian stond op en liep naar haar toe. 'Dat zou je zelf moeten doen, maar je bent vast moe, dus deze keer kom je ermee weg. Ze is een fijne meid.'

'Ze is geen meid.'

'Dat weet ik wel, maar ze is een stuk jonger dan wij zijn.'

'Op haar leeftijd was ik al getrouwd.'

'Was dat dan zo ideaal?' Hij bleef in de deuropening staan.

Victoria schonk hem een droog lachje. 'Achteraf gezien absoluut niet.'

'Zo zie je maar weer.'

'Oké, ga het haar nou maar vertellen, anders trekt ze haar aanbod nog in.'

Ze keek hem na tot hij weg was en keerde toen naar de ontwerpen terug. Elke kamer van het huis was onder handen genomen. Met tegenzin moest Victoria toegeven dat ze prima waren voor de doelgroep waarop ze zich zouden richten, maar... Nee, geen gemaar. Het was stikken of slikken. Iedere advocaat die ze had geraadpleegd had gezegd dat het geen zin had om Charles' testament aan te vechten. En niemand vond dat haar man haar tekort had gedaan.

Ze pakte het ontwerp voor de eetkamer op. Demi had klaarblijkelijk Charles' verzameling schilderijen op de zolder gevonden en was van plan ze door het hele huis op te hangen. De recentste aanwinsten waren van plaatselijke kunstenaars geweest. Victoria had ze beschouwd als een vorm van liefdadigheid van hem, maar ze begon zich nu af te vragen of hij toch niet min of meer een kenner was geweest.

De kleurpatronen in de ontwerpen waren allemaal zo weggeplukt uit het landschap en de tuin. Demi had in elke kamer afbeeldingen van bloemen bedacht. Sterker nog, ze had alle slaapkamers de naam gegeven van een bekende tuinbloem en het interieur ervan was in de bijpassende kleuren ontworpen.

Ze zette het neer. Het was mooi, maar niet wat Victoria wilde. Ze pakte de fles gin. Ondanks wat Seb had gezegd, had ze er nog een nodig. Toen ze de gin neerzette, zag ze op tafel een map van een makelaar liggen. Het Weduwehuis stond te koop. Victoria's hart sloeg op hol toen ze de informatie doornam.

Met haar vingers streek ze over de foto's, ze ging terug in de tijd. Opnieuw ging door haar heen hoe wanhopig graag ze het wilde kopen, maar ze moest accepteren dat ze geen zeshonderdduizend pond had voor een huis, ook al lagen daar haar gelukkigste herinneringen. Het enige verdriet dat ze ervan had gehad, was dat ze er afscheid van had moeten nemen. Tegen die tijd was haar overgrootmoeder een jaar dood geweest en had haar vader een koper gevonden. Met de opbrengst hadden ze de belastingen kunnen betalen en het schoolgeld van haar en Perry. Waarom was haar vader wel bereid geweest om haar naar een goede school te sturen, maar wilde hij niet dat ze naar

Oxford ging? Ze had er gewoon toch naartoe moeten gaan. Verdomme, ze had de dingen zo heel anders moeten doen.

'Voor elkaar. Demi zegt dat we over een half uur kunnen eten.' Hij liep naar haar toe en sputterde wat toen hij naar haar drankje keek. Hij merkte de verkoopinformatie op. 'Je was altijd dol op dat huis. Ik weet nog dat we daar in het holst van de nacht rondslopen zodat je het aan me kon laten zien.' Hij lachte. 'Dat was nadat we bij Men an Skawenn waren geweest om te kijken of ik er met mijn schouders doorheen kon. Ik meen me te herinneren dat je me had overgehaald om al mijn kleren uit te trekken.'

Een glimlach verspreidde zich over haar gezicht. 'Ik was anders ook in m'n nakie.'

'Je was een plaaggeest.'

'Inderdaad.'

'Je zei dat je niet met me wilde trouwen, tenzij ik door de steen paste, want anders konden we geen kinderen krijgen.'

Ze snoof. 'Je paste erdoorheen, net aan, maar dat zou toch niks uitgemaakt hebben. Ik was onvruchtbaar.' Victoria knarsetandde. Ze wilde niet instorten. Dat was geweest. Het zou niet zo'n pijn moeten doen.

'Misschien was het anders gelopen.'

Ze lachte. 'Seb, jij weet net zo goed als ik dat dat niet was gebeurd.' Ze liep weg. 'Toen ik niet zwanger werd van Charles heb ik zo veel anderen geprobeerd, gewoon voor de zekerheid.' Ze dwong zich tot een glimlachje. 'Ik merkte dat dat naar meer smaakte en hoopte altijd dat ik van een van hen zwanger zou worden.'

'Zeg dat nou niet.'

'Het heeft geen zin er nu nog geheimzinnig over te doen. Die periode is afgesloten. Verdomme, ik ben zelfs geen echte vrouw meer.' Ze haalde diep adem en toen ze uitademde, werden ze onderbroken.

'Hé, jullie tweetjes, als jullie zover zijn: het eten staat op tafel,' zei Sam vanuit de deuropening.

'We komen eraan.' Haar stem beefde, ook al deed ze nog zo haar best om dat te voorkomen.

36

*V*ictoria sloeg de deur van het keukenkastje dicht en was bijna in tranen. Waar waren verdomme de koffie en de cafetière? En de soepkommen en mokken waren ook verplaatst! Ze leunde met haar hoofd tegen de kast. Ze kon dit niet. Ze kón dit gewoon niet. Dit was háár keuken.

'Alles goed?' vroeg Demi.

'Nee, het gaat niet goed.' Victoria draaide zich om. Demi stond in de deuropening met haar meetlint in de hand en een potlood achter haar oor, nadat ze ongetwijfeld weer opdracht had gegeven voor een of andere verandering in het huis.

'Kan ik iets doen?' Ze liep de keuken in en legde haar spullen op de tafel. 'Ik wilde koffiezetten. Wil jij ook?'

Met grote ogen keek Victoria hoe Demi de kast openmaakte waar nog niet zo lang geleden de ontbijtgranen hadden gestaan, en er de koffiespullen uit haalde. Uit een andere kast pakte ze de mokken.

'Was dat een ja, of heb je liever thee?' Demi zette water op en draaide zich om.

'Wat dacht je dat je aan het doen was?' vroeg Victoria.

'Hoezo?' Demi fronste haar wenkbrauwen.

'Mijn keuken overhoophalen.'

'O.' Demi perste haar lippen op elkaar. 'Sorry, maar ik moest voor allerlei dagelijkse dingen op een kruk gaan staan, dus ik heb het een beetje aangepast.'

'Een beetje?' Victoria haalde diep adem. 'Je hebt alle kasten omge-gooid.'

'Ik...'

'Je hebt het niet eens gevraagd, je hebt het gewoon gedaan.'

De ketel sloeg af en Demi schonk het water op de gemalen koffie. 'Moet je horen, Victoria, je was er niet en nood breekt wet.' Ze haalde diep adem. 'Bovendien verandert binnenkort toch alles als de renova-tie begint.'

'Je gaat niet de keuken veranderen!'

Demi knipperde met haar ogen. 'Heb je dan niet naar de corres-pondentie of de ruwe plannen gekeken?'

Victoria trok haar lippen in een rechte streep. Het was één ding ge-weest om plannen te bekijken, maar iets heel anders om in haar keu-ken te staan en te accepteren dat alles anders zou worden.

Demi duwde het filter van de cafetière omlaag. 'Koffie?'

'Nee, nee. Ik wil geen koffie. En geen veranderingen. Geen enkele.'

Demi legde haar handen op tafel. 'Ik wil geen ruzie met je, maar je bent akkoord gegaan. De aannemers zijn geregeld, de plannen zijn goedgekeurd en de hele boel gaat volgende maand van start.'

'Nee.' Ze kon dit niet. Ze wilde geen vreemden over de vloer heb-ben. 'Ik trek me terug.'

'Wat?' Alle kleur trok uit Demi's gezicht weg, en daar had ze al zo weinig van.

'Ik wil dit niet.'

Demi bleef hoofdschuddend staan en ergens wilde Victoria in la-chen uitbarsten, maar dat lukte niet. Door het uitspreken van die woorden had ze voorgoed afscheid genomen van Boscawen.

'Dat kun je niet.'

'Dat kan ik wel en ik ga het doen ook.'

'Wat ga je doen?' Sebastian was de keuken binnengewandeld. 'Die koffie ruikt verrukkelijk. Is er nog wat voor mij over?' Hij bleef staan en keek beurtelings naar Victoria en Demi. 'Wat is er aan de hand?'

'Ik trek me terug.' Victoria reikte naar de rugleuning van een stoel.

Het was al zes weken na de operatie, maar als ze moe was had ze nog altijd veel pijn. Ze hoorde trouwens niet moe te zijn. Het was ochtend en ze was eindelijk thuis.

'Demi, wil je zo vriendelijk zijn om ons alleen te laten?' Sebastian keek haar glimlachend aan.

'Zeker.' Demi pakte haar mok en maakte dat ze wegkwam.

'Ga zitten, Tori, voordat je omvalt, en vertel waar dit over gaat.'

Ze zonk keer op een stoel en keek toe hoe hij voor hen beiden een kop koffie inschonk.

'Nou?'

'Ik kan dit niet.'

'Hoezo?'

Victoria liet haar hoofd in haar handen vallen. Hoezo? 'Ik zou kunnen zeggen: omdat ze de cafetière ergens anders heeft neergezet, maar dat is niet de hele waarheid.'

Hij glimlachte. 'Ze is maar klein.'

'Dat heb ik gemerkt, ja.' Ze ademde het aroma van de koffie in. 'Seb, ik ben moe.'

'Logisch.'

'Zo simpel is het niet.' Ze nam een slok. 'Ik dacht dat ik de veranderingen aan Boscawen prima zou vinden.' Ze keek door de deuropening naar de groentebedden. 'Maar toen ik de koffie niet kon vinden, besefte ik dat ik dit niet aankan. Boscawen is van mij of niet. Ik neem geen genoegen met de helft.'

'Ik begrijp het.'

'Echt?' Ze schudde haar hoofd. 'Volgens mij niet. Maar ik wil ermee stoppen.'

'Weet je echt waar dit allemaal voor dient?' Demi keek naar Sam.

Hij grinnikte. 'Zal ik het je laten zien?'

'Misschien is dat niet nodig.' Ze ging op een muurtje van cement zitten.

'Dat klinkt niet best. Wat is er aan de hand?'

'Victoria trekt zich terug.'

Hij ging naast haar zitten en tikte op het cement. 'Hierin worden de appels afgespoeld, dat je het weet.'

'O.' Ze draaide zich om en zag de afmetingen van de lange, recthoekige vorm langs de achterste muur. Aan de verste zijde hing er een grote klapdeur boven die aan de bovenkant scharnierde, en ertegenover bevond zich een lopende band die naar een grote machine liep. 'Ik vind het zo akelig voor je. Ik weet dat het ciderproject overal los van staat en dat ze daarmee akkoord is gegaan, maar als zij haar aandeel terugtrekt, heeft dat toch grote gevolgen.'

Hij haalde zijn schouders op. 'We weten er wel een mouw aan te passen.' Hij nam haar bij de hand en leidde haar langs de appelwasbak. 'Hier worden de appels tot pulp vermalen.' Hij wachtte even terwijl hij haar meenam naar een slang die eruit stak. 'De pulp komt vervolgens op deze plateaus terecht.'

Ze trok haar neus op.

'Ik weet het, dat klinkt niet erg aantrekkelijk.'

Ze streek over het hout van een van de plateaus en zag de open sleuven.

'Ze zijn gemaakt van acaciahout met koperen nagels.' Hij glimlachte. 'Er gaan zeven platcaus naar de pers.' Hij liep de schuur door naar de andere kant, nog altijd haar hand vasthoudend. Ook al deed ze nog zo haar best zich te concentreren op het ciderproductieproces, het enige waar ze op kon letten was dat hij haar hand vasthield.

'Dit is de pers. Al het sap valt naar beneden en wordt in een enorm vat verzameld.' Hij draaide zich om en wees naar de overkant van de schuur. 'En vervolgens gaat het sap in een gistton.' Hij bleef staan. 'Je let helemaal niet op.'

'Welles, alleen niet heel goed. Gisten.'

Hij lachte. 'Daarin blijft het leeuwendeel vijf tot zes maanden rijpen, maar natuurlijk proeven we er al eerder van bij de wassail.'

Ze trok een gezicht. 'Zoals in dat liedje?'

'Inderdaad. Op de avond voor Driekoningen drinken we op de gezondheid van de bomen om de oogst voor het volgende jaar veilig te stellen.'

'Oké.' Demi vroeg zich af of ze rond die tijd hier nog zou zijn.

'Het komt best in orde.'

'Dat weet ik zo net nog niet. Sebastian is bij haar.'

Hij nam haar gezicht in zijn handen. 'Kijk me aan.'

Ze sloeg haar ogen op.

'Victoria heeft de laatste tijd heel veel meegemaakt en het is logisch dat ze onzeker is. Maar ze is een Tregan en ze heeft alles voor Boscawen over.'

'Een Tregan... en dat verklaart alles?' Ze fronste haar wenkbrauwen en keek naar Sams prachtige ogen. Jane Penrose had door die ogen van hem geweten wie hij was. Ze waren ook zo opvallend.

'De Tregans zorgen voor Boscawen,' zei hij.

'En dat ben jij nu aan het doen?' Ze hield haar hoofd schuin en keek hem aandachtig aan.

Hij lachte.

'Waarom heb je het haar niet verteld?'

Hij haalde zijn schouders op. 'Goeie vraag.' Hij streek met een hand over het acaciahouten plateau. 'Mam had het erover dat ze met ruzie uit elkaar waren gegaan. Ze wist dat de verkoop van het landgoed Victoria heel veel pijn heeft gedaan, dus ik vond het geen goed idee om erover te beginnen.'

Demi fronste haar wenkbrauwen. 'Demi was dol op haar broer.'

'Dat weet ik inmiddels. Maar ik had van mijn moeder gehoord hoe boos ze was dat mijn vader het landgoed had geërfd en dat zij praktisch niets had gekregen.' Hij zuchtte. 'Sinds jij hier bent, praat ze over hem en het is geweldig om meer te weten te komen over mijn vaders jeugd.'

'Dat kan ik me voorstellen.'

'Sorry.'

'Je hoeft je niet te verontschuldigen. Ik heb Charles wel meegemaakt, ik weet het alleen niet meer.' Hoewel ze de afgelopen nacht van hem had gedroomd en ze het gevoel had dat alles weer boven-kwam.

'Dat is zo. Hoe dan ook, toen ik deze baan aannam, was Victoria voortdurend op mijn moeder aan het schelden en op wat er in die jaren met het huis en de tuinen was gebeurd.'

Demi kauwde op haar onderlip. 'Is je moeder soms de stille partner?'

Sam knikte. 'Dat is wel het laatste wat Victoria te weten mag komen.'

Demi lachte. 'Ga je het haar ooit vertellen?'

'Als ik denk dat de tijd rijp is.' Hij pakte haar hand vast en nam haar mee naar de boomgaard. 'Het is bijna tijd om met de pluk te beginnen.'

Demi wreef over haar onderrug. Ze was al drie uur bezig met het rapen van afgewaaide appels en was aardig opgeschoten. Sam werkte in een andere boomgaard, evenals nog twee mensen die ze hadden ingehuurd. Peta zou later langskomen om een handje te helpen. Door het droge hete weer en de storm die had huisgehouden was het schema naar voren geschoven. Allemaal goed en wel, maar daardoor moesten de handen wel uit de mouwen worden gestoken. Het was de bedoeling dat alles naar de schuur werd vervoerd. Rachel nam dat deel van het project voor haar rekening. Ze was pas sinds gisteren terug uit Perth en deze keer zag ze er minder florissant uit. Ze had verschrikkelijk last van een jetlag, maar daar was nu geen tijd voor.

Demi schoof haar hoed goed op haar hoofd en ging weer door. In haar wildste dromen had ze nog niet bedacht dat ze ooit appels zou rapen om cider te maken. Ze dook weg voor een slaperige wesp en liep verder, in de hitte langzaam een volgende mand vullend. Ze moest nodig afkoelen, daar had ze echt behoefte aan. Het pad naar de kleine kreek was niet ver weg en de gedachte aan het koude water was zo verleidelijk dat ze vond dat een duik in het water precies was wat ze nodig had, ook al had ze geen badpak aan. Het zou nu vloed zijn en de kreek lag verscholen uit het zicht. Het enige gebouw dat erop uitkeek was het Weduwehuis, en dat stond leeg. De vorige avond was ze in de pub Adam tegengekomen en hij had gezegd dat het verkocht was.

Vijf minuten later trok ze haar kleren uit terwijl ze om zich heen keek om te zien of er iemand in de buurt was. Toen lachte ze. Het was pure waanzin, maar het voelde zo bevrijdend toen ze met haar tenen in het water stapte en de lichte bries haar blote huid liefkoosde. In de schaduw van de bomen was het water ijskoud, maar op haar oververhitte huid was het hemels. Joost mocht weten wat iedereen van haar zou denken als ze haar nu zouden zien, dat grote witte lijf in het donkergroene water. Een libel zoefde langs. Demi schrok, maar zag toen dat hij een plekje vond op een tak die baadde in de septemberzon.

Het enige geluid dat ze hoorde was het gebrom van een verre tractor. Ze liep langzaam verder het water in, tot halverwege haar dijen. Haar lichaamstemperatuur was flink gezakt en ze begon zich af te vragen of dit hele gedoe toch niet een heel slecht idee was. Stel dat er iemand met een boot kwam langsvaren? Misschien moest ze er maar weer uit gaan.

Ze hoorde iemand kuchen en dook onder water. Er stond iemand naar haar te kijken. Ze wist dat geluid hier ver droeg, maar dit was dichtbij, heel dichtbij. Ze brak door het oppervlak heen, hapte naar adem en zorgde ervoor dat geen enkele priemende blik haar lichaam kon zien. Ze zocht de oever af, keek of ze de gluurder kon zien, want het was zonder een meer een mannenkuchje geweest. Haar hart maakte overuren terwijl haar lichaam verdoofd raakte. Het water was verdomme ijskoud en ze moest iets doen of ze zou aan onderkoeling bezwijken. Ze begon te watertrappen, hoopte dat de boosdoener zich zou verraden. Hoe moest ze uit het water komen? Ze kon daar niet voor eeuwig blijven.

Ze hoorde het kuchje weer en Sam kwam uit de schaduw van het pad tevoorschijn. Was hij haar gluurder? Ze had niet het idee dat hij zo in elkaar stak. 'Kennelijk dachten we hetzelfde.'

Ze knikte.

'Vind je het erg als ik er ook in spring?'

Demi's adem stokte. Wat moest ze zeggen? 'Ik weet het eigenlijk niet.' Haar stem brak.

'Fantastisch.'

Hij had haar duidelijk niet gehoord. Snel trok hij zijn shirt uit. Demi was gehypnotiseerd door zijn strakke buikspieren, en haar temperatuur steeg toen hij zijn riem losmaakte en zijn korte broek uittrok. Ze wendde zich af en dook onder water om de verleiding te weerstaan hem helemaal in zijn nakie te zien.

Ze kwam weer boven om lucht te happen en zag dat hij anderhalve meter bij haar vandaan was.

'Precies wat ik nodig had.' Hij glimlachte. Het op het water reflecterende licht speelde in zijn ogen. Haar ledematen werden als was, wat in zulk diep water niet bevorderlijk was. Ze wilde er niet bij stilstaan dat ze allebei naakt in het water waren, op nog geen meter bij elkaar vandaan, maar het was het enige waaraan ze kon denken.

Een nies echode over het water toen Demi met een schoolslag van Sam wilde wegzwemmen.

'Gezondheid,' riep hij.

Ze stopte. 'Dat was ik niet.'

Sam keek om zich heen en kneep zijn ogen toe toen hij naar de eikenbomen links van het pad tuurde. Met een luie borstcrawl zwom hij naar Demi toe. Op zo'n centimeter of dertig bij haar vandaan fluisterde hij: 'Er staat een man in het bos naar ons te kijken. Hij is blond en ongeveer een meter tachtig. Ken je hem?'

Demi's hart stond stil. Dat was Matt toch zeker niet? Hoe had hij haar hier kunnen vinden? 'Ik ken wel iemand die voldoet aan die beschrijving, maar die zit in Londen.'

'Deze persoon is niet gekleed op een wandeling door de bossen van Cornwall. Hij draagt een beige broek en een gestreept overhemd. Het lijkt wel alsof hij betrapt wíl worden.'

Dat was Matts dagelijkse outfit: altijd elegant, nooit casual. 'Dan zou het wel eens mijn ex kunnen zijn.'

'Klaarblijkelijk geeft hij het nog steeds niet op.'

Ze zuchtte. 'Dat is nog zachtjes uitgedrukt.'

'Zal ik hem dan maar eens onder handen nemen?'

Ze fronste haar wenkbrauwen. Aan de ene kant stond het haar wel aan als Sam Matt een flinke oplawaai verkocht, maar ze vond het toch geen goed idee.

'Of beter nog, we laten hem gewoon zien dat je voor eens en voor altijd de liefde bij een ander hebt gevonden.'

'Wat?'

En voordat Demi nog iets kon zeggen, kuste Sam haar. Niet zachtjes of voorzichtig, maar met zo'n hartstocht dat haar tenen ervan krulden. Haar huid perste zich tegen die van hem aan en het water schuimde langs hen heen, waardoor alles nog intenser werd. Ze wist dat ze zich moest lostrekken, maar ze was van haar leven nog niet zo opgewonden geweest. Elk zenuwpuntje kreeg de volle laag door het sensuele gevoel van zowel het water als Sams stevige lijf. Ze sloeg haar armen om zijn nek en haar benen om zijn lijf om niet te verdrinken. Ze kuste hem terug met alles wat ze voelde. Hij kreunde, of misschien deed zij dat wel. De gevoelens die door haar heen raceten dreven hen maar tot één ding.

'Hé, jullie daar, hou op met dat geflikflooi en kom er nu uit!' Peta stond driftig op de oever te zwaaien. Sam kreunde nogmaals, maar maakte zijn greep losser. Koel water sijpelde tussen hen door en Demi hapte naar adem.

'Alles goed?' Sams stem was hees en enkele octaven lager dan zijn normale donkere, ietwat nasale stem.

'Nee, maar ik red het wel.'

'Kom op. Het is dringend!' riep Peta scherp.

'Dat mag het verdomme ook wel zijn.' Sam liet Demi los maar greep snel haar hand toen hij naar voren liep. Ze kon nog steeds niet bij de bodem, dus peddelde ze om haar hoofd boven water te houden.

'Ik meen het echt.' Peta zette haar handen in haar zij. 'Ik ben jullie al een uur aan het zoeken.' Demi kon eindelijk met haar voeten bij de modder en Sam liep door. Zelf bleef ze echter staan. Ze was naakt. Ze kon niet zomaar het water uit komen. Hij zou haar zien; Peta zou haar zien; Matt, als die zich nog steeds in het bos schuilhield, zou haar zien... Niet dat hij niet genoeg van haar had gezien. Ze zou hier blijven totdat ze weg waren.

Peta gaf geen krimp toen Sam druipend op de oever stapte.

'Wat is het noodgeval?' Hij klonk niet blij en Demi zag hoe Peta hem van top tot teen opnam. Ze wilde haar wel een klap verkopen, maar zijzelf deed precies hetzelfde.

'Demi's opa. Hij is met spoed naar het ziekenhuis gebracht en ze hebben haar geprobeerd te bereiken. Uiteindelijk hebben ze mij gebeld, Demi had mijn nummer opgegeven omdat ze bij mij logeert.'

Demi had op haar hurken door het water gelopen, maar schoot nu pijlsnel het water uit, schudde het water als een hond van zich af en schoot haar kleren zo snel aan als nooit tevoren.

Matt stapte uit het bos naar voren. 'Demi...'

'Goeie god, niet nu! Ik weet niet waarom je hier bent, maar ik moet nú naar mijn opa.' Ze wendde zich tot Peta. 'Breng me alsjeblieft naar hem toe.' Met z'n drieën renden ze het pad af, waarbij ze Matt gewoon lieten staan.

37

*H*et eerste wat Demi wilde was een douche, dan een glas wijn en daarna iets eten. Het was na negenen en ondanks haar honger wilde ze niets liever dan het aangekoekte zout van haar lijf spoelen. Ze kraakte bij elke stap die ze zette. Ze wilde niet stilstaan bij wat er in de kreek was gebeurd, maar haar huid tintelde bij de gedachte alleen al. De laatste tijd was alles uit de hand gelopen, wat niet verbazingwekkend was als ze bedacht hoe hard ze allemaal hadden gewerkt. Het was heel intens, en ongetwijfeld was dat de oorzaak geweest waardoor het vuurtje tussen haar en Sam zo was aangewakkerd. Maar meer ook niet.

Het belangrijkste was dat haar opa stabiel was en dat het wel goed met hem kwam. Hij was op zijn hoofd gevallen en had een hersenschudding. Zijn slechte heup en zijn arm waren gebroken, maar de dokter had haar ervan verzekerd dat alles in orde zou komen. Morgenochtend zou ze met hem kunnen praten.

Onder aan de trap bleef ze staan toen ze gesnik hoorde. Dat was Victoria toch zeker niet? In Demi's ogen was de vrouw bikkelhard, maar Sebastian was vanmiddag voor een vergadering naar Londen vertrokken, dus was alleen Victoria nog in huis. Demi liep stilletjes naar haar vaders werkkamer. De deur stond op een kier en ze zag Victoria gebogen over het bureau zitten. Het geluid van het gesnik ging dwars door Demi heen en de tranen sprongen haar in de ogen. Wat moest ze doen? Weglopen en Victoria alleen laten met haar verdriet of wat er ook aan de hand was?

Stapje voor stapje liep ze naar haar toe, half in de verwachting dat Victoria zou ophouden en haar zou zeggen weg te gaan, maar dat deed ze niet. Waarom was ze in hemelsnaam zo verdrietig? Zo veel had ze nou ook weer niet van Charles gehouden, dus moest het iets anders zijn. Ze stak een hand uit naar Victoria's schokkende schouder, maar trok hem weer terug. Ze hadden elkaar nooit aangeraakt, alleen om elkaar de hand te schudden. Maar Victoria's smart was bijna tastbaar... Ze sloeg haar armen om Victoria's schouders heen. Niemand zou in zijn eentje zo veel verdriet mogen hebben.

Demi wist niet hoe lang ze daar stond, haar vasthield, maar uiteindelijk nam het snikken af en haalde ze alleen nog diep adem. Victoria draaide zich naar haar toe, maar trok zich niet terug.

'Dank je wel,' wist ze tussen twee snikken uit te brengen.

Demi knikte. Ze had geen idee wat ze moest zeggen. Het liefst had ze gevraagd wat deze storm had veroorzaakt, maar uit Victoria's gezichtsuitdrukking maakte ze op dat er geen verklaring zou komen.

Victoria's ademhaling werd weer normaal en ze ging rechtop zitten. Demi stapte bij haar vandaan en rechtte haar stijve rug. Misschien moest ze de geplande douche maar verruilen voor een bad. Haar spieren hadden het grootste deel van de dag in de kramp gezeten.

'Je ziet er verschrikkelijk uit.' Victoria kneep haar ogen toe.

Demi's hand schoot uit naar haar haar. 'Het was nogal een rare dag.'

'Ik dacht dat je appels had geraapt?'

'Dat heb ik ook gedaan.' Ze bloosde. 'Maar ik werd weggeroepen omdat mijn grootvader zo akelig was gevallen.'

'Wat vervelend om te horen. Gaat het wel goed met hem?'

'Afgezien van een hersenschudding en een gebroken heup en arm gaat het prima met hem.'

'Interessante definitie van prima.'

'Op dit moment zit het leven een beetje zo in elkaar.'

'O ja?' Victoria trok haar linkerwenkbrauw op. 'Trouwens, vanochtend was hier een knappe jongeman die naar je op zoek was. Ik heb hem naar de boomgaarden gestuurd. Heeft hij je gevonden?'

Demi voelde hoe de kleur uit haar gezicht wegtrok. 'Ja.' Door alle zorgen om haar opa was ze Matt helemaal vergeten.

'Je ziet eruit alsof je een geest hebt gezien.'

Demi greep zich aan de rand van het bureau vast. Alles leek te dansen. 'Hij is veel erger dan een geest.'

Victoria stond op en liep naar het dienblad met drank. Ze schonk twee glazen cognac in en gaf er een aan Demi. 'Drink op. Het is een van de beste die je vader had.'

Demi hapte naar adem en Victoria verborg haar glimlach. Door die opmerking was er tenminste weer wat kleur op haar wangen gekomen.

'Nou, vertel me eens over die man en waarom je niet blij bent om hem te zien. Hij zag er respectabel genoeg uit, afgezien van zijn kleine oogjes.' Victoria rook aan haar glas, genietend van de tinteling die dat teweegbracht. 'Mannen met kleine oogjes heb ik nooit vertrouwd, hoewel ik er met een paar heb gevreeën, altijd teleurstellend.'

Demi wist niet waar ze kijken moest. Dit kon nog leuk worden, dacht Victoria, maar het was niet haar bedoeling om het meisje te kwellen. Haar liefhebbende aanraking had Victoria op het nippertje bij de afgrond vandaan getrokken. Ze had zich nog nooit zo in de put gevoeld; zelfs midden in alle vruchtbaarheidsbehandelingen had ze zich niet zo waardeloos gevoeld als toen ze Morwenna's brief had gevonden. Hoe kon ze met Charles hebben samengeleefd en toch zo weinig van hem hebben geweten? Ze nam een slokje van haar cognac. Haar verhouding met Adam was toch de oorzaak van zijn dood geweest, want door dat telefoontje was hij in actie gekomen.

Ze keek naar Demi. Hij was haar bijna verloren en was daar vrijwel aan onderdoor gegaan. De angst om Demi te verliezen, dat was wat hen uit elkaar had gedreven.

En nu was zijn dochter hier. Victoria kon het idee niet van zich afschudden dat hij had gewild dat ze zijn dochter leerde kennen. Hij had haar moeten opgeven voor haar veiligheid en voor zijn huwelijk, wat in hem te prijzen viel, ondanks het feit dat hij op een andere vrouw verliefd was geworden. Victoria tuurde naar de duisternis buiten. Wist ze eigenlijk wel wat liefde was?

'Victoria, ik vind het vervelend dat Matt hiernaartoe is gekomen.' Demi keek uit het raam alsof ze verwachtte hem daar te zien. Hier was meer aan de hand dan een botsing tussen twee geliefden.

'Wat is er tussen jullie gebeurd?'

'Ik...' Demi kneep haar ogen stijf dicht, deed ze weer open en keek haar inschattend aan.

'Moet je horen, Demi, ik ben niet de voor de hand liggende persoon bij wie je je hart uitstort, maar ik ben ook een vrouw, en eerlijk gezegd geloof ik niet dat ik ook maar in de verste verte zal schrikken van wat je gaat zeggen of hebt gedaan.' Ze glimlachte meesmuilend. 'Sterker nog, ik betwijfel of je ook maar iets hebt gedaan wat ik niet ook heb uitgeprobeerd.' Victoria voegde er stilletjes aan toe dat ze ook nog doodslag op de lijst kon zetten als ze Charles' dood meetelde... En dat deed ze, ook al zou ieder ander dat ontkennen als ze het hardop zou zeggen.

'Ik heb een punt achter de relatie met Matt gezet nadat ik hem had betrapt...' Demi wrong haar handen.

'Met een andere vrouw?'

'Nee, was dat maar waar.'

Victoria trok een wenkbrauw op. Ze had niet gedacht dat Demi in het kamp der triootjes thuishoorde.

'Nee, dat bedoel ik niet. Hij wilde steeds maar dat ik van alles deed waarbij ik me niet goed voelde, en ik moest telkens nee zeggen.'

'Oké, maar ik zie dat er een grote "maar" aan zit te komen.'

Demi knikte. 'Ik ben ook zo'n sukkel. Hij is knap, charmant en heeft een goede baan. In vergelijking met de meeste mannen die ik op school en op de universiteit had ontmoet, was hij een verademing.' Demi nam een slokje cognac en er kwam weer wat kleur in haar gezicht. Victoria moest toegeven dat het meisje beeldschoon was, maar ze had totaal geen zelfvertrouwen, en zelfvertrouwen was nou juist het meest sexy dat er was. Daardoor vielen mensen in een menigte op. Wanneer had Victoria zelfvertrouwen gekregen? Als het om haar lichaam ging, had zwemmen misschien geholpen, dat was een goed begin geweest.

'Hij hield zich in en ik dacht dat het goed ging tussen ons. Hij was heel lief toen mijn moeder stierf en heeft me bij alles geholpen wat er bij een overlijden komt kijken. Tot ik op een dag vroeg thuiskwam en hem betrapte...'

'Dat hij porno zat te kijken?'

'Ja, maar niet van andere mensen. Zonder dat ik het wist had hij ons gefilmd. Hij had me dronken gevoerd en me dingen laten doen die ik, nou ja, normaal gesproken nooit zou doen.' Demi kromp in de stoel ineen. 'En daar was het, levensgroot op dat enorme televisiescherm.'

'Wat een stomme ezel!' Victoria spuugde het woord uit. Ze kon zich Demi's pijn zo levendig voorstellen. 'Oké, als we zeker weten dat hij in de buurt is, bel ik de politie en laat ik hem arresteren voor het betreden van verboden terrein.'

Demi keek met een ruk op. 'Dank je wel, maar... misschien moet ik het dan uitleggen.'

'Dat is zo.' Victoria zuchtte. 'Heeft hij je gevonden?'

Demi liep donkerrood aan. 'Eh, ja, in zekere zin wel.' Ze keek weer uit het raam. Hier was meer aan de hand dan Demi losliet, maar omdat Demi er uitgeput uitzag en, bedacht Victoria met gefronste wenkbrauwen, nogal ziltig, zou ze er nu niet verder op doorgaan.

'Waarom spring je niet lekker onder de douche, terwijl ik intussen wat soep voor je warm maak?'

Demi stond langzaam op. 'Klinkt heerlijk.' Ze wreef over haar rug. 'Ik ben een beetje beurs van het appels rapen.'

'Kan ik me voorstellen. Neem dan een bad en kom beneden als je klaar bent.' Victoria keek haar na toen ze als een oude vrouw wegliep.

Demi aarzelde bij de keukendeur. Ze hoorde Victoria praten. Op dit tijdstip kon het niet anders dan met iemand aan de telefoon zijn, want ze had niemand het huis in horen komen. Demi had geen energie voor nog meer openhartige gesprekken. Ze kon al niet geloven dat ze dit aan Victoria had verteld. Hoe dan ook, in sommige opzichten was het goed geweest om te praten over wat er was gebeurd. Zijn obsessie was uit de hand gelopen. Ze betwijfelde of het feit dat hij had gezien dat ze samen met Sam in de kreek was geweest, iets had uitgehaald, zijn verlangen was er waarschijnlijk alleen maar door aangewakkerd. Ze wilde niet stilstaan bij wat dit alles met haar verlangens deed, behalve dan dat hun relatie er ongemakkelijk door zou worden. Als hartstocht zo voelde, dan was ze die al die jaren ernstig tekortgekomen.

'Bedankt, Seb. Zie je morgen. Ik haal je op uit Falmouth.'

Demi maakte van de gelegenheid gebruik om naar binnen te lopen en bedacht hoe fijn het zou zijn als Sebastian terug was. Hij hield bij alles het hoofd koel en ze kon zijn hulp best gebruiken. Nee, niet waar, want hulp betekende dat hij het moest weten en dat kon ze niet verdragen.

'Je ziet er beter uit.' Victoria glimlachte. 'Heb je zin in een glas wijn?'

Demi knikte, maar bedacht zich toen. 'Misschien beter van niet, na die cognac van daarstraks.'

'Niet onverstandig.' Victoria schonk zichzelf wel een glas wijn in en ging tegenover de plek zitten waar ze voor Demi had gedekt. Stoom kringelde van de kom omhoog en Demi ging zitten, dankbaar dat iemand anders voor het eten had gezorgd. Ze nam een stukje knapperig brood en doopte dat in de tomatensoep. Die had Victoria vandaag zeker gemaakt van de enorme hoeveelheid tomaten uit de moestuin. Het was een van de dingen op Boscawen waarvan Demi het meest genoot; hoe fantastisch het was dat je je eten zo uit de tuin kon plukken. Ze had nooit gedacht dat een stadsmeisje als zij het heerlijk zou vinden om haar handen vuil te maken aan planten.

'Heerlijk, Victoria, dank je wel.'

Victoria glimlachte over de rand van haar glas. 'Wat was je moeder voor iemand?'

Demi sperde haar ogen open. Dat was wel de laatste vraag die ze van Victoria had verwacht. 'Op die vraag heb ik niet een, twee, drie een antwoord.' Demi doopte nog een stukje brood in de soep. 'Ze wist wat ze wilde, en ze was lief.' Demi glimlachte. 'Ze was mijn beste vriendin, maar wilde me te veel beschermen.'

'Wat bedoel je?'

'Nou, ik was bijna zestien voordat ik in mijn eentje naar school mocht en ze wilde altijd per se dat ik met een grote groep naar huis liep.' Demi stopte een vochtige lok haar achter haar oor. 'Destijds stond ik er niet zo bij stil, maar nu ik erop terugkijk, mochten bijna al mijn vriendinnen dat al vanaf hun twaalfde.' Demi keek op van haar soep. 'Ze maakte er nooit een toestand van, maar wist altijd een reden te vinden om bij me in de buurt te zijn.'

'Klinkt best logisch.'

Demi fronste haar wenkbrauwen.

'Ik heb een brief gevonden, van je moeder aan Charles,' legde Victoria uit.

Dus daar kwam dat snikken vandaan. Demi blies in haar soep en keek hoe de rimpelingen naar de zijkant werden geduwd.

'Was je oud genoeg om je hem te herinneren?'

'Ik kon me helemaal niets van hem herinneren. Ik was verbijsterd toen mijn grootvader de foto's aan me liet zien. Het lijkt wel alsof er een zwart gat in mijn geheugen zit.'

'Hmm.'

Demi keek Victoria schuin aan. 'Wat weet jij dat ik niet weet?'

'Heel wat, stel ik me zo voor.' Victoria trok een wenkbrauw op en nam een slokje wijn.

'Je zult wel gelijk hebben.' Demi lachte. Victoria kon iets ondeugends over zich krijgen en dat vond ze wel leuk.

'Maar even serieus, ik heb iets gelezen.' Victoria streek met haar vinger over de rand van haar glas en keek op. 'Dat ging over jou en het baarde me zorgen... De scheiding tussen je moeder en Charles. Ik vroeg me af in hoeverre dat op jou van invloed is geweest.'

'Voor zover ik me kan herinneren heb ik een normale jeugd gehad, met een alleenstaande moeder die me overdreven beschermde.'

'Ik begrijp het.'

'Wat begrijp je?' Demi kneep haar ogen toe.

'Het lijkt me beter dat je dit leest.' Victoria gaf haar een vel papier. 'Maar voordat je dat doet, moet je weten dat ik hem tussen heel veel krantenknipsels heb gevonden. Ik denk niet dat je het je kunt herinneren, maar er was toen een afschuwelijke ontvoering aan de gang, van de jonge dochter van een rijke man, een zakenrelatie van je vader. Ik kende hem niet persoonlijk. Maar het is niet goed afgelopen.'

Demi keek naar het vel papier.

Liefste Charlie,

Je engeltje ligt lekker te slapen na een zoveelste afschuwelijke nachtmerrie. Sinds ons bezoek aan mijn ouders zijn ze erger geworden. Ik had gedacht dat het zou helpen als we in Cornwall waren, maar ze leek wel een heel ander kind, nukkig en teruggetrokken. Sindsdien zijn haar nachtmerries doodeng geworden en ik ga met haar naar een psycholoog die ook hypnose toepast.
Ik doe alles wat in mijn macht ligt om mijn Demi te helpen.
Ik kan niet meer slapen. Ik moet er steeds maar weer aan denken dat we haar bijna kwijt waren, en het enige wat ik voel is schuld. Ze was niet bij ons omdat ik een poosje met jou alleen wilde zijn. Dat was zelfzuchtig van me en daardoor ben ik bijna mijn kind kwijtgeraakt. En dan te bedenken dat we nog bij John Samson, Vanessa en die arme Abigail waren op de dag voordat ze werd ontvoerd. Een dag later was het misschien Demi geweest die was ontvoerd.
Ik hou zo veel van je, maar hoe meer ik erover nadenk hoe zeker-

der ik weet dat we zo niet kunnen doorgaan. Ik respecteer je be-
slissing dat je Victoria niet wilt verlaten. Ik begrijp wat ze alle-
maal voor je heeft betekend en wat je met haar hebt doorge-
maakt. Dus dat zal ik niet van je vragen.

Demi keek Victoria aan. Wat hadden zij en Charles dan doorge-
maakt?

Ik wenste dat ik kon zeggen dat dit een edelmoedige houding van
me is, maar ik doe dit alleen maar om Demi te beschermen. De
kranten staan vol van de ontvoering van John Samsons dochter,
en als mensen te weten komen dat Demi van jou is, loopt ze een
risico... Jij bent immers nog rijker dan hij. Ik weet dat we discreet
zijn geweest, maar sinds ze zo ziek is geweest word ik achtervolgd
door de gedachte haar te moeten verliezen.

Demi haalde diep adem. Nu wist ze het. 'Victoria, wat is er met dat
meisje gebeurd?'

'Het was verschrikkelijk. Ik zat toen in Rome en zelfs de Italiaanse
kranten stonden er vol mee.' Victoria huiverde. 'Het losgeld werd betaald, maar het kind is toch vermoord.'

'O.' Demi slikte. Haar moeder moest buiten zichzelf van angst zijn
geweest. Het verklaarde zo veel, alleen wenste Demi dat Morwenna
haar de waarheid had verteld. Maar misschien was het voor haar
moeder te pijnlijk, zelfs na zo veel tijd nog.

'Waar is het gebeurd?'

'Helaas niet ver hiervandaan. Het kind was met een kindermeisje
op het strand en ze werden beiden meegenomen.'

'Hebben ze de daders gepakt? Wat is er met het kindermeisje gebeurd?'

'Volkomen ingestort. Uiteindelijk hebben ze de ontvoerders in de
kraag gevat.'

Charlie, ik hou met heel mijn hart van je en zal dat altijd doen. Ik weet dat het je dood wordt als ik Demi van je afneem, maar het is voor haar bestwil en ik weet dat jij alles voor haar overhebt. Dus ik verzoek je om nooit meer contact met ons op te nemen. Haar zal ik vertellen dat je bent overleden. Dat is de veiligste manier en er zullen geen vragen komen.

Ik wil dat je al je liefde aan Victoria schenkt en je rijkdom deelt om anderen te helpen. Ik weet dat je dat nu al doet, maar je kunt vast nog meer doen. Als je dat doet, weet ik dat je aan Demi en mij denkt.

Vaarwel, liefste lieveling van me. Probeer me niet op andere gedachten te brengen. Als je van ons houdt, en ik weet dat je dat doet, moet je ons loslaten.

Wenna xxxx

Victoria pakte een glas, vulde het en gaf het aan Demi. Ze legde een hand op haar schouder. 'Ik vind het zo erg.'

'Waarom?' Demi draaide zich naar haar toe.

'Om van alles en nog wat, maar vooral vanwege je jeugd. Charles en ik hadden moeten scheiden.' Ze ging weer zitten. 'Charles was van de oude stempel en leefde naar het principe dat je de gevolgen moet dragen van de keuzes die je maakt. Victoria zuchtte. 'Je moeders brief heeft me laten zien hoeveel die regel hem, jou en mij heeft gekost.'

'Hij hield van je.' Dat wist Demi wel, maar eigenlijk niet waarom.

'In zekere zin, maar niet zoals hij van jou en je moeder hield.' Victoria slikte. 'Hij was al heel succesvol, ik was van goede komaf en had de connecties waardoor ik een goede partij voor hem was. Maar ik kon hem niet het gezin geven waar hij zo wanhopig naar verlangde.' Ze nam een slokje wijn. 'Uiteindelijk zaten we beiden met een onvervuld verlangen, maar op een verschillende manier. Charles vond ten slotte je moeder, en ik... Nou ja, ik nam wat me werd aangeboden.' Ze vertrok haar mond in een scheef glimlachje. 'Het interessante is dat we geen van beiden wisten dat we elkaar ontrouw waren.' Ze lachte droogjes. 'Ik dacht niet dat hij het in zich had, maar ik was er ook niet mee bezig. Ik ging volkomen in mezelf op en leidde lange tijd min of meer een eigen leven, en hij had een soort ideaalbeeld van mij.'

'Maar je bleef wel bij hem.'

'Ja, dat klopt. Ik zag geen alternatief en nou ja, eerlijk gezegd kon ik door Charles' geld het enige krijgen wat ik werkelijk wilde: Boscawen.'

'O.' Demi keek naar de dikke balken van het keukenplafond. Het was prachtig, maar was het 't allemaal waard wat Victoria ervoor had opgegeven?

'Het betekent voor mij heel wat meer dan enkel baksteen en specie. Het was mijn erfgoed, mijn ziel. Ik kan niet uitleggen hoe ik met deze plek verbonden ben, maar ik ben de laatste in de bloedlijn van mensen die het met bloed, zweet en tranen hebben opgebouwd.'

'Een Tregan.'

'Hoe weet je dat?' Victoria fronste haar voorhoofd.

'Dat heeft Sam me verteld.' Demi nipte van haar wijn en vermeed Victoria's blik. 'Dus ik begrijp wel wat je bedoelt.'

'Volgens mij niet, maar als ik zeg dat het zoiets is als het weer tot leven wekken van de mensen die dit gebouwd hebben, snap je het dan beter?'

'Iets.'

'Charles begreep wat Boscawen voor me betekende.'

'Hield je van hem?'

'Ja, in zekere zin wel.'

Demi trok haar neus op. Hield je wel of niet van iemand? De telefoon ging en Victoria keek op de klok aan de muur. Het was elf uur. Met gefronste wenkbrauwen nam ze op.

'O, hoi Sam. Ja, ze is hier en ze is oké.' Victoria glimlachte naar Demi en de moed zonk haar in de schoenen. Sam. Wat moest ze in godsnaam tegen hem zeggen? Victoria gaf haar de telefoon.

'Hoi.' Zijn stem reisde via haar oor langs haar hele ruggengraat. 'Ik wou even weten hoe het met je is en ben benieuwd hoe het met je grootvader gaat.'

'Naar omstandigheden goed. Wat lief dat je ernaar vraagt.'

'Hoe gaat het met jou?'

Met die woorden leek hij zo veel meer te willen weten, net zoiets als het spervuur aan vragen dat Peta op weg naar het ziekenhuis op haar had afgevuurd. 'Moe, maar oké, hoor.'

'Zie je morgen.'

'Ja. Dag, en bedankt.' Demi legde de telefoon neer en zag dat Victoria naar haar keek.

'Je moet slapen. We kunnen morgen verder praten.'

Demi knikte en ging afruimen. Ze had zo veel om over na te denken.

'Laat dat maar. Dat kan ik tenminste nog doen, want verder blijft er weinig voor me over.' Victoria glimlachte meesmuilend.

Demi onderdrukte een gaap.

'Trouwens, ik ga er toch maar mee door.'

'Dat is geweldig.' Demi grinnikte. 'Sam zei al dat je dat zou doen.'

'O ja?'

'Ja, omdat je een Tregan bent, zei hij, en de Tregans zorgen voor Boscawen.'

'Wat ontzettend interessant.' Een trage glimlach verspreidde zich over Victoria's gezicht.

'Welterusten.' Demi gaapte nogmaals terwijl ze naar boven liep en bedacht dat dit wel eens de gekste dag kon zijn geweest die ze ooit had meegemaakt. Maar die had wel opgeleverd dat het laatste puzzelstukje op zijn plaats was gevallen. Haar vader had geen contact gezocht omdat hij werkelijk heel veel van haar hield. Het was bijna te veel om te kunnen bevatten.

38

*V*ictoria glimlachte toen Seb naar de auto liep. Hij was naar de kapper geweest en zag er flamboyant uit. Hij schoof op de passagiersstoel, boog zich naar haar toe en kuste haar op de wang. 'Je ziet er goed uit. Voor het eerst weer achter het stuur?'

Ze knikte. Dat was wel het laatste waar ze zich zorgen over maakte. 'Ik heb Morwenna's brief gevonden.'

Hij fronste zijn wenkbrauwen 'Met mij gaat het ook goed. Lief van je dat je het vraagt.'

'Hoe is het gegaan?' Victoria keek in de achteruitkijkspiegel voordat ze van de parkeerplaats wegreed.

'Doordat Morwenna dacht dat Demi door hun relatie gevaar liep, heeft Charles nooit meer rechtstreeks contact met hen gezocht.'

Victoria wierp Seb een blik toe. Hij keek geconcentreerd naar een plek ergens in de verte. 'Hebben ze elkaar niet eens meer gesproken?'

'Nooit meer. Ze hadden het idee dat elk contact, welk contact ook, Demi in gevaar zou brengen.'

'Ik snap het.'

Seb legde een hand op de hare. 'Is ze thuis?'

'Nee. Ze is bij haar opa in het ziekenhuis. Hij is vanmorgen geopereerd.' Ze viel even stil. 'Hoe kon hij er nou een verhouding op na houden zonder dat ik er iets van wist?'

Sebastian lachte. 'Ik zou zeggen dat ze heel discreet waren... maar ik kan ook zeggen dat jij niet bepaald oplettend was.' Hij schraapte zijn keel. 'Jij was met je aandacht ergens anders.'

Victoria nam een bocht en zag de pub verderop. 'Lunch?'

'Goed idee.' Hij glimlachte en Victoria reed de parkeerplaats op. Het was jaren geleden dat ze hier was geweest, maar wat maakte het uit. Een keer moest ze weer onder de mensen komen, ook al had ze daar geen zin in. Ze keek omlaag naar haar boezem. De bh die ze droeg suggereerde dat er iets zat, ook al wist ze dat dat niet zo was. Ze had erover gedacht hem niet aan te trekken, maar dan zouden mensen er pas echt naar gaan kijken. Ze onderdrukte de lach die in haar opwelde. Ooit wilde ze maar al te graag dat ze ernaar keken, en nu wilde ze onzichtbaar zijn. Ze zou aan heel wat dingen moeten wennen, want Boscawen was geen besloten klooster, integendeel, het zou een boetiekhotel worden. Het was echt het beste dat ze hier met Seb aan haar zijde voor het eerst in het openbaar verscheen.

Het was druk in de pub, maar ze wisten een tafel te bemachtigen. 'Tori, wat zal ik voor je halen? Ik wil met alle liefde het laatste stuk naar Boscawen rijden, hoor.'

'De hele drie kilometer?' Ze grijnsde. 'Geef mij maar een koppige rode wijn met de jachtschotel die ik tussen de specials op het bord heb zien staan.'

'Wat jij wilt.'

Ze nestelde zich in de stoel en bedacht dat ze vandaag niet veel meer aankon. Ze was al uitgeput door het ritje op en neer naar Falmouth. De noordenwind trok aan en het liefst wilde ze na terugkomst in de woonkamer een vuur aansteken en zich met een goed boek op de bank nestelen. Zolang ze kon moest ze ervan genieten dat ze Boscawen nog voor zichzelf had. Volgend voorjaar zou ze met Demi naar de personeelsverblijven op de bovenverdieping verhuizen.

'Victoria.'

Bij het horen van Adams stem draaide ze zich met een ruk om.

'Blijf maar zitten, hoor.' Hij bukte zich en kuste haar op de wang. 'Je ziet er goed uit.

Ze bekeek hem nauwlettend. Hij was een lieve jongen en door de kus die hij haar net gaf leek het wel alsof ze zijn ongetrouwde tante was. Wat kunnen de dingen toch snel veranderen, dacht ze. De laatste kus die ze hadden gewisseld, was vol hartstocht geweest. Ze merkte de vrouw op die bij de deur stond. Ja, de wereld was werkelijk doorgegaan.

'Het gaat ook goed.' Ze legde een hand over de zijne en keek hem recht aan. 'En zo te zien met jou ook. Laat die mooie jonge vrouw maar niet wachten.'

'Bedankt, Victoria.'

'Met alle plezier.'

Hij grinnikte. 'Dat plezier was helemaal wederzijds.'

Ze lachte en keek hem na toen hij wegliep terwijl Sebastian met de wijn terugkwam.

'Was dat niet je minnaar?'

'Was, dat is het sleutelwoord.' Ze hief het glas naar Seb. 'Die tijd is voorbij.'

'Verdrietig?'

Ze nam een slokje wijn. Was ze verdrietig? 'In zekere zin wel, maar in andere opzichten ook weer niet.'

'Je wordt volwassen.'

'Wat zeg je dat vergenoegd.' Ze trok een mondhoek op.

'Zal ik voortaan niet meer doen.'

'Goed dan, vertel me nu maar over die instructies die wijlen mijn echtgenoot en jouw beste vriend voor je heeft achtergelaten.' Ze keek over de rand van haar glas.

'Hmm, beroepsgeheim.'

'Genoeg van die onzin. Ik ken Charles en hij was iemand die alles van tevoren plande. Waarom heeft hij Demi en mij met elkaar opgezadeld?'

'Ik zou denken dat dat inmiddels wel duidelijk was.'

Ze walste de wijn in haar glas. 'Nee.'

Seb streek met zijn vingers over het heft van het mes en Victoria glimlachte. Ze was altijd dol op zijn handen geweest. Hij keek op en ving haar blik. 'Zodra Morwenna was overleden wilde hij je over Demi vertellen.'

Ze leunde naar achteren en sloeg haar armen over elkaar. Ze miste het gevoel van wat daar ooit had gezeten. 'Hij heeft inderdaad zoiets gezegd, dat hij met me wilde praten, maar we zijn er nooit aan toegekomen.'

'Nou, hij besefte dat hij eerst met Demi wilde – moest – praten. Hij wist dat zij dacht dat hij dood was.' Hij zweeg terwijl het eten werd gebracht.

'Dat begrijp ik wel. Maar wat zie ik dan over het hoofd?'

Seb haalde zijn schouders op. 'Ik kan het niet verklaren, maar volgens mij wist Charles dat hem iets zou overkomen. Toen zij dood was, verloor hij de moed.'

Victoria trok bleek weg. 'Seb, wanneer heeft Charles die instructies voor je achtergelaten?'

'Ze lagen bij de post toen ik naar Londen terugging.'

'Welke datum stond er op het poststempel?'

'Waarom vraag je dat?' Hij legde zijn vork neer.

'Ik moet het weten, Seb.'

'Hij heeft ze denk ik op de bus gedaan voordat hij naar Cornwall terugreed, want de brief was op zaterdag afgestempeld.'

Victoria schoof de jachtschotel weg en nam een grote slok wijn. 'Wil je me vertellen wat erin stond... alsjeblieft?'

'Tori...'

'Zég het me.' Ze sloeg haar handen op tafel ineen.

Hij zuchtte. 'Ik mag je niet alles vertellen.'

'Vertel me dan wat wel mag. Vertel me over Demi.' Maar Victoria wist het al.

'Hij wilde jullie tweeën met elkaar in contact brengen. Hij gunde jou zijn kind, het enige wat hij je nooit heeft kunnen geven.'

Victoria zonk in haar stoel terug. Ze kon amper ademhalen. Nadat hij had moeten aanhoren dat zijn vrouw haar minnaar in haar bed ontving, was hij niet op wraak uit geweest, maar had hij vergiffenis gezocht.

Proberen Sam te ontlopen was geen optie en het was ook geen oplossing voor haar gêne over hun zwempartijtje. Hij was een van haar zakenpartners en ze zou hem elke dag zien. Ze moest er maar mee zien om te gaan. Toen ze naar de ciderschuur liep, hoopte ze dat hij alleen was. Als Rachel er was, zou ze moeten wachten. Ook al was ze nog zo lief, ze hoefde niet te horen wat Demi te zeggen had, hoewel Demi zelf eigenlijk niet wist wát ze wilde zeggen.

De plafondlampen werden gereflecteerd door de glanzende oppervlakken. De machines verwerkten op dit moment alle afgewaaide appels terwijl de bomen zelf nog altijd tjokvol hingen. Appels van de landgoederen uit de buurt lagen in de opslagruimte en in de lucht hing hun zoete maar indringende geur.

'Sam?' Demi liep verder naar binnen maar zag hem niet. Zijn fourwheeldrive stond buiten, dus hij moest in de buurt zijn. Ze draaide zich om om weer naar buiten te gaan toen ze een kuchje hoorde. Nog voor ze zich helemaal had omgedraaid, zag ze vanuit haar ooghoek Matt staan.

'Matt, wat doe jij verdomme hier?' Ze zette haar handen in haar zij zodat ze niet gingen beven.

'Jij. Ik moest je zien.' Hij stond iets gebogen, had zijn handen ineengeslagen en zag er schuldbewust uit. 'Je hebt me geblokkeerd – dat is toch zo, hè? – en ik maakte me zorgen om je.'

Demi fronste haar wenkbrauwen. 'Met mij gaat het prima, dank je.'

'Dat zag ik gisteren, ja. Je hebt er geen gras over laten groeien.'

Ze slaakte een lange zucht. 'Klopt.' Ze wilde niet denken aan wat er gisteren met Sam was gebeurd. Daar was dit niet het moment voor. Ze moest Matt zien te overtuigen dat hij haar los moest laten. 'Matt, ik heb je nu vaak genoeg gezegd dat het voorbij is tussen ons, afgelopen.'

Hij deed een stap in haar richting en Demi deinsde achteruit.

Ze voelde de bries achter zich. Ze zat niet in de val, maar het laatste wat ze wilde was alleen zijn met Matt.

'Ik mis je zo erg.' Hij stak een hand naar haar uit. 'En ik wil zeggen dat het me spijt.' Hij stond nog maar een meter bij haar vandaan. Ze kon zijn aftershave ruiken. Met die geur associeerde ze te veel akelige herinneringen.

'Dank je.'

'Kom alsjeblieft bij me terug, Demi. Ik hou van je.' Met een hand omvatte hij haar kin en ze deed haar best niet ineen te krimpen.

'Maar ik hou niet van jou. Het is voorbij.'

Hij streelde haar wang met zijn duim en haar maag draaide zich om van walging.

'We hadden het zo goed samen...'

'Nee, dat hadden we helemaal niet. Ik had totaal geen zin in wat jij wilde.' Ze deed een stap bij hem vandaan. Nu was niet het moment om verkeerde signalen uit te zenden. 'Je kunt maar beter weggaan.'

'Je snapt het niet, hè?' Hij tilde zijn telefoon op en maakte een foto van haar.

'Het is afgelopen.' Knarsetandend beheerste ze haar woede. 'Wis die foto van me.'

'Natuurlijk.' Ze keek toe toen hij dat deed. Daarna wilde hij haar in zijn armen trekken, maar ze duwde hem weg.

'Ik meen het. Ga weg, Matt. Vertrek en zoek een meisje dat wel graag doet wat jij wilt, want ik vond er niks aan en dat is altijd zo geweest.'

'Vroeger was je nooit zo.'

'Misschien niet, maar ik ben volwassen geworden. Verdwijn.'

'Eén fotootje maar, omwille van de goeie ouwe tijd.'

'Nee. Voorbij. Uit, Matt.' Ze balde haar vuisten.

Hij sperde zijn ogen wijd open. 'Meen je het echt?'

'Ja.'

Hij liet zijn hoofd hangen. 'Als je van gedachten verandert...'

'Dat doe ik niet.'

'Oké dan.' Hij liep de schuur uit en ze bad dat dit het laatste was wat ze ooit van Matt te zien of te horen zou krijgen. Ze stond te trillen op haar benen en liet zich op de vloer zakken, en op dat moment kwam Sam binnen.

Hij hielp haar overeind. 'Gaat het wel?'

'Ja.' Eindelijk was ze bevrijd van Matt.

'Wie was dat?'

'Mijn ex.' Ze glimlachte. 'En nu echt mijn ex.'

'Dus je bent vrij voor een nieuwe relatie?' Hij deed een stap dichter naar haar toe.

'Zou zomaar kunnen.'

Hij trok haar in zijn armen. 'Ben ik even blij dat te horen.' Hij streek met zijn duim over haar onderlip. 'Zullen we ons door Men an Skawenn wurmen?'

'Is dat een omzichtig huwelijksaanzoek zodat uitgerekend deze Tregan zich op die manier Boscawen kan toe-eigenen?' Demi deed haar best serieus te blijven en fronste haar wenkbrauwen.

'Hmm.' Hij kuste haar langzaam. 'Misschien wel, of misschien wil ik je gewoon weer uit de kleren hebben.'

Demi lachte. Ze hield van Cornwall en ze hield van Sam.

39

*V*ictoria wreef over haar nek. Ze was weliswaar gewaarschuwd dat je uitgeput raakte van een chemokuur, maar ze had niet gedacht dat het zo lang zou duren, dat ze zich zo uitgewrongen zou voelen. Ze leunde met haar hoofd tegen het raam en deed haar ogen dicht. Ze moest weer op krachten zien te komen. Zo had niemand iets aan haar en zij ook niet aan zichzelf. Ze pakte de zwart-witfoto van de toilettafel. Waarom had ze het niet eerder gezien? Met een vinger streek ze over de foto. Dit was altijd haar lievelingsfoto geweest. Samen lachend op zijn eenentwintigste verjaardag. Ze was getrouwd, maar nog steeds gelukkig. Ze nam de foto mee naar beneden de tuin in, waar Sam een van de jonge jongens voordeed hoe hij de pruimenbomen langs de muur moest snoeien.

'Sam, heb je even?'

Hij draaide zich om en glimlachte. Het was er altijd geweest, in die glimlach en in zijn ogen. Hij had Julia's ogen. Wat dat over haar zei toen ze hem probeerde te verleiden, beviel haar niet. Goddank had een van hen de waarheid geweten. Ze ging op de bank naast de keukendeur zitten.

'Je ziet eruit als een kat die van de room heeft gesnoept,' zei Sam glimlachend.

Ze gaf hem de foto. 'Waarom heb je niks gezegd? Je wist natuurlijk dat ik er geen flauw benul van had.'

Hij bekeek de foto zei: 'Ik vond het niet relevant.'

Ze trok haar wenkbrauwen op. 'Hoezo niet relevant? Je bent een Tregan. Dit was je vaders huis.'

'Was, daar heb je het mee gezegd.' Hij gaf de foto aan haar terug. 'Mijn moeder heeft het verkocht.'

'Waarom ben je hierheen gekomen?'

'Volgens mij verlangen we er allemaal naar om wat over ons verleden te weten.'

'Klopt.' Ze keek aandachtig naar zijn profiel. 'Wanneer ontdekte je dat Boscawen tot jouw verleden behoorde?'

'Drie jaar geleden, toen mijn moeder het in *Country Life* zag staan. Ze vond het schandalig wat ze er toen voor had gekregen en voor welk bedrag het nu te koop stond.' Hij schudde zijn hoofd. 'Ze heeft me alles verteld, dat ze het had verkocht omdat ze voor mij moest zorgen.'

'Ik ben haar een enorm excuus verschuldigd.'

Sam lachte. 'Dat denk ik eigenlijk ook wel, ja, maar ze zei dat ze nog maar twaalf weken zwanger was, dus niemand wist het, behalve mijn vader, en zijzelf uiteraard.' Hij stond op. 'Hoe ben je erachter gekomen?'

Ze grijnsde. 'Demi heeft het me verteld.'

'O ja?' Hij keek haar schuin aan.

'Nou ja, niet rechtstreeks.'

'Hoe dan wel?'

'Ze zei: "Sam zegt dat je een Tregan bent en de Tregans zorgen voor Boscawen." Dus vertel me eens, Sam Tregan, ben je dat inderdaad aan het doen?'

'De naam is Andrew Samuel Tregan Stuart.'

'Andrew, naar mijn vader?'

'Ja, en Samuel naar mijn moeders vader. En ja, dat doe ik hier inderdaad.'

'Dank je wel.' Victoria stond op en kuste hem op de wang. Zij was dus toch niet de laatste Tregan van Boscawen.

Victoria kwam aan bij de kade. Het was te warm voor begin oktober en de lucht was roerloos. Ze rolde haar spijkerbroek op, ging op de rand zitten en stak haar voeten in de rivier. Ze wilde dolgraag zwemmen. Daarmee zou ze weer krachten opbouwen, maar haar badpak paste niet meer – uiteraard niet – en ze wilde nu niet in haar nakie zwemmen. Die pret was voorbij. Ach, dat de helden moesten vallen. Ze lachte triest. Zij, die voor iedereen in haar nakie was gaan staan, kon het nu niet verdragen om naar haar eigen lijf te kijken. Het zat vol littekens, als een schatveld waar ze juwelen uit hadden opgegraven. BRCA1. Jullie worden bedankt, genen. Ze was nu een 'het'. Alle delen die met haar sekse te maken hadden, waren weggehaald om haar leven te redden, maar was dat leven nog wel de moeite waard? De dokter had gezegd dat ze na acht weken weer seks mocht hebben, maar dat kon hij natuurlijk niet menen. Wie wilde nu nog seks met haar hebben, tenzij ze ervoor betaalde? En ze had het geld niet eens. Al haar geld zat vast in de ontwikkeling van Boscawen.

'Hoi.' Sebastian kwam naast haar zitten.

'Ik ben blij dat je weer wijn hebt meegenomen.' Ze glimlachte.

'Jammer dat je niet aan het zwemmen bent.'

Ze lachte. 'Ik heb geen badpak.'

'Dat heeft je er vroeger nooit van weerhouden.'

'Maar nu wel.'

'Waarom?'

'Je maakt een grapje, zeker?' Ze schudde haar hoofd.

'Nee.'

'Ik wil niet dat iemand mijn gehavende lichaam ziet. Ik zou hem de stuipen op het lijf jagen.' Haar stem trilde.

'Tori, je bent een prachtige vrouw.' Hij keek haar in de ogen en ze wendde zich van hem af.

'Was.'

'Nee, dat ben je nog steeds. Je bent nog even mooi als altijd.'

'God, je zit er zo naast.' De waterlanders kwamen tevoorschijn. Ze veegde ze met haar knokkels weg.

Seb nam haar gezicht in zijn handen en veegde met zijn duimen nog meer tranen weg. 'Ik zit er niet naast. Tori, je bent nog steeds jij, met al je passie en intelligentie. Wat jou mooi maakt is niet veranderd.'

Ze wilde haar hoofd schudden, maar zijn handen hielden het tegen. 'Wie wil me nou nog?'

'Ik.'

'Welnee.' Ze schudde zijn handen van zich af en draaide zich naar de rivier toe.

'Ik heb je altijd gewild. En dat is nog steeds zo.'

Victoria beet in haar onderlip, in een poging een andere pijn te veroorzaken. Dat lukte niet. 'Geloof me, Sebastian, je wilt me nu echt niet meer.' Ze keek hem aan en zag het verlangen in zijn blik. Nee, dat klopte vast niet, ze beeldde het zich maar in.

'O, maar dat doe ik wel.' Hij streek met zijn duim over haar jukbeen.

'Sebastian, ik ben niet eens meer een vrouw.'

'Dat ben je wel.'

'Nee. Waar ooit mijn borsten waren, zitten nu littekens. Over mijn buik loopt een streep die de plek aanwijst waar ooit mijn onvruchtbare baarmoeder heeft gezeten. Ik ben een lege huls, waardeloos.'

'Nee, je bent slim, grappig en o zo mooi.'

Ze schudde haar hoofd. Hij snapte er niets van. Vandaag droeg ze die waardeloze bh niet. Ze maakte haar blouse open en schoof de stof opzij, waardoor het littekenweefsel te zien was op de plek waar haar rechterborst had gezeten. Ze keek naar zijn gezicht en wachtte tot ze daar afkeer op zou zien.

Hij stak een hand uit en streelde de littekens, daarna boog hij zich naar haar toe en kuste haar. 'Het ging me nooit om je borsten en of je kinderen kon krijgen of niet, Tori. Ik was en ben verliefd op je, dat ben ik altijd geweest.'

'Nee, dat kan niet. Je kunt geen seks willen met een lege huls vol littekens.'

'Het ging nooit om de seks.' Hij wachtte even en schonk haar een scheef glimlachje. 'Nu lieg ik, op mijn twintigste draaide alles om seks, maar ook om juist geen seks hebben.'

'Zie je wel.'

'Nee, ik zie het niet. Als ik naar je kijk, zie ik de vrouw van wie ik hou, niet de littekens die je vanbinnen en vanbuiten meedraagt.'

Victoria slikte. 'Je kunt niet meer van me houden, Seb. Je verdient beter.'

'Ik wil jou en heb nooit iemand anders gewild dan jou.'

'Je had me jaren geleden al kunnen hebben.' Ze bloosde bij de herinnering aan de keer dat ze hem wilde verleiden, eerder uit woede dan uit liefde.

'Ik had je toen kunnen krijgen, maar ik wilde geen genoegen nemen met slechts een deel van je.'

'Maar nu krijg je ook niet meer dan dat.'

'Wel hoor, ik krijg je helemaal. Je bent geopereerd. Maar je bent er niets minder om.'

'Ik...' Victoria kon niets uitbrengen. Sebastian plantte zijn mond op die van haar. Herinneringen en nieuwe emoties stroomden door haar heen. Zijn kus was teder, maar vlak daaronder voelde ze zijn hartstocht. Hier hadden ze elkaar voor het eerst gekust.

Hij fluisterde tegen haar mond: 'Ik hou van je.'

'Dat kan niet.' Ze trok zich terug. Dit was verkeerd. Hij mocht niet van haar houden. Ze keek in zijn ogen en die vertelden haar wat zijn woorden en lippen al eerder hadden verteld. 'Nee, Seb, nee.'

'Ja, Tori, ja. Dat is echt zo.'

Victoria wendde zich af en stond op. Ze verdiende zijn liefde niet. Ze was een kreng, en nu ook nog een beschadigd kreng.

Hij stond op en pakte haar hand. 'Kijk me aan.' Ze keek naar zijn handen, die hij om de hare vouwde. Ze had van deze handen gedroomd, dat ze er oud mee zou worden, maar dan wel na een lang, vruchtbaar leven samen.

'Kijk me aan.'

Langzaam sloeg ze haar blik op en ontmoette die van hem.

'Ik hou van je, Victoria Rose. Ik heb altijd van je gehouden en dat zal ik altijd blijven doen. Ik heb jaren gewacht om je ten huwelijk te kunnen vragen.'

'Nee.' Victoria sloeg haar vrije hand voor haar mond toen Seb zich op één knie liet zakken.

'Trouw met me en maak me de gelukkigste man op aarde. Alsjeblieft?'

Dat alsjeblieft deed haar de das om. Hoe gênant ze het ook vond, de tranen stroomden over haar wangen.

'Ik heb lang op een antwoord moeten wachten, heel lang zelfs, dus laat me niet nog langer wachten. Zeg alsjeblieft ja.'

Ze schudde haar hoofd. Dit kon ze hem niet aandoen. Hij verdiende een vrouw die heel was. 'Nee.'

'Waarom niet?' Hij keek haar aan met een paar ogen die enkele ogenblikken geleden nog hadden geschitterd en nu de grijze lucht boven hen weerspiegelden.

'Ik ben kapot.'

'Je bent prachtig.' Hij stond op en streek over haar natte wang.

'Als je me naakt ziet, zul je eerder van me walgen dan opgewonden raken.'

'Daarin zul je me moeten vertrouwen.' Hij kuste haar. 'Als je ja zegt, bedrijf ik hier ter plekke de liefde met je.'

Ze lachte toen ze om zich heen keek naar het koude graniet onder haar voeten.

'Je hebt gelijk, ik neem je liever mee naar mijn bed in het Weduwehuis.'

Ze fronste haar wenkbrauwen. 'Jouw bed in het Weduwehuis?'

Hij knikte. 'Ik dacht dat we daar maar het beste konden gaan wonen, want ik zie ons nog niet in de zolderkamers van Boscawen bivakkeren terwijl het publiek de nacht in jouw kamer doorbrengt.'

Ze glimlachte. Hij kende haar zo goed. Zou ze het risico nemen? Stel dat hij haar afwees? Was liefde echt blind?

Hij boog zich naar haar toe en fluisterde: 'Kom met me mee en wees mijn lief, dan zullen we samen nieuw genot beleven.' Ze huiverde.

'Dus je neemt me niet mee om daar met me te vrijen, tenzij ik ja zeg?' Haar ogen dansten en ze zette haar hand in haar zij.

'Inderdaad. Ik heb jaren gewacht tot je de mijne was.' Hij glimlachte.

'Ik hoop alleen dat ik de moeite van het wachten waard ben.'

Hij trok een wenkbrauw op. 'Dus dat is een ja?'

'Ja.'

'Ik weet dat je dat zult zijn.' Hij trok haar in zijn armen. Eindelijk was ze thuis.

WINTER

Een mens is niet bij machte iets aan te nemen
als het hem niet vanuit de hemel is gegeven.

JOHANNES 3:27

Epiloog

*D*emi keek hoe haar adem in wolkjes de ijskoude lucht in dreef. Hoewel ze haar warmste jas had aangetrokken en haar pumps had verruild voor laarzen, was het bitter koud. In de kerk was het niet warm geweest, maar daar had ze al haar aandacht nodig gehad om al lopend door het gangpad niet te struikelen en te zorgen dat de bruid gelukkig was. En het gezicht van de bruid straalde eenvoudigweg, hoe koud het ook was.

Iedereen stond op een kluitje bij een van de oudste appelbomen. Toortsen waren aangestoken om de schemering op afstand te houden. Het pasgetrouwde stel, de koning en de koningin van de Wassail, nam hun van altijdgroene takken gemaakte kronen in ontvangst. De wassailkom, geleend van Pengarrock, was gevuld met warme cider, Boscawens eerste oogst sinds tientallen jaren.

Sam hield de wassailkom vast, waar de damp vanaf sloeg. 'Het is de twaalfde nacht en een feestelijk ogenblik. Ik verzoek de kersverse meneer en mevrouw Sebastian Roberts, onze koning en koningin van de Wassail, het spits af te bijten.'

Sebastian tilde de kom op. 'Dit is voor u, oude appelboom. Dat u mag ontkiemen en dat u mag bloeien! Hoedenvol. Pettenvol. Ooftmanden vol, en allemaal onder één boom. Hoera! Hoera!' Hij nam een slokje en gaf de kom aan zijn vrouw.

Victoria lachte en zei: 'Dit is voor u, oude appelboom. Dat u mag ontkiemen en dat u mag bloeien! Hoedenvol! Pettenvol! Ooftmanden en ooftmanden vol. En graag ook nog mijn zakken vol! Hoezee!' Ze nam een slok en gaf de kom aan Sam.

'Nou, voordat we allemaal een drankje krijgen, mogen de koning en koningin dit stuk toast in de cider dopen en het op de boomtakken leggen om dank te zeggen en te vragen om een goede oogst voor het komend jaar.'

'Straks zullen hier aardig wat dronken vogels rondhippen.' Fred sloeg een arm om Peta's middel. 'En dan heb ik het nog niet over de verspilling van al die cider.' Gelach klonk op uit de menigte.

'Sst!' Peta gaf hem een por met haar elleboog. 'Je mag de geesten van de boom niet van streek maken.'

'Sorry.' Hij kuste haar op de wang.

Demi keek naar Victoria en Seb, die de doorweekte toast in de boom legden, en naar Sam, die de kom hoog in de lucht hief. 'Op de appels, dat we een goede oogst mogen krijgen.' Hij nam een slok en gaf de kom aan haar door.

'Op de appels.' De cider was warm en verrukkelijk.

Hij grijnsde, nam de kom van haar over en fluisterde voordat hij die doorgaf in haar oor: 'Ik kan niet wachten tot ik je onder de mistletoe heb gelokt.'

'Je hoeft heus niet op de mistletoe te wachten, hoor.'

'Dan doe ik dat ook niet.' Hij bukte zich en kuste haar, en Demi proefde de zoete cider op zijn lippen.

'Hé, doe dat maar in je eigen tijd en geef mij de cider, maat.' Fred pakte de kom van Sam over, zodat die zijn handen vrij had. Sam trok Demi in zijn armen. Haar grootvader stond naast hen te glimlachen en begon het Cornwallse Wassaillied te zingen. En ze vielen allemaal in terwijl ze naar Boscawen terugliepen, waar het bruiloftsfeest op hen wachtte.

Now Christmas is comen and New Year begin
Pray open your doors and let us come in
With our wassail, wassail, wassail, wassail
And joy come with our jolly wassail

Dankwoord

*E*en verhaal moet altijd een begin hebben en dit verhaal begon tijdens een karakterworkshop onder leiding van Sue Moorcroft op de RNA-conferentie in Leicester. Ik zal je niet precies vertellen hoe het in zijn werk ging, maar we moesten uit drie gegevens een personage creëren, en daaruit is Charles Lake geboren. Dank je wel, Sue. En ik dank Beryl Kingston voor de titel.

Al tijdens het schrijven van de eerste versie van dit boek wist ik dat agapanthussen een belangrijke rol zouden spelen, en dus moest ik daar meer over te weten komen. Dit was vlak voor de Chelsea Flower Show, de ideale plek om antwoorden op mijn vragen te krijgen. Maar ik kon er niet naartoe. Via Twitter gaf ik te kennen hoe teleurgesteld ik was en een vrouw die ik nog nooit had ontmoet, zei: 'Vertel me wat je wilt weten, ik ga er morgen heen.' Dank je wel, Claire Maycock.

Als ik een researchassistent zou mogen kiezen, denk ik niet dat er een betere bestaat dan de fantastische John Jackson. Wanneer ik de moed had opgegeven om aan de benodigde informatie te komen, kwam hij zonder mankeren met het gevraagde materiaal. Hij is briljant en simpelweg een van de beste motivators die je je maar om je heen kunt wensen tijdens de sombere dagen waarop ik geen letter op papier wist te krijgen.

Het lijkt wel alsof ik geen boek kan schrijven zonder dat daar een begrafenis of een of ander juridisch probleem in voorkomt. Goddank heb ik Anne Rodell, die daarop een oogje houdt. Als altijd zijn vergissingen mij aan te rekenen, en niet haar.

Schrijven is iets magisch. Ja, het is hard werken, maar soms is de gave om bij toeval waardevolle dingen te ontdekken verbazingwekkend. Op een dag was ik op zoek naar iets voor in mijn boek en de fantastische mensen die vanuit de afdeling Archieven en Speciale Collecties van de Falmouth University en de University of Exeter, Penryn Campus, twitterden, gooiden pardoes de Kowres in de Twitteratmosfeer, en de rest is geschiedenis. Zij hebben me ook in contact gebracht met Matthew Clarke, die me regelrecht op het spoor zette van een staande steen vlak naast een vlierboom, iets typisch Cornwalls. Door hun hulp kon ik een speciale *Cornish touch* aanbrengen, en daar ben ik dankbaar voor.

Er zijn van die dagen dat een boek schrijven het mooiste is wat er bestaat, maar er zijn ook van die dagen dat dat helemaal niet zo is. Helaas voor haar was Cesca Major toevallig in mijn buurt op een van die slechte dagen. Cesca en haar moeder moesten aanhoren hoe ik tekeerging over een boek waar ik maar niet uit kwam. Volgens mij heb ik ze urenlang gegijzeld op het terras van het schitterende Down By The Riverside Cafe, terwijl ik de boel probeerde te ontwarren. Het heeft geholpen en ik ben ze zo dankbaar!

In oktober sloeg de paniek pas echt toe, en de geweldige Jan Campbell schoot me te hulp. Hij wierp een blik op de uitspraken van Sam en Rachel, om er zeker van te zijn dat ik in Australisch opzicht niet compleet de plank missloeg, en opnieuw: alle mogelijke fouten zijn aan mij te wijten!

Rond die tijd wist ik dat ik niet op tijd in Cornwall kon zijn om mijn onderzoek in Falmouth te voltooien. Sue Kinder redde me met prachtige foto's zodat ik de ontbrekende details alsnog kon invullen. Dank je wel, Sue.

Aangezien Boscawen zich op de noordelijke oever van de Helford bevond, moest ik wel een tafereel met oesters inlassen. Ik kon Sam niet zomaar een wijntje laten uitkiezen, dus zocht ik via Twitter hulp bij de Wright Brothers, die de Duchy Oyster Farm langs de Helford bezitten, evenals een aantal restaurants in Londen. Dank jullie wel voor jullie hulp, Wright Brothers.

Ongelooflijk veel dank ben ik verschuldigd aan Julie Hayward, die met haar arendsogen alle fouten en onvolkomenheden in het verhaal opmerkte; aan Sarah Callejo, de beste lezer om je van wezenlijk inzicht te voorzien; en uiteraard zou ik mijn verstand zijn verloren en niet meer in staat zijn te schrijven zonder Brigid Coady. Zij is de geweldigste kritische partner ooit.

De kalmerende invloed en wijze woorden van mijn agent Carole Blake houden me op koers, terwijl mijn redacteur, Kate Mills, altijd weer ziet hoe het verhaal nog beter kan worden, en dat verhaal ook uit me weet te trekken. Dank jullie beiden, en dank aan de teams van Blake Friedmann en Orion voor alles wat ze hebben gedaan.

Ten slotte en als altijd gaat mijn grootste dank uit naar mijn immer geduldige familie, mijn ouders incluis, maar vooral naar Sasha, die het grootste deel van haar herfstvakantie moest besteden aan het redigeren van mijn boek! Ze zijn allemaal geweldig en zonder hun begrip zou ik dit niet kunnen. Maar ik zou geen letter op papier kunnen krijgen zonder de steun en liefde van mijn man Chris. Hij is de bovenste beste.

Opmerking van de auteur

Net als in vorige boeken ben ik vrijelijk omgegaan met het landschap. Ik heb granieten stenen uit andere streken gehaald en legendes gestolen, heb kades toegevoegd en ze verhuisd, om maar niet te spreken van het creëren en verplaatsen van huizen. De streek rondom de Helford-rivier zit vol historie en schoonheid. Ik ben dankbaar voor de inspiratie die ik daaruit heb mogen putten.

Liz Fenwick

Als de bejaarde Jaunty, die een teruggetrokken bestaan leidt, te zwak wordt om voor zichzelf te zorgen, trekt haar kleindochter Gabriela bij haar in. Samen wonen ze in Jaunty's afgelegen huis aan Frenchman's Creek. Ooit was de oudere vrouw een bekend kunstenares. Nu, aan het einde van haar leven, vindt ze geen rust; ze wordt achtervolgd door herinneringen.

Op een stormachtige avond raakt iemand vlak bij hun huis met zijn boot in de problemen. Gabriela weet de knappe vreemdeling te redden en de twee vrouwen bieden hem een tijdelijk onderdak. Deze Finn blijkt op zoek te zijn naar de oorsprong van een schilderij, een erfstuk. Zijn zoektocht heeft hem naar dit prachtige binnenwater in Cornwall geleid. Gabriela en Jaunty kunnen hem verder helpen, maar daarbij komt er een opmerkelijk verhaal over liefde en misleiding aan het licht…

Verkrijgbaar als
e-book
& papieren boek